Dat

JAN 9 1996

Demco 38-297

BAUDELAIRE
ET LA
CRITIQUE FRANÇAISE
1868–1917

A. E. CARTER

BAUDELAIRE
ET LA
CRITIQUE FRANÇAISE
1868-1917

Columbia
University of South Carolina Press
1963

Library of Congress catalog card number 63–11690
Printed in the Netherlands

A MON VIEUX MAITRE
G. BONFANTE
UNIVERSITE DE TURIN

Ce serait un travail curieux que de réunir pour
lui . . . la collection des injures, des sarcasmes,
des critiques dédaigneuses ou absurdes, des conseils bienveillants, mais ridicules, dont on l'a
accablé avant et après sa mort.

—Maurice Spronck, *Les Artistes littéraires*
(1889).

L'étrange est qu'il se soit maintenu si longtemps
au faîte de la gloire.

—Henri Peyre, *Connaissance de Baudelaire*
(1951).

AVANT-PROPOS

Ce livre se présente comme suite au volume excellent de M. W. T. Bandy. Ce qu'il a fait dans *Baudelaire Judged by His Contemporaries* pour l'époque qui précède la mort du poète, j'ai voulu le faire pour les années comprises entre 1868 et la première guerre mondiale. Années décisives, du reste: le chantre déliquescent du second Empire se transforme lentement en poète héroïque, classique et chrétien; prend, somme toute, la figure que nous lui connaissons aujourd'hui. Depuis, on a beaucoup écrit sur Baudelaire, et de nouveaux points de vue ont été envisagés; mais l'essentiel de sa gloire s'affirme dès 1917. Les nombreuses études publiées dernièrement ne sont, le plus souvent, que des paraphrases de ce qu'avaient dit Gautier, Barrès, France, Gide, Bourget, Banville, Laforgue, Rivière et parfois même... Ferdinand Brunetière.

Au cours de ce demi-siècle nous distinguons quelques points de repère: 1868, *les Œuvres complètes*; 1887, *les Œuvres posthumes*; 1892, le projet d'une statue; 1902-1906, la publication des *Lettres*; 1917, le cinquantenaire de la mort du poète. Et j'ai cru nécessaire de grouper mes extraits autour de ces dates, dont chacune a donné lieu à une moisson d'articles pour ou contre Baudelaire et à des débats parfois acerbes sur les mérites et les défauts de son œuvre.

Il va sans dire qu'une telle littérature est vaste; tout écrivain tant soit peu connu—et maint autre d'une obscurité totale— a fait son article sur Baudelaire. Pour n'être pas débordé, j'ai dû opérer un choix assez sévère. J'ai commencé par me borner à la France, ou du moins à des pays de langue française. Depuis l'étude de Swinburne (1862) il y a une littérature européenne et même mondiale sur Baudelaire: elle est parfois d'un intérêt passionnant et constitue l'un des éléments essentiels de sa gloire. Mais elle exige des connaissances linguistiques qui me manquent, et je dois donc l'abandonner à ceux qui sont mieux pourvus de russe, de chinois et de langues scandinaves que moi. Espérons que quelqu'un médite déjà un *Baudelaire à l'étranger*: le projet en vaut la peine et ne manquerait pas de piquant.

Ensuite, puisque je voulais donner surtout une idée de ce qu'on avait pensé de *l'œuvre* de Baudelaire, j'ai écarté tout article d'un intérêt purement biographique ou anecdotique. M. Bandy doit bientôt publier une bibliographie complète de Baudelaire: elle comprendra plus de 15.000 titres. J'y renvoie tous ceux qui veulent lire ce que je n'ai pas cité.

On s'étonnera, peut-être, de trouver tant de citations dont la sottise saute aux yeux, et qui répètent jusqu'à la nausée les mêmes jugements ineptes et (souvent) les mêmes phrases. J'avoue que ces imbécillités m'intéressent beaucoup. Elles ont égayé mainte journée de travail morne à la Bibliothèque nationale, et du point de vue historique je les crois extrêmement significatives. Le fait même que tant de gens se sont cru obligés de dire et de redire ce qu'on avait déjà dit n'est pas sans importance. Critique absurde, évidemment; mais indice au dernier point révélateur de l'état d'esprit qui régnait dans les milieux littéraires et philosophiques (et parfois politiques et sociologiques) de ce siècle étonnant, à mesure qu'il s'approchait de la catastrophe de 1914 où il devait périr. Que ne donnerions-nous pas aujourd'hui pour un florilège de jugements anciens sur Lucrèce, Pétrone et Tacite! Du point de vue historique, la bêtise est presque toujours plus importante que l'intelligence.

J'ai pu entreprendre ce travail grâce à une subvention du Conseil des Arts du Canada, à qui j'exprime ici ma vive reconnaissance. En accordant une bourse, cependant, le Conseil n'approuve pas nécessairement les vues exprimées dans un livre: c'est à l'auteur seul que cette responsabilité incombe.

Cet ouvrage a été publié grâce à une subvention accordée par le Conseil Canadien de Recherches sur les Humanités et provenant de fonds fournis par le Conseil des Arts du Canada.

M. L. P. Gagnon a bien voulu lire mon manuscrit et m'en faire la critique; j'ai constamment fait appel à mes amis Pierre Guyénot, Norbert Lagane et Gérard Colombani; et Mme A. Decaris a eu la bonté de parcourir mes brouillons et de me prodiguer les conseils indispensables pour éviter les contre-sens, mots bas et autres pièges nombreux qui attendent quiconque essaie d'apprivoiser cette belle infidèle, la langue française. Enfin, il y a M. Bandy. Comme je viens de le dire, l'idée initiale de ce livre m'est venue en feuilletant *Baudelaire Judged by His Contemporaries*. Mais le rôle de M. Bandy ne s'arrête pas là. Avant d'accepter mon manuscrit, le Conseil Canadien l'a soumis à son approbation. Il en a vite remarqué les lacunes (beaucoup d'articles m'avaient échappé); et non content de me les signaler, il m'a ouvert ses archives—les plus complètes qui existent sur Baudelaire—et m'a fourni les extraits critiques qui me manquaient. En outre, il a lu et relu mes brouillons et a corrigé mes erreurs. J'avoue éprouver une certaine difficulté à exprimer comme il faut ma reconnaissance. Qu'un homme chargé de travail et plongé dans de nombreuses recherches se dérange à tel point pour aider les projets d'un autre—voilà, je crois, une preuve d'altruisme qui se passe de commentaires.

Columbia, South Carolina,
avril 1962.

A. E. C.

INTRODUCTION

Baudelaire jugé pas ses contemporains

L'OPINION DES CRITIQUES d'autrefois sur tel ou tel grand livre ne manque jamais d'intérêt. Tout en projetant un flot de lumière sur les débuts d'une grande réputation, elle nous renseigne fort curieusement sur les préjugés et les manies de nos aïeux, sur leur façon de juger les hommes et les choses; et lorsque par hasard il est question d'un grand poète comme Charles Baudelaire, les articles qu'on écrit sur lui nous fournissent la matière brute de tout un chapitre de l'histoire littéraire.

Baudelaire a sans doute inspiré plus de sottises à la critique que tout autre écrivain. Dès la publication des *Fleurs du mal* presque tout le monde l'a singulièrement méconnu: en tournant les pages du petit livre magistral de M. Bandy, nous retombons constamment sur les mêmes phrases: "vers détestables", "indigence navrante d'idées", "langue ignorante, glaciale, sans couleur", "poésie scrofuleuse, écœurante... de charnier et d'abattoir", "cauchemar", "horreurs de charnier étalées à froid", "abîmes d'immondices", "odieux, ignoble, repoussant, infect", "un hôpital ouvert à toutes les démences de l'esprit, à toutes les putridités du cœur", "des monstruosités", "tissu d'infamies et de saletés", "peintures hideuses et étranges", "volume malsain et dangereux".[1] On n'a vu dans le ton mystique de tant de morceaux qu'un piment destiné à relever la débauche: "un impur mélange de païenne corruption et d'austérité catholique outrée", "obscénité, mysticisme—deux mots dont on peut marquer M. Baudelaire", "cerveau bizarre, tour à tour Don Juan et Rancé, païen pour la forme, catholique pour le fond".[2]

Il est vrai qu'on a mieux goûté sa prose. Les *Salons,* les études sur Delacroix, Wagner, Guys, les traductions de Poe ont reçu en général un assez bon accueil, même de la part des critiques qui se sont montrés impitoyables pour *les Fleurs du mal.* A. de Pontmartin, par exemple, appelle Baudelaire "un très remarquable traducteur"; Gustave Bourdin déclare son article sur Guys "une étude de haute critique, très curieuse, très fouillée et très originale", et un peu plus tard, discutant *le Spleen de Paris,* trouve même du bien à dire des *Fleurs du mal—* fait presque incroyable lorsqu'on se rappelle son article de 1857 qui

---

[1] W. T. Bandy, *Baudelaire Judged by His Contemporaries* (New York, Columbia University), 20, 31, 32, 51.
[2] *Ibid.*, 50, 65, 138.

(de l'avis de Baudelaire lui-même) signalait le volume aux poursuites judiciaires.³

La nouveauté poétique des *Fleurs du mal* n'était pas non plus totalement ignorée des contemporains. Le livre, dit un certain Deschanel, "comme œuvre de style, est assurément des plus remarquables et des plus neufs"; Barbey d'Aurevilly appelle Baudelaire le véritable chef de la jeune école et note son influence sur Dierx, Ricard, Verlaine et Mallarmé; Asselineau le félicite d'avoir compris les conditions nouvelles de la poésie en la débarrassant de l'enseignement historique, philosophique et scientifique. Deux ou trois fois aussi on parle même de son "classicisme", mot qui devait faire fortune une quarantaine d'années plus tard.⁴

Mais somme toute (c'est l'un des faits les plus curieux du "cas Baudelaire", et nous y reviendrons) critiques hostiles et critiques favorables ont tous vu à peu près la même chose dans *les Fleurs du mal*: blasphèmes, corruption, décadence. Le plus souvent, on trouvait que même le modernisme et les innovations poétiques du volume n'étaient qu'artifice et que préciosité: Baudelaire "*scudérisait* l'ordure" et "*pétrarquisait* sur l'horrible".⁵ Charles de Mazade, par exemple,—"L'Arrière-saison de la poésie", *Revue des Deux Mondes*, 15 juin 1860— commence par critiquer l'anti-modernisme et le bric-à-brac antique qui, chez des poètes comme Leconte de Lisle, "laissent périr le sentiment de l'homme moderne"—idées qui auraient dû le mener à goûter Baudelaire. Mais au contraire, il trouve *les Fleurs du mal* trop corrompues pour représenter dignement l'esprit contemporain:

La poésie de M. Baudelaire se déchaîne et s'agite, comme dans une crise nerveuse perpétuellement intense. Les nerfs en effet ont visiblement une aussi grande part que l'imagination dans ces fragments étranges qui forment tout un poème plein de crudité... *Les Fleurs du mal* sont vraisemblablement le dernier mot d'une double tendance de la poésie moderne, le matérialisme de l'art combiné avec l'analyse subtile et violente des désirs, des tourments, de toutes les agitations malsaines de l'être intérieur... Il sera difficile d'aller plus loin. Et ne croyez pas au surplus que [Baudelaire] soit un talent inhabile. Si... "son grand amour de l'art" n'est le plus souvent que le fanatisme de la forme plastique, de l'expression crue et de l'image inexorable, il a du moins la science et tous les raffinements de ce

---

³ *Ibid.*, 24, 63, 64.
⁴ *Ibid.*, 70, 79; Appendice aux *Fleurs du mal* (Lévy), 321-322; Bandy, 17, 114; Théodore de Banville, *infra*, p. 17.
⁵ Jules Vallès et Sainte-Beuve: Bandy, 127 et Appendice, 334. Les deux jugements sont presque identiques, et pourtant l'un vient d'un critique hostile et l'autre d'un ami. Ce sont eux qui soulignent.

matérialisme poétique dont il représente exactement la métamorphose la plus récente. M. Charles Baudelaire s'est fait une langue singulièrement libre et hardie, ou plutôt il s'est approprié avec une verve dangereuse cette langue de l'école, qui a l'ambition d'être à la fois une peinture et une sculpture, et de rendre sensible même ce qui est immatériel et impalpable. On dirait seulement que, maître de la forme, ouvrier expert dans l'art de tailler curieusement des phrases et d'enrouler des épithètes comme des festons bizarres, il s'est trouvé tout à coup embarrassé et s'est demandé quelle idée il allait envelopper de ce luxe de sonorités et de ciselures... M. Baudelaire a voulu chanter à tout prix une chanson nouvelle, et quelle chanson! L'hallucination sinistre, la légion des vices... la haine... l'ennui ... ce sont là les motifs habituels des *Fleurs du mal.*

Bien que nuancée de louanges, la critique est assez dure; et même les articles les plus favorables n'expriment guère autre chose. Edouard Thierry compare *les Fleurs du mal* à un "jardin du mal", espèce de serre, ornée de plantes vénéneuses; la même comparaison revient deux fois chez Théophile Gautier.[6] Pour Mallarmé le volume ressemble à un paysage tel qu'en voient les toxicomanes: "un ciel livide d'ennui", "de mornes bassins où dort une eau morte et métallique".[7] Sainte-Beuve, dans un passage demeuré célèbre, compare le livre à un kiosque oriental, où l'en s'empoisonne de stupéfiants.[8] "La profonde originalité de Charles Baudelaire," écrit Verlaine, "c'est de représenter puissamment et essentiellement l'homme moderne... tel que l'ont fait les raffinements d'une civilisation excessive, l'homme moderne avec ses sens aiguisés et vibrants, son esprit douloureusement subtil, son cerveau saturé de tabac, son sang brûlé d'alcool... le *bilio-nerveux* par excellence."[9] Pour Charles Bataille, Baudelaire est "le Prométhée des mœurs énervées de notre décadence".—"Son talent," ajoute Barbey d'Aurevilly, "travaillé, ouvragé, compliqué avec une patience de Chinois, est lui-même une fleur du mal venue dans les serres chaudes d'une Décadence"; il est "le Dante d'une époque déchue", "un Héliogabale *artificiel*".[10]

On a souvent l'impression que les critiques se prêtaient des phrases, tant leurs métaphores se ressemblent: "les raffinements d'une curiosité maladive", "un vénéneux nectar", "des Fleurs qui ulcèrent le sein", "des poisons enivrants", "des parfums terribles", "une forme savante

[6] *Les Poètes français* (Hachette, 1862), IV, 594; article nécrologique cité par Bandy, 141.
[7] Article daté de 1864, Mallarmé, *Œuvres complètes* (Pléiade), 263.
[8] Cité par Bandy, 58.
[9] Article daté de 1865, Verlaine, *Œuvres posthumes* (Messein), II, 9-10.
[10] Bandy, 137; Appendice, 310-311; Bandy, 47 .

et ciselée", "des flacons bien ciselés", "une coupe artistement ciselée", "des métaux sonores et précieux", etc. Le titre même du volume, "fleurs du mal", favorisait certaines comparaisons, certaines tournures de phrase assez faciles.

Enfin, il y a la "légende". Nous la retrouverons à chaque étape de notre enquête jusqu'en 1917. Elle prend naissance dans les mystifications de Baudelaire lui-même. Ses plaisanteries scabreuses, son satanisme et ses blasphèmes paraissent assez anodins aujourd'hui, une excentricité de grand homme. Mais il en était autrement à l'époque. On a pris tout cela au sérieux, et nul homme n'a jamais payé plus cher que Baudelaire ses paradoxes et ses moindres épigrammes. Tant d'indignation solennelle déroute, surtout lorsqu'elle dure pendant un demi-siècle: pour comprendre l'histoire critique de Baudelaire, nous sommes obligés de nous occuper de sa légende, de peser sérieusement le pour et le contre de tel commérage de bistro, de tel racontar de concierge. Cette légende était florissante du vivant même du poète [11]; tout le monde avait quelques anecdotes plus ou moins authentiques à raconter sur lui; et ce qui confond le plus, c'est l'accent de rancune intime chez certains écrivains, comme s'ils se croyaient personnellement bafoués:

Il faut qu'il soit véritablement un homme fort, pour avoir fait de tout Paris la dupe d'une mystification qui a duré près de dix ans.
Parmi les excentriques de lettres, [Baudelaire] est fort connu par sa recherche constante de la bizarrerie et pour sa *pose* de tous les instants.
Baudelaire ... emploie les niaiseries du mystère et de l'horreur pour étonner le public.
M. Baudelaire voudrait passer pour un méchant diable bien terrible.
M. Baudelaire se moque de nous; le poète ne paraît point sincère.
Il y avait en lui du prêtre, de la vieille femme et du cabotin. C'était surtout un cabotin.[12]

On est allé jusqu'à chercher l'explication de son œuvre dans toutes sortes de maladies morales et psychologiques: "Il y a de la folie en lui", "il a été, dans sa vie et dans ses œuvres, le jouet des égarements de son esprit", "on trouve [chez lui] des qualités poétiques qui ne couvent que dans des cerveaux malades", "chez Baudelaire la poésie

---

[11] Fait reconnu par Baudelaire lui-même: "Elle parlait d'après la légende," dit-il à propos d'une jeune fille qui lui avouait qu'elle croyait qu'il était toujours ivre et sentait mauvais. Louis Thomas, *Curiosités sur Baudelaire* (Messein, 1912). Mais, comme tant d'autres histoires sur Baudelaire, il se peut fort bien que celle-ci soit apocryphe.
[12] Bandy, 51, 27, 28, 35, 126.

vivait d'exception, et ce dangereux régime devait tôt ou tard changer le talent en maladie".[13]

Brunetière n'a sans doute jamais lu tous ces jugements, dont la plupart dormaient à la Bibliothèque nationale en attendant M. Bandy; mais ils résument fort bien tout ce que lui et beaucoup d'autres devaient écrire plus tard. Pendant cinquante ans, la légende de Baudelaire, de ses paradoxes, de ses manies et de ses maladies, n'a jamais cessé d'inspirer à beaucoup de lecteurs cette "peur d'être dupe" qui a faussé tant de jugements de son œuvre.

Ainsi, bien que M. Bandy ait sans doute raison d'affirmer que "it is not true that Baudelaire's merit was totally unrecognized by his contemporaries",[14] il faut avouer que très peu de ces contemporains ont compris la véritable grandeur du poète. Pour la plupart (le fait ne ressort que trop clairement des pages de *Baudelaire Judged by His Contemporaries*) les *Fleurs du mal* appartenaient aux curiosités de la littérature: un livre "spécial", à ranger dans l'enfer de la bibliothèque à côté du divin Arétin et du marquis de Sade. Trois critiques seulement, peut-être, ont parlé du volume en termes qui nous conviennent aujourd'hui: Asselineau, qui indique le rôle de Baudelaire dans l'histoire de la poésie française; Auguste Chabrol, qui note que Baudelaire était le chantre de la populace et de la grande ville; Théodore de Banville enfin qui, dans son oraison funèbre du poète, dessine un portrait qui correspond presque trait par trait au Baudelaire de nos jours:

L'avenir prochain le dira d'une manière définitive, l'auteur des *Fleurs du mal* est non pas un poète de talent, mais un poète de génie, et de jour en jour on verra mieux quelle grande place tient, dans notre époque tourmentée et souffrante, son œuvre essentiellement française, essentiellement originale, essentiellement nouvelle. Française elle l'est par la clarté, la concision, par la netteté si franche des termes qu'elle emploie, par une science de composition, par un amour de l'ordre et de la règle qui très rigoureusement procèdent du XVIIᵉ siècle; originale... nul ne le lui a contesté; ... nouvelle ... ceci est sa gloire, la meilleure et la plus vraie, dont rien ne peut la déshériter! [15]

[13] *Ibid.*, 99, 18, 113, 151.
[14] *Ibid.*, 11.
[15] "Discours aux obsèques de Baudelaire", *Charles Baudelaire, Souvenirs, correspondance, bibliographie* (Pincebourde, 1872), 133. Notons aussi ce que dit Villiers de l'Isle-Adam dans une lettre écrite à Baudelaire entre 1859 et 1862: "Baudelaire est le plus puissant, et le plus un, par conséquent, des penseurs désespérés de ce misérable siècle! Il frappe, il est vivant, il voit! Tant pis pour ceux qui ne voient pas!" E. de Rougemont, *Villiers de l'Isle-Adam* (Mercure de France, 1910), 88.

A part ces rares exceptions, la critique contemporaine, hostile ou favorable, était presque unanime: Baudelaire était un écrivain bizarre et décadent, une espèce de Marino corrompu, dont la poésie reflétait les névroses. La plupart des articles, s'ils ne sont pas franchement imbéciles à force de malveillance, manquent totalement de pénétration et portent constamment à faux.

Il ne faut pas nous indigner outre mesure, sans doute, de ce mauvais accueil, non plus que de toutes les sottises que nous lirons plus tard. Baudelaire était très obscur en 1857: ses contemporains ont dénigré son œuvre, si l'on veut; mais comme ils l'ont fait connaître! En littérature mieux vaut la diffamation que le silence. Un procès retentissant et cinquante années de scandale: très peu de poètes ont eu la chance de Baudelaire. Heureuse époque en effet que le second Empire où un volume de vers pouvait susciter tant de bruit. Supposons pour un instant que la même chose arrive à un poète de nos jours. Ses éditeurs ne se tiendraient pas de joie: on imagine les articles, les interviews, les photographies dans les journaux, les éditions enlevées en coup de vent, la notoriété, la gloire, la fortune—peut-être même la consécration suprême de Hollywood. Les éditeurs chez qui Baudelaire cherchait vainement à placer ses manuscrits doivent faire pitié à leurs confrères d'aujourd'hui: ils ont manqué une occasion superbe: ils ne comprenaient pas la technique de la réclame.

Les Fleurs du mal, en effet, déroutaient à peu près tout le monde. On ne savait pas comment les juger; on en cherchait l'explication dans la vie de Baudelaire, dans les histoires de ses amours, de ses maladies et de sa mort. Ces commérages ont pris un tel essor qu'ils ont fini par obscurcir l'œuvre; et il ne fallait pas moins que les publications d'un Eugène Crépet et d'un Féli Gautier pour débarrasser Baudelaire de sa fameuse et fâcheuse "légende".

CHAPITRE PREMIER

1868-1887, *Les Œuvres complètes*

LE PETIT LIVRE d'Albert de La Fizelière et de Georges Decaux (n° 1), paru en librairie en mars 1868, inaugure très bien nos cinquante années d'enquête. Très incomplet, il est pourtant remarquable pour l'époque où il a été fait; la préface, assez favorable à Baudelaire, est fondée sur un article nécrologique publié par La Fizelière dans la *Chronique de Paris* le 4 septembre 1867, et la bibliographie compte 123 numéros. Tout mince qu'il est, le volume mérite donc une place d'honneur dans l'histoire critique de Baudelaire: c'est le premier livre qu'on lui ait consacré.

Mais l'événement capital de 1868, ce fut la célèbre étude de Théophile Gautier (n° 2). Datée de février, publiée d'abord dans *l'Univers illustré* entre le 7 mars et le 18 avril, reprise ensuite comme "Notice" aux *Fleurs du mal* dans l'édition Lévy des *Œuvres complètes* (1869), elle a exercé une très grande influence non seulement sur la plupart des critiques et des amateurs de Baudelaire, mais sur toute la théorie littéraire des trente dernières années du siècle.

Ce qui n'est pas trop difficile à comprendre, Gautier étant déjà célèbre à l'époque, beaucoup plus célèbre que Baudelaire, et ce qu'il écrivait faisant autorité. Il avait bien connu Baudelaire, qui s'était proclamé son disciple, lui avait dédié *les Fleurs du mal*, et avait même parlé de reproduire la première version de la "Notice" (celle des *Poètes français*, 1862) comme avant-propos à une nouvelle édition du livre. Enfin, grâce aux hasards du copyright, la "Notice" prenait le pas sur toutes les autres études: de 1868 à 1917, lorsque les œuvres de Baudelaire sont tombées dans le domaine public, il n'y avait qu'une seule édition à bas prix des *Fleurs du mal*, la Lévy. C'est-à-dire que pendant un demi-siècle Gautier présentait Baudelaire à ses lecteurs.

En dehors de tout cela, la "Notice" est admirablement bien écrite. Gautier, vieux feuilletoniste rompu à toutes les finesses du métier, s'est ici surpassé: son œuvre volumineuse ne contient rien de mieux. Dès le début nous nous trouvons sous les lambris dédorés de l'hôtel de Lauzun: la compagnie spirituelle s'assemble de nouveau, s'accoude à l'Aubusson des fauteuils; et parmi ces fins visages, dans le vieux salon inondé de l'éclat tamisé de la Seine, Baudelaire étale ses maniérismes, débite ses paradoxes. Le tableau est brossé de main de maître, et n'a rien perdu de sa puissance depuis près de cent ans. Qui ne s'est pas arrêté parfois, quai d'Anjou, pour interroger cette noire façade, espérant y trouver je ne sais quelle trace de Baudelaire?—La Bohême de 1840 renaît dans ces pages lumineuses; et chaque instant de la pendule dorée que porte un éléphant semble prolonger à l'infini ce lointain après-midi où s'attarde le soleil.

Impression de beauté langoureuse, presque mourante—effet sans doute voulu, et qui sert de prélude aux passages chatoyants où il est question de décadence.

Car l'idée de décadence est le thème de l'essai entier. Gautier n'oublie pas la nouveauté et la maîtrise technique des *Fleurs du mal*; ne manque pas d'insister sur les hautes qualités personnelles de Baudelaire. Mais tout prend sous sa plume une tournure spéciale: le style du poète est un style de décadence, l'expression d'une décadence littéraire qui réflète la dégénérescence d'une époque blasée et corrompue:

... les civilisations qui vieillissent ...
... un sol de cimetière des civilisations décrépites, où se dissolvent, parmi les miasmes méphitiques, les cadavres des siècle précédents ...
... les civilisations très avancées et très corrompues ...
... ces nuances morbidement riches de la pourriture ... qui correspondent à la dernière heure des civilisations ...

Quant à Baudelaire, il paraît toujours sous une lumière bizarre: dandy, mystificateur, féru de paradoxes, cherchant à scandaliser.—Le poète, en somme, de la "légende".

Que Gautier ait si lourdement chargé le portrait de son vieil ami paraît d'abord curieux,[1] mais l'équivoque se dissipe vite si nous jetons un coup d'œil sur quelques-uns de ses livres écrits avant 1868. La "Notice" est bien autre chose qu'une simple étude sur Baudelaire. Elle est surtout l'expression définitive de certaines idées qui préoccupaient Gautier depuis plus de trente ans. Pour l'écrire, il avait à peine besoin de lire *les Fleurs du mal*: il n'avait qu'à remonter à *Mademoiselle de Maupin*, aux *Grotesques* et même (peut-être) à son adolescence. Ecolier, le style décadent l'intéressait, si nous prenons à la lettre ce qu'il dit de ses années de collégien: "Je traitais les sujets de vers latins dans tous les mètres imaginables, et je me plaisais à imiter les styles qu'au

---

[1] D'après Maxime du Camp (Souvenirs, II, 83), Gautier aurait considéré Baudelaire—du moins vers 1852—comme une sorte de bas-romantique, de Pétrus Borel, dont le talent n'était qu'un feu de paille. Mais Du Camp n'est pas toujours digne de crédit et Gautier a pu changer d'avis entre 1852 et 1868. Il est pourtant vrai qu'il ne s'est jamais douté de la véritable grandeur de Baudelaire.

collège on appelle de décadence." [2] En 1838, dans sa préface à *Maupin*, il cherche à excuser le ton risqué du roman en soutenant que le XIXe siècle est trop blasé et trop civilisé pour se contenter de la littérature simple d'autrefois:

Le monde a passé l'âge où il peut jouer la modestie et la pudeur, et je le crois trop vieux barbon pour faire l'enfantin et le virginal sans se rendre ridicule. Depuis son hymen avec la civilisation, la société a perdu le droit d'être ingénue et pudibonde.[3]

Six ans plus tard (la préface aux *Grotesques*, 1844) il revient à cette idée, insiste sur la nécessité d'un style plus recherché et plus compliqué pour exprimer la sensibilité contemporaine:

Le monde vieillit. Toutes les idées simples, tous les magnifiques lieux communs, tous les thèmes naturels ont été employés il y a déjà fort longtemps. A génie égal, un moderne aurait toujours le désavantage avec un ancien ... Malgré tout le bon goût, toute la sobriété possibles, il tombera dans des tours plus recherchés, dans des comparaisons plus bizarres, dans des détails plus minutieux, par le besoin instinctif d'échapper aux redites, et de trouver quelque nouveauté de fond ou de forme. Certainement *l'Aurore aux doigts de rose* est une image charmante, mais un poète de notre siècle serait forcé de chercher quelque chose de moins primitif.[4]

En 1862, nouvelle étape, cette fois à propos de Baudelaire:

Il est dans chaque littérature des époques où la langue formée à point se prête à merveille ... à l'expression limpide et facile des idées générales, des grands lieux communs ... L'analyse sommaire des passions simples suffit aux générations vierges ... Après, selon les critiques et les rhéteurs, tout n'est que décadence, mauvais goût, bizarrerie, enflure, recherche, néologisme, corruption et monstruosité ... A nos yeux, ce qu'on appelle décadence est au contraire maturité complète, la civilisation extrême ... Alors un art souple, complexe, à la fois objectif et subjectif, investigateur, curieux, puisant des nomenclatures dans tous les dictionnaires, empruntant des couleurs à toutes les palettes, des harmonies à toutes les lyres ... aide le poète à rendre les pensées, les rêves et les postulations de son esprit. Ces pensées ... n'ont plus la fraîche simplicité du jeune âge. Elles sont subtiles, ténues, maniérées, persillées même de dépravation, entâchées de gongorisme, bizarrement profondes, individuelles jusqu'à la monomanie, effrénément panthéistes, ascétiques ou luxurieuses ... Elles portent un caractère de particularité, de paroxysme et d'outrance.[5]

---

[2]   "Gautier par lui-même", 9 mars 1867, *Souvenirs romantiques* (Garnier), 5.
[3]   *Mademoiselle de Maupin* (Fasquelle), 15.
[4]   *Les Grotesques* (Charpentier), préface, ix-x.
[5]   Avant-propos à quelques extraits de Baudelaire, *Les Poètes français* (Hachette, 1862), IV, 597.

Ce qui nous amène à l'expression définitive de l'idée dans la "Notice". Les mêmes pensées et parfois les mêmes phrases reviennent à une distance de trente ans, ce qui est très curieux.

La "Notice" était donc préparée depuis longtemps; en lisant Baudelaire, Gautier reconnaissait le style et la poésie dont il avait postulé la nécessité: un développement extrême de la lutte de 1830 contre le classicisme—mais poussé au point de s'insurger contre le Romantisme lui-même, ou du moins contre certaines idées chères au Romantisme, telles que le culte de la Nature et le culte de l'amour idéal. Car, d'après ce qu'il écrit, le style de décadence est essentiellement une révolte contre la nature en faveur de l'artificiel, et l'artificiel est à son tour l'essence même du modernisme.

C'est ainsi que les *Fleurs du mal* sont "consacrées à la peinture des dépravations et des perversités modernes", et leur décor n'est plus la simple nature du Romantisme ni même l'exotisme antique des Parnassiens, mais la grande ville, "ce noir amas de maisons lépreuses, ce dédale infect où circulent les spectres du plaisir, cet immonde fourmillement de misère, de laideur et de perversités".

L'artificiel, le décadent et le moderne se confondent dans la "Notice", finissent par se correspondre: on arrive ainsi à la *dépravation* (c'est Gautier qui souligne) comme source de la poésie baudelairienne et de la poésie moderne. Enfin, comme infecté par son sujet, Gautier imite le style de décadence qu'il attribue à Baudelaire, empruntant son vocabulaire à la chimie, au maquillage, à la médecine, à la psychopathologie.[6]

L'influence de tout cela était facile à prévoir. On avait parlé de la décadence de Baudelaire avant sa mort; après la "Notice" on en parlait davantage. Gautier évoquait merveilleusement sa vie, ses idées, son art poétique, dégageait tout ce qu'il y avait de plus bizarre, voire de plus louche dans *les Fleurs du mal*, et fournissait ainsi un tremplin aux critiques et aux disciples futurs. La "Notice" faisait valoir une nouvelle théorie littéraire, également éloignée des limitations classiques et de la facilité romantique et destinée en conséquence à choquer les conservateurs et à séduire tout jeune écrivain avide de nouveauté. Disciples comme Verlaine, Huysmans et les Symbolistes,

---

[6] *Verdeurs de la décomposition, insomnie, impuissance, malaises, prostrations, excitations, jaunes fielleux de bile extravasée, roses de la phthisie, blancs de chlorose, rouge, mouches, k'hol, cheveux teints, poudre de riz, fard, céruse, burgau, gris plombé, arséniate de cuivre, bitumes, déliquescence.*
—Ces recherches stylistiques expliquent le ton surchauffé, fiévreux de la "Notice".

critiques favorables comme Bourget ou hostiles comme Brunetière, ont tous insisté sur le caractère artificiel et décadent du poète, ont tous cru son livre une réplique, à deux mille ans de distance, de la littérature du Bas Empire. Telle était la réputation de Baudelaire pendant presque un demi-siècle, et il la devait en grande partie à Gautier.

En grande partie, mais pas tout à fait; l'époque y était pour quelque chose, et même pour beaucoup. Gautier n'a pas inventé une théorie de la décadence, il a plutôt précisé certaines tendances éparses de la psychologie contemporaine. Vers 1850 surtout, le XIXe siècle se préoccupait de plus en plus de sa propre décadence. Vingt ans plus tard, la chute du second Empire inspirait des méditations lugubres: le régime de Napoléon III avait toujours passé pour une époque d'Augustules: le souvenir de son faste, de ses scandales, de sa société un peu frelatée était resté très vivace: selon la légende (et la légende est souvent plus forte que la vérité) il s'était déroulé dans l'orgie et avait sombré dans une débâcle qui rappelait en quelque sorte les catastrophes de l'Empire romain. "Il y avait l'idée que les Prussiens de 70 avaient été les Barbares, que Paris c'était Rome ou Byzance; les romans de Zola, *Nana*, avaient souligné la métaphore, et il y avait donc des décadents." [7] La littérature, en effet, s'est vite emparée de l'idée: les *Rougon-Macquart* sont une étude de dégénérescence pathologique dont les premiers tomes commencent à paraître dès l'Année terrible même (*La Fortune des Rougon*, 1870; *La Curée*, 1872; *Nana*, 1879). Huysmans donne *les Sœurs Vatard* en 1879 et *A Rebours* en 1884, consacrés l'un et l'autre à l'analyse du tempérament décadent tel qu'il s'incarne dans Cyprien Tibaille et le duc des Esseintes. *Le Crépuscule des Dieux* d'Elémir Bourges est de 1883; Péladan commence la publication de sa *Décadence latine* en 1884; les premiers romans de Mendès et de Rachilde paraissent en 1885 et en 1886. En 1886 également ment Baju fonde *Le Décadent* et Ghil *La Décadence*, revues d'avantgarde. L'idée a fini dans la parodie: *Les Déliquescences, poèmes décadents d'Adoré Floupette* de Gabriel Vicaire sont de 1885, et les poésies de "Mitrophane Crapoussin" paraissent dans *Le Décadent* en 1889. Ajoutons à ces titres les nombreuses études psychopathologiques où l'homme contemporain est représenté comme fatalement atteint dans ses nerfs et dans son sang, et nous comprendrons sans difficulté pourquoi l'idée s'est cristallisée autour de la "Notice": Morel, *Dégéné-*

---

[7] Gustave Kahn, *Symbolistes et décadents* (Vanier, 1902), 37-38.

rescences (1857), Moreau de Tours, *La Psychologie morbide* (1859), Axenfeld, *Les Névroses* (1879), Féré, *La Famille névropathique* (1884), Boinet, *Les Parentés morbides* (1886), Nordau, *Entartung* (1892) . . . C'était l'époque où l'on jugeait *les Fleurs du mal* d'après le mot de Pontmartin (n° 16): "Baudelaire relève de la pathologie plutôt que de la critique"; où le *Genio e follia* de Lombroso (Torino, 1888) paraissait en librairie la couverture ornée d'une photographie de Baudelaire. Même des critiques tels que Noël, Yriarte, Champfleury, Desprez et Morice (n°ˢ 19, 24, 33, 65, 78), favorables pourtant au poète, lui refusent toute véritable grandeur parce qu'ils le croient artificiel, névrosé, décadent. Il est "malsain" et "dangereux"; il corrompt la jeunesse (n°ˢ 40, 52, 72)—accusation que nous retrouverons plusieurs fois sous la plume de Brunetière. Dans une telle atmosphère la "Notice" éclatait comme un coup de foudre: "Ce sont des lignes qui ne tombèrent pas dans les oreilles sourdes, et . . . on arriva à l'appliquer à notre époque . . . l'Empire, le Bas Empire, Paris, Byzance." [8]

Il n'est guère surprenant qu'après 1868 les critiques hostiles à Baudelaire s'inspirent de la "Notice" pour mieux l'accabler (Pontmartin et Scherer, par exemple, n°ˢ 16, 18), tandis que les critiques favorables et surtout les jeunes écrivains s'y complaisent, y trouvant matière à imitation et l'essence même du siècle. Pour les disciples surtout, l'étude était d'une actualité brûlante, et leurs écrits sont bourrés de souvenirs de Gautier. L'*A Rebours* de Huysmans (n° 62) et les *Essais de psychologie contemporaine* de Bourget (n° 48) en sont les exemples les plus illustres: le duc des Esseintes du premier tire la plupart de ses goûts et de ses manies de la "Notice": son culte de l'artificiel, sa sexualité dépravée, l'intérêt qu'il porte au latin de basse époque, n'en sont que des développements.[9] Quant à Bourget, la décadence du monde con-

---

[8]   *Ibid.*, 34.

[9]   Voici quelques échos de la "Notice" dans *A Rebours*: N. "la langue marbrée déjà des verdeurs de la décomposition et faisandée du bas-empire romain"—*AR*. "la langue païenne, décomposée comme une venaison . . . le style blet et déjà verdi . . . cette langue tachetée et superbe"; N. "ce style de décadence est le dernier mot du Verbe sommé de tout exprimer et poussé à l'extrême outrance"— *AR*. "la décadence d'une littérature . . . pressée de tout exprimer à son déclin"; N. "il y a des mots . . . qui luisent comme du phosphore quand on les frotte"— *AR*. "Marius Victor, dont le ténébreux traité s'éclaire . . . de vers luisants comme du phosphore"; N. "ces idées sont . . . ténues, maniérées, persillées même de dépravation"—*AR*. "l'agonie de la vieille langue . . . persillée de siècle en siècle." —Notons aussi le passage suivant: "Baudelaire . . . sait découvrir par une intuition secrète des rapports invisibles à d'autres et rapprocher ainsi, par des analogies inattendues que seul le *voyant* peut saisir, les objets les plus éloignés et les plus opposés en apparence."—"Notice", xxx. Les italiques sont de Gautier.

temporain est le thème principal de ses *Essais*. Il établit de douloureuses comparaisons entre l'Empire romain finissant et le monde de
1880; il emprunte des mots et des phrases entières à la "Notice". En
remplaçant la nature par l'artificiel comme source d'inspiration,
Gautier avait ébranlé l'une des croyances fondamentales de la civilisation occidentale: il en résultait un vide, une inquiétude, une crainte
de l'avenir: Bourget fait souvent penser à quelque matelot à la dérive,
qui sent passer sous la quille de son bâtiment des lames de fond,
avant-coureuses de la tempête.

Un autre intérêt, un peu moins lugubre, s'attache aux études de
Barrès, de Bourget, de Huysmans, de Laforgue et des Symbolistes: ils
représentaient la nouvelle génération, l'élite littéraire de l'époque. Du
point de vue de la jeunesse, la cause de Baudelaire était gagnée dès
1880. Zola seul parmi les nouveaux maîtres se prononce contre lui
(n⁰ 40), et même Zola note le classicisme de son œuvre—comme Barrès
(n⁰ 64). Pour les autres, Baudelaire est novateur, précurseur du Symbolisme, l'une des gloires de la littérature française. Huysmans (n⁰ 56)
va jusqu'à le préférer à tous les autres poètes français—y compris
Hugo, mot qui ne restera pas sans écho. L'article de Jules Laforgue
(n⁰ 88) est l'un des meilleurs: l'auteur des *Moralités légendaires* a
toujours nourri une profonde admiration pour Baudelaire: "Je suis
dans une crise de ré-amour pour Baudelaire," écrit-il le 21 janvier
1881: "je l'emporte partout." [10]

A Octave Uzanne (nᵒˢ 45, 46, 86) revient l'honneur d'avoir signalé
le premier toute l'importance de "Fusées" et de "Mon cœur mis à nu".
Publiés par E. Crépet en 1887, ces journaux intimes devaient alimenter
les débats sur Baudelaire, non seulement pendant les dernières années
du siècle, mais jusqu'à nos jours.

---

[10] Jules Laforgue, *Lettres à un ami, 1880-1886* (Mercure de France, 1941),
32-33.

(1) 1868, Albert de la Fizelière et Georges Decaux, *Essais de Bibliographie contemporaine, I, Charles Baudelaire* (A la librairie de l'académie des Bibliophiles, 1868).
[Premier livre sur Baudelaire, xiii-70 pages. La préface, par Albert de la Fizelière, avait paru d'abord dans *la Chronique de Paris*, le 4 septembre 1867; cité par Bandy, *op. cit.*, 118-119.]
Homme d'impressions délicates mais exceptionnelles... poëte sincère... homme qui étudiait avec passion la valeur des mots, qui avait peut-être, avec Théophile Gautier et Paul de Saint-Victor, le plus riche vocabulaire de la littérature contemporaine... Il a touché... à toutes les branches des belles-lettres, et en toutes il a réussi avec le succès qui s'attache à une tentative sincère et originale. Poésie, critique, histoire, philosophie, roman, polémique, il a tout abordé et tout approfondi.

(2) 1868, 7 mars-18 avril, Théophile Gautier, "Charles Baudelaire", *L'Univers illustré*.
[Essai daté de février 1868; publié ensuite comme *Notice* aux *Fleurs du mal* dans l'édition Lévy des *Œuvres complètes*, 1869, d'où les citations suivantes.]
[Baudelaire aimait surtout] *l'artificiel*... Il se plaisait dans cette espèce de beau composite et parfois un peu factice qu'élaborent les civilisations très avancées ou très corrompues. (xxv)
... Il convient de citer comme note particulière du poète le sentiment de *l'artificiel*. Par ce mot, il faut entendre une création due tout entière à l'Art et d'où la nature est complètement absente. (xxxvii)... Tout ce qui éloignait l'homme et surtout la femme de l'état de nature lui paraissait une invention heureuse. Ces goûts peu primitifs s'expliquent d'eux-mêmes et doivent se comprendre chez un poète de *décadence* auteur des *Fleurs du mal*... Ce goût excessif,, baroque, anti-naturel, presque toujours contraire au beau classique, était pour lui un signe de la volonté humaine corrigeant à son gré les formes et les couleurs fournies par la matière. Là où le philosophe ne trouve qu'un texte à déclamation, il voyait une preuve de grandeur. La *dépravation*... l'écart du type normal, est impossible à la bête,

fatalement conduite par l'instinct immuable. C'est par la même raison que les poètes *inspirés*, n'ayant pas la conscience et la direction de leur œuvre, lui causaient une sorte d'aversion, et qu'il voulait introduire l'art et le travail même dans l'originalité. (xxvi)... [Baudelaire] aimait ce qu'on appelle improprement le style de décadence, et qui n'est autre chose que l'art arrivé à ce point de maturité extrême que déterminent à leurs soleils obliques les civilisations qui vieillissent: style ingénieux, compliqué, savant, plein de nuances et de recherches, reculant toujours les bornes de la langue, empruntant à tous les vocabulaires techniques, prenant des couleurs à toutes les palettes, des notes à tous les claviers, s'efforçant à rendre la pensée dans ce qu'elle a de plus ineffable, et la forme en ses contours les plus vagues et les plus fuyants, écoutant pour les traduire les confidences subtiles de la névrose, les aveux de la passion vieillissante qui se déprave et les hallucinations bizarres de l'idée fixe tournant à la folie. Ce style de décadence est le dernier mot du Verbe sommé de tout exprimer et poussé à l'extrême outrance. On peut rappeler, à propos de lui, la langue marbrée déjà des verdeurs de la décomposition et comme faisandée du bas-empire romain et les raffinements compliqués de l'école byzantine, dernière forme de l'art grec tombé en déliquescence; mais tel est bien l'idiome nécessaire et fatal des peuples et des civilisations où la vie factice a remplacé la vie naturelle et développé chez l'homme des besoins inconnus... Ce style... exprime des idées neuves avec des formes nouvelles et des mots qu'on n'a pas entendus encore. A l'encontre du style classique, il admet l'ombre et dans cette ombre se meuvent confusément les larves des superstitions, les fantômes hagards de l'insomnie, les terreurs nocturnes, les remords qui tressaillent et se retournent au moindre bruit, les rêves monstrueux qu'arrête seule l'impuissance, les fantaisies obscures dont le jour s'étonnerait, et tout ce que l'âme, au fond de sa plus profonde et dernière caverne, recèle de ténébreux, de difforme et de vaguement horrible. On pense bien que les quatorze cents mots du dialecte racinien ne suffisent pas à l'auteur qui s'est donné la rude tâche de rendre les idées et les choses modernes dans leur infinie complexité et leur multiple coloration. Ainsi Baudelaire... préférait assurément, à Virgile et à Cicéron, Apulée, Pétrone, Juvénal, saint Augustin et ce Tertullien dont le style a l'éclat noir

de l'ébène. Il allait même jusqu'au latin d'Eglise... et il a
adressé sous ce titre, *Franciscae meae Laudes*... une pièce
latine rimée... A cette pièce bizarre est jointe une note non
moins singulière... elle explique et corrobore ce que nous
venons de dire sur les idiomes de décadence. (xvi-xvii)

(3) 1868, 24 mars, Francis Magnard, "Paris au jour le jour", *Le
Figaro.*
[Compte-rendu de la bibliographie de La Fizelière et Decaux.]
Voilà tous les éléments complexes qu'il avait fallu pour com-
poser l'étrange poète des *Fleurs du mal*, et tout cela devait,
hélas, aboutir à la folie.

(4) 1868, 1er mai, Lorédan Larchey, "Nouveautés anecdotiques",
le Bibliophile français, Tome I, no 1.
Y aura-t-il... une bibliographie de Baudelaire à tenter après
celle que donnent en un charmant volume MM. de la Fizelière
et Georges Decaux?
[Document inédit de Baudelaire: "Enfance: vieux mobilier
Louis XVI", etc. Anecdote de Madame Jules Sandeau et de
Baudelaire.]

(5) 1868, Théophile Gautier (avec Sylvestre de Sacy, Paul Féval,
Ed. Thierry), *Recueil de Rapports sur les progrès des lettres et
des sciences en France. Publication faite sous les auspices du
ministère de l'instruction publique* (Paris, A l'imprimerie impériale, 1868).
Sur les confins extrêmes du romantisme, dans une contrée bizarre éclairée de lueurs étranges, s'est produit... un poète
singulier, Charles Baudelaire... *Les Fleurs du m*al sont en
effet d'étranges fleurs... Elles ont les couleurs métalliques,
le feuillage noir ou glauque, les calices bizarrement striés, et le
parfum vertigineux de ces fleurs exotiques qu'on ne respire pas
sans danger. Elles ont poussé sur l'humus noir des civilisations
corrompues... Baudelaire, il faut l'avouer, manque d'ingénuité
et de candeur; c'est un esprit très subtil, très raffiné, très
paradoxal, et qui fait intervenir la critique dans l'inspiration.
Sa familiarité de traducteur avec Edgar Poe... qu'il a le
premier fait connaître en France, a beaucoup influé sur son
esprit, amoureux des originalités voulues et mathématiques...
Bien qu'il ait voyagé aux Indes... Baudelaire appartient à

Paris, où s'est passé sa vie presque entière. Comme Edgar Poe, il croit à la perversité native... [Mais] il n'a aucune indulgence pour les vices, les dépravations et les monstruosités qu'il retrace avec le sang-froid d'un peintre de musée anatomique. Il les renie comme des infractions au rythme universel; car, en dépit de ces excentricités, il aime l'ordre et la *norme*. Impitoyable pour les autres, il se juge non moins sévèrement lui-même; il dit avec un mâle courage ses erreurs, ses défaillances, ses délires, ses perversités, sans ménager l'hypocrisie du lecteur atteint en secret de vices tout pareils. Le dégoût des misères et des laideurs modernes le jette dans un spleen à faire paraître Young folâtre. Quoiqu'il aime Paris... qu'il en suive... les ruelles les plus sinistrement mystérieuses à l'heure où les reflets des lumières changent les flaques de pluie en mares de sang... qu'il s'arrête parfois aux vitres enfumées des bouges, écoutant le chant rauque de l'ivrogne et le rire strident de la prostituée ... souvent des recurrences de pensée le ramènent vers l'Inde ... Si les artifices de la coquetterie parisienne plaisent au poète raffiné des *Fleurs du mal*, il ressent une vraie passion pour la singularité exotique... [pour] une Vénus... *nigra sed formosa*, espèce de Madone noire... Baudelaire a pensé qu'il venait dans l'art à une époque où tous les grands sentiments généraux et ce qu'on pourrait appeler les sublimes lieux communs de l'humanité avaient été précédément exprimés aussi bien que possible par des poètes devenus classiques. Selon lui, il était puéril de chercher à paraître simple dans une civilisation compliquée... Il pensait qu'à l'art naturel des beaux siècles devait succéder un art souple, complexe, à la fois objectif et subjectif, investigateur, curieux, puisant des nomenclatures dans tous les dictionnaires... (104-108)

(6) 1868, juin, Louis de Laincel, "Les Poètes", *Polybiblion*.
[Compte-rendu du livre précédent.]
Non seulement M. Th. Gauthier [*sic*] vient de constater la vitalité de la poésie, mais selon lui elle *progresse*... Par malheur, si l'on se hasardait à visiter le jardin dont M. Th. Gauthier détaille les richesses, en apercevant, mises par lui en belle place, *les Fleurs du mal* de M. Baudelaire, on serait tenté de fuir. Or tous ceux qui se rapprochent de la manière de ce poète morose et maladif ont les faveurs [de Gauthier].

(7) 1868, 24 juillet, Alfred d'Aunay, "Croquis de Charles Baudelaire", *le Petit Figaro*, 2ᵉ année, nᵒ 175.
Les dessins de Baudelaire sont célèbres parmi ses amis et parmi
les artistes. Daumier, qui en conserve quelques-uns—particulièrement un portrait de l'auteur par lui-même, qu'il compare
pour la netteté et l'esprit aux portraits français du XVIᵉ siècle,
de la collection du Louvre—a dit plus d'une fois que si Baudelaire eût appliqué à la peinture les facultés qu'il a consacrées
à la poésie, il eût été aussi grand peintre qu'il a été poète distingué et original. [Dessins de femmes, "Hommage à Guys",
un portrait de Charles Asselineau.]

(8) 1868, Jules Janin, *Histoire dramatique* (Pagnerre, 1868).
[Sur les *Poèmes saturniens* de Verlaine:]
Quand [Verlaine] voudra se prendre au sérieux et ne pas tant
copier M. Beaudelaire [*sic*], on pourra lire avec un certain
plaisir [son] étrange effort.

(9) 1869, 12 janvier, Jules de Goncourt, *Journal.*
La folie de l'artiste, de l'écrivain—voyez Méryon, Baudelaire—
les surfait, une fois morts; elle fait monter leurs œuvres.

(10) 1869, 19 janvier, Charles Monselet, "Les Théâtres. Le Passant.
Coppée." *L'Etendard.*
[Attaque contre les parnassiens.]
Le pauvre Baudelaire a, lui aussi, ses disciples dans ce cénacle
et ce ne sont pas les moins enthousiastes. [C'est surtout Mallarmé qui irrite Monselet, car] il a, comme le maître, un petit
charnier retiré, où il se délecte dans une atmosphère de pourriture.

(11) 1869, Charles Asselineau, *Charles Baudelaire, sa vie et son
œuvre* (Lemerre, 1869).
La vie de Baudelaire méritait d'être écrite, parce qu'elle est le
commentaire et le complément de son œuvre ... Son œuvre ...
est bien lui-même; mais il n'y est pas tout entier. Derrière
l'œuvre écrite et publiée il y a toute une œuvre parlée, agie,
vécue, qu'il importe de connaître parce qu'elle explique l'autre
et en contient ... la genèse. (1-2) [Quant à la "légende":] Ces
singularités ... n'indiquaient-elles pas déjà le parti pris de révolte et d'hostilité contre les conventions vulgaires qui éclate

dans *les Fleurs du mal,* un besoin de s'entretenir dans la lutte en provoquant journellement et en permanence l'étonnement et l'irritation du plus grand nombre? C'étaient la vie mariée à la pensée... Tout autre que lui fût mort des ridicules qu'il se donnait à plaisir, dont les effets le réjouissaient, et que lui faisait porter allégrement et comme des grâces la conscience inébranlable de sa valeur... C'étaient aussi pour lui un moyen d'épreuve sur les inconnus. Une question saugrenue, une affirmation paradoxale, lui servaient à juger l'homme à qui il avait affaire; et si au ton de la réponse et à la contenance il reconnaissait un pair, un initié, il redevenait aussitôt ce qu'il était naturellement, le meilleur et le plus franc des camarades. (6-7)... Le but de Baudelaire, c'était le Beau; sa seule émotion était la gloire littéraire. (34-35)... Baudelaire travaillait lentement et inégalement, repassant vingt fois sur les mêmes endroits, se querellant lui-même pendant des heures sur un mot, et s'arrêtant au milieu d'une page pour aller... *cuire* sa pensée au four de la flânerie et de la conversation. (47)... [Son style, comme celui des poètes du début du XVIIe siècle, est marqué de] fermeté, netteté, précision; [sa prose a les mêmes qualités que sa poésie:] Nul appel au sentiment, nul appareil de phrases poétiques ni d'éloquence conciliante: une démonstration rigoureuse d'un style net et ferme, une logique allant droit à son but, sans souci des objections ni des tempéraments. (16) [Grâce à ce style, Poe gagne quelque chose dans les traductions de Baudelaire. La poésie de Baudelaire a une moralité profonde: "Bénédiction", "l'Ennemi", "L'Ame du vin", "la Mort des pauvres":] où palpite la sympathie pour les infortunés et les humbles. [Grâce à son intimité avec Baudelaire, Asselineau avait pu lire quelques documents inédits du poète: il en signale l'importance, citant un projet de préface aux *Fleurs du mal* en regrettant que Baudelaire ne l'ait jamais publié. 76-77).] [Conclusion:] Baudelaire était l'un des hommes... les plus complets, les plus exquis et les mieux organisés qui aient été donnés à ce siècle. (109)

(12) 1869, 25 janvier, Francis Magnard, "Paris au jour le jour", *le Figaro.*
[Compte-rendu du précédent.]
Un fidèle ami de Charles Baudelaire, M. Charles Asselineau...

vient d'écrire une étude sur l'admirable et regrettable auteur des *Fleurs du mal*. On a beaucoup discuté le caractère et le talent de ce grand poète: pour tous les gens de bonne foi ce talent reste acquis; parfois même, comme l'a dit M. de Banville, il confine au génie. Facile à copier dans certains procédés, il devient inimitable quand il cesse de poser pour le bourgeois. *Les Femmes damnées, la Mort des amants, le Vin des assassins* ... sont de pures merveilles. Malgré de grandes qualités de cœur et une supériorité intellectuelle hors ligne, cette pose fut la faiblesse de Baudelaire.

(13)   1869, 13 février, X. Feyrnet, "Chronique", *Le Temps*.
Charles Asselineau vient de publier un volume qui sera recherché de ceux qui aiment à voir l'homme sous l'écrivain ...
[Citations et anecdotes, dont quelques-unes ne manquent pas d'intérêt. Le ton de l'article est favorable.]

(14)   1869, 20 février, Philippe Dauriac, "Revue littéraire", *Le Monde illustré*.
Les Œuvres complètes de Charles Baudelaire s'impriment comme les œuvres d'un classique, et se vendent! *Les Fleurs du mal*, d'une forme si pure, d'une couleur si ferme et si savante, mais où la férocité zurbaranesque de l'idée, la recherche du satanique et de l'étrange, l'horrible poussé jusqu'au précieux, ressemblent à des défis et confinent à la mystification; les recueils d'articles publiés sous le titre de *Curiosités esthétiques* et de *l'Art romantique*, où des pensées justes, souvent originales, des vues élevées et fécondes sur l'art contemporain revêtent une forme magistrale, solennelle et hautaine: tout cela si peu fait pour plaire au gros du public, est accepté ... Il faut lire la Notice ... que Théophile Gautier a écrit pour servir de préface aux œuvres de Baudelaire. La vie du poète, sa méthode, les diverses phases de son talent y sont exposés et décrits dans un merveilleux langage. Il faut lire aussi le volume que Charles Asselineau a consacré à la mémoire de son ami.

(15)   1869, 22 février, Amédée Pommier, "Baudelaire", *La Liberté*.
Baudelaire est un exemple frappant et curieux de ce que peuvent l'industrie et le manège pour mettre en vue un écrivain d'une imagination naturellement stérile et qui se rendait justice

en se faisant traducteur... En dépit de tous les efforts du com-
pérage, le vrai public n'a jamais ratifié le prétendu succès de
Baudelaire. Pour de telles œuvres la popularité est impossible.
Que cet auteur ait fait illusion à des critiques de troisième
ordre, on le comprend. Qu'il ait séduit quelques jeunes gens,
quelques innocents rimeurs de tabagie et de *caboulot*, on le
conçoit mieux encore. Il y avait là toute une couvée de génies
rachitiques, intéressés personnellement et par esprit de corps à
voir réussir la mauvaise poésie. Mais le prodige est qu'il en soit
venu à duper jusqu'à Saint-Beuve... jusqu'à Barbey d'Aurevilly... jusqu'à Théophile Gautier... Le pauvre diable fait
compassion quand on le voit se soumettre à des torsions violentes, pressurer sans pitié son aride cerveau pour en extraire
de force quelques gouttelettes de fausse poésie... Reportons-
nous par la pensée en 1820, au moment où parurent les *Méditations*. Mesurons l'intervalle qu'il a fallu franchir pour arriver
de ces *Fleurs du bien* aux *Fleurs du mal*, du *Lac* à la *Charogne*.
Nous avons là une échelle de progression pour constater la
marche du goût public. Tel temps, tel poète. A la génération
des *petits crevés*, le chantre du ramollissement et de la décomposition putride; cela est parfaitement logique et dans l'ordre.
Mais si la poésie chlorotique, scrofuleuse, cacochyme, sénile et
rabougrie de Baudelaire doit être *la poésie de l'avenir*, comme
le prétendent quelques fanatiques, ah! mes amis, plaignons
l'avenir.

(16) 1869, mars, A. de Pontmartin, "Baudelaire", *Nouveaux samedis*
(Lévy, 1870; article daté de mars 1866 pour mars 1869).
Ce que dix ou douze initiés appelaient le génie de l'auteur des
Fleurs du mal, nous l'appelions, nous, le *cas* de M. Baudelaire.
Ses facultés poétiques n'étaient à nos yeux qu'une infirmité de
plus; le don d'appliquer un art, d'ailleurs remarquable, à des
monstruosités... le rêve ou le cauchemar... Chez le chantre
inspiré d'une Charogne, des Femmes damnées, des Litanies de
Satan, le *tic* fut originel, le vice fut dans le sang. Il était venu
au monde comme cela, de même qu'on naît scrofuleux ou
boiteux, et il a fallu les curiosités perverses d'une époque blasée
pour faire de ces humeurs une beauté, de cette claudication
une élégance... [La Notice de Gautier est "délicieuse", mais]
la cause était si insoutenable, que l'avocat y dépense en pure

perte tous les charmes de son style . . . En outre . . . il n'est nullement convaincu de ce qu'il plaide. Ces pages exquises sont . . .
moins un brevet de génie délivré à M. Baudelaire qu'un poétique retour vers les souvenirs de jeunesse . . . le tribut de reconnaissance payé nonchalamment à un admirateur par un
admiré . . . Quand je songe à ce jeune homme bien né . . . attiré
par de secrètes affinités vers toutes les décadences, préférant
Claudien à Virgile et les parfumeries de boutique à l'odeur des
roses ou des violettes, aimant avec passion . . . "la langue marbrée déjà des verdeurs de la décomposition et comme faisandée
du bas-empire romain" . . . quand je me le figure dans ce milieu
où le culte du nu et la religion de la chair avaient pour prê-
tresses des modèles d'atelier, où un groupe d'artistes et de
courtisanes, frottés de musc, gorgés de haschisch, posait
d'avance pour le tableau célèbre de M. Couture; puis, écrivant
avec inconscience le poème du charnier, de la pourriture, et du
lupanar . . . alors, il faut bien dire le mot [bas-empire, déca-
dence] [Le portrait de Baudelaire] nous montre un visage
hagard, sinistre, ravagé, méchant; le visage d'un héros de cour
d'assises ou d'un pensionnaire de Bicêtre . . . *Les Fleurs du mal*
se sont épanouies sur sa figure . . . [*Les Fleurs du mal*] sont
une hideuse gageure . . . des pièces de vers où l'image grotesque
ou répulsive aboutit presque constamment à un trait d'une
immoralité profonde ou d'une grossière licence . . . un bour-
bier . . . une orgie . . . la débauche . . . l'infection . . . l'ordure . . .
la cloaque . . . la boue . . . le symptôme d'une maladie morale . . .
["Don Juan aux enfers", "Rêve parisien", sont bien] les pages
les plus sensées, les moins nauséabondes [mais] elles ne vivent
pas, les images se pétrifient . . . la passion de l'artificiel, particulière à l'auteur, remplace l'air, le ciel, la lumière, la nature . . .
par une substance opaque, livide, résistante . . . Ce n'est ni de
la poésie ni de la peinture: c'est de la mosaïque . . . de la curiosité tout au plus . . . [Baudelaire] relève de la pathologie plutôt
que de la critique. (35-48)

(17) 1869, 15 mars, Arthur Ranc, "Charles Baudelaire, critique d'art",
       Revue internationale, I.
       Que Baudelaire manquait d'imagination, de spontanéité, de
       souffle, cela n'est pas douteux . . . [Il est] même très inférieur
       aux premiers parmi les poètes habiles; à une distance immense

de M. Th. Gautier; très loin encore de M. Leconte de Lisle, un peu au-dessous de M. Th. de Banville... En prose, il n'était pas plus sûr de lui [ses traductions exceptées... et il] s'entendait peu aux choses de la peinture. [Il n'a bien parlé que d'un seul peintre, Delacroix.]

(18) 1869, 20 juillet, Edmond Scherer, "Charles Baudelaire", *Le Temps*. (Repris dans *Etudes sur la littérature contemporaine*, IV, Calmann-Lévy.)

Il y a des livres qu'on lit pour le plaisir qu'ils procurent, et d'autres qu'on étudie pour l'instruction qu'on y trouve; mais parmi ces derniers... il faut ranger les ouvrages où se peignent au passage les modes, les travers, les maladies d'un siècle... Ils ont la valeur d'un document. De ce genre sont les œuvres de Baudelaire... Il est impossible d'imaginer des écrits moins agréables à lire et il est difficile d'en imaginer de plus curieux. Ils blesseront l'homme de goût, ils intéresseront le philosophe. Ce sont des productions difformes, répugnantes; mais ne sait-on pas que pour la science les plus laides maladies sont les plus belles? On peut étudier chez Baudelaire, j'allais dire sur Baudelaire, ce que c'est que la décadence d'une littérature. Il m'en a donné le sentiment, il m'en a révélé la nature... Il y a bien, dans l'esprit humain et ses productions, une vieillesse... le jour où l'intelligence faiblit, où la langue s'épaissit, où les formes se déforment, où de beau, de souple et de fort qu'on était, on devient laid, radoteur et impuissant. Pour contester qu'il en soit ainsi, il faudrait commencer par abolir la distinction même du beau et du laid; il est... justement à cela que s'occupent les Baudelaire... Baudelaire est sorti du romantisme... L'Art... commence par l'imitation des objets... il ne lui suffit plus que les représentations qu'il en fait soient exactes, il veut qu'elles soient belles... Ensuite vient l'excès... Il s'appauvrit, il dépérit, il éprouve le besoin d'une régénération, et c'est alors qu'il se retrempe dans un bain d'hérésie et de réalisme... Mais on ne s'arrête point sur les pentes. Cette seconde école elle-même devait pousser à un troisième. Courbet a produit Manet! ... Après le beau, le laid; après la forme, le difforme. Si nous ne pouvons vous charmer, nous vous ferons frémir... Il en est des ivrognes qui... avalent du trois-six; comme du marquis de Sade, qui assaisonnait la volupté de cruautés... Le terrible

est-il épuisé, on arrive au dégoûtant. On peint les choses im-
mondes. On s'y acharne, on s'y vautre. Mais cette pourriture
elle-même pourrit; cette décomposition engendre une décomposition encore plus fétide, jusqu'à ce qu'enfin il reste un je ne
sais quoi qui n'a pas de nom en aucune langue. Voilà Baudelaire... Dans ce domaine de la sensation à tout prix, tout a
la même valeur: il n'y a plus ni beau ni laid, ni vrai ni faux, ni
pur ni impur: il n'y a plus que la tenaille qui pince le nerf, et
l'animal que satisfait ce reveil de son animalité... [Dans "Une
Charogne" et "le Voyage à Cythère"] nous sommes en plein
Montfaucon: le lecteur se bouche le nez, la page pue!... On
pourrait être tenté de ranger Baudelaire parmi les réalistes.
Qu'est-ce que le réalisme... sinon la prétention à copier la
nature sans choix ni interprétation? Et comment le système
montrerait-il mieux son respect pour la réalité qu'en s'attachant
à ce qui est laid, trivial ou répugnant? Baudelaire... s'en
sépare à quelques égards. Il s'efforce de donner un certain
tour à la vulgarité. Il porte le dilettantisme dans les choses
fangeuses, le goût dans le dégoûtant. Ces images nauséabondes
où il se complaît, il cherche à leur prêter une valeur artistique,
se pique de trouver des effets inconnus, pour nous servir de ses
propres expressions, dans la senteur de l'orage et la phosphorescence de la pourriture... On voit dans quel sens Baudelaire
peut passer pour poète. Il avait le souci et le respect de la
forme, ce qui est assurément quelque chose. Il a parfois réussi
à tourner un morceau, ce Don Juan aux enfers, par exemple...
qui est en effet sculpté comme un camée, avec beaucoup de fini
et de précision. Quant aux Sept vieillards et aux Petites vieilles
... ce ne sont que de prétentieuses niaiseries. Il ne faut pas
croire... que la forme, chez Baudelaire, vaille beaucoup mieux
que le fond. Baudelaire connaissait sans doute la partie technique de son art... Mais, pour être matériellement correct, la
manière d'écrire de Baudelaire n'en est pas moins méprisable
... Ce n'est pas un écrivain, c'est un styliste... Ses images sont
presque toujours impropres. Il dira d'un regard qu'il est "per-
çant comme une vrille". Le ciel est le couvercle noir... Il ap-
pellera le repentir "la dernière auberge". Les cheveux de sa
maîtresse sont bleus... La pauvre femme... a les grâces du
singe; sa salive mord... Et toutes ces belles images nagent
dans une espèce d'obscurité perpétuelle! Je ne connais pas

d'auteur plus fatigant à lire que Baudelaire. C'est recherché, quintessencié, impénétrable... Comprenne qui pourra! Et encore si, au milieu de ces défauts, il y avait quelque mérite, quelque intérêt! Mais non, partout un esprit lourd et prétentieux, partout l'impuissance et le vide... Baudelaire est encore pire écrivain en prose qu'en vers. Il est telle de ses poésies qui... a un mérite artistique... un mérite technique; mais en prose, il n'y a pas une page de lui à citer. Cela se comprend: c'est en prose surtout qu'il faut avoir quelque chose à dire, et Baudelaire manque de substance intellectuelle. Aussi a-t-il tous les défauts de celui qui parle sans idées... [Il écrit] dans le mauvais argot des gazettes. Il ne sait pas même la grammaire ... Ce ne sont que fonctions, rapports, éléments... Il a, ce romantique effréné, l'amour de la circonlocution et de la périphrase... Ce fond de cuistrerie perce partout chez Baudelaire ... Il faut lire ses jugements sur les arts et les artistes. Voici comment il apprécie l'un des plus considérables de nos peintres modernes [jugement de Baudelaire sur Meissonnier]... Il y a beaucoup de jugements comme celui-là dans les Salons de M. Baudelaire, tout aussi profonds et aussi spirituels... Le fait est que Baudelaire n'était ni un artiste ni un poète. Il manquait d'esprit autant que d'âme, et de sève autant que de goût. Aucune *génialité*. Rien, chez lui, de sincère, de simple, d'humain. Se croyant très fort, parce qu'il était très corrompu, mais dans le fond un pur philistin. On lui en veut... parce qu'il a l'air de nous mystifier, et puis l'on s'aperçoit qu'il est surtout dupe de lui-même. Baudelaire est un signe, non pas de décadence dans les lettres, mais d'abaissement général dans les intelligences.

(19)　1869, 15 août, Georges Noël, "Baudelaire", *La Revue contemtemporaine.*

[Noël admire surtout les articles critiques de Baudelaire:] Quelle justesse dans les vues, et en même temps quelle perspicacité! Quelle rigueur dans les déductions! Quelle délicatesse, quelle finesse dans l'appréciation des hommes et des œuvres! Enfin, quel luxe de qualités saines et fortes qui, loin de révéler en Baudelaire un maniaque aux rêves bizarres et maladifs, lui donnent rang parmi les philosophes et les penseurs! Dans *les Fleurs du mal* elles-mêmes, au delà des bizarreries à

moitié naturelles, à moitié volontaires... quelle science des
passions humaines, quelle lucide intuition de la beauté et de la
moralité absolue, que de philosophie, que de spiritualité!...
Ce qui devait plus particulièrement constituer son originalité,
c'était son exquise sensibilité, jointe à une incroyable subtilité
d'analyse... [Ses deux qualités principales sont] l'étrangeté et
la concentration... Baudelaire n'avait guère à profiter de
l'étude de Poe; toutes les qualités qu'il en eût pu prendre, il les
possédait déjà de par sa propre nature; la profondeur de l'analyse, la rigueur de la déduction, la poésie de la pensée et de
l'expression, le soin minutieux du style lui étaient aussi naturelles qu'à l'Américain... Notre poète ne dut à l'auteur qu'il
traduisit que la confirmation de toutes ses idées... [*Les Petits
poèmes en prose* valent mieux que *Gaspard de la nuit; les
Fleurs du mal* sont bien la poésie du vice et du mal, mais] qui
plus que Baudelaire était apte à sonder cette profonde poésie
du mal?... Philosophe, il analysait les passions dans leurs plus
mystérieux replis, et descendait à des profondeurs inexplorées
dans la pathologie de l'âme; artiste, il savait rendre sensibles
et comme palpables ces abstruses réalités pénétrables à peine
à l'observateur le plus sagace; poète, il répandait en des peintures souvent repoussantes et parfois obscènes assez d'idéal et
de spiritualité pour en composer une œuvre réellement sublime
et à jamais immortelle... En lui le réaliste est comme asservi
à un idéaliste des plus raffinés... [Son style est] excessivement
travaillé... chaque nuance de pensée est rendue et chaque
mot a sa signification précise... La versification de Baudelaire
est en tout analogue à son style, et comme lui ferme, serrée,
puissante, originale, éclatante, mais surtout voulue... Cette
attention extrême... accroît singulièrement l'effet produit, mais
on ne saurait dissimuler qu'elle enlève à la poésie quelque
chose de sa largeur, de son immensité, de cette ampleur indéfinie du vol qui distingue les génies de premier ordre de
ceux qui viennent immédiatement après... Partout éclate la
force de la pensée, la vivacité de l'émotion, l'originalité de
l'aperçu, mais rarement apparaît cette ampleur aisée du développement, cette largeur de la conception, cette immensité
d'horizons vaguement éclairés qui caractérisent la poésie *tout
à fait* supérieure. Ici encore, Baudelaire reste trop artificiel...
[Somme toute, Baudelaire est un bon poète de second rang, et

surtout un poète de décadence: l'ennui qui paraît si souvent dans son œuvre est bien le même *taedium vitae* dont souffraient les Césars du bas-empire; et sa poésie, malgré ses qualités indéniables, est faite pour une minorité éprise de bizarreries:] Il n'est toutefois point croyable que ce livre [*les Fleurs du mal*] se répande jamais beaucoup dans le public. Il est trop personnel pour cela, il exprime trop de Baudelaire et pas assez de l'homme... Il écrivait pour lui-même; de là vient qu'il n'a guère exercé d'influence sur la poésie contemporaine... Seul, M. Paul Verlaine... semble s'être inspiré de Baudelaire... Bien que d'importantes qualités aient manqué à Baudelaire pour égaler les plus grands poètes, il n'en a pas moins des droits incontestables à notre admiration, et, loin de disparaître pour toujours... son nom ne peut que grandir parmi le public lettré.

(20)   1869, 19 août, Emile Zola, compte rendu de l'édition Lévy, *Le Gaulois*.
[A propos des poèmes en prose:]
Malgré l'art exquis du poète, j'avoue rester assez froid à la lecture de ces morceaux essoufflés, vides souvent.

(21)   1869, Sainte-Beuve, Note ajoutée en 1869 au texte de sa lettre de 1857 à Baudelaire, *Causeries du lundi* (Garnier, 1869, IX, 527).
Le poète Baudelaire, très raffiné, très corrompu à dessein et par recherche d'art, avait mis des années à extraire de tout sujet et de toute fleur un suc vénéneux... assez agréablement vénéneux... C'était d'ailleurs un homme d'esprit, assez aimable à ses heures et très capable d'affection.

(22)   1869, Marc-André Delpit, *Les Malédictions* (L. Hurtau, 1869). "Causerie".
Là-dessus, est arrivée l'école de M. Baudelaire. Allez donc être poëte, en ne croyant à rien.

(23)   1870, 1er août, Théodore de Banville, "La Semaine. Mort de P. Dupont." *Le National*.
Baudelaire [était] sage, prévoyant, d'esprit pratique et universel... Il ne s'abusait pas sur l'avenir qui lui était réservé... Il savait tout ce qu'il aurait à subir de la haine des envieux.

(24) 1870, Charles Yriarte, *Les Portraits cosmopolites* (Lachaud, 1870).

Baudelaire . . . est mort pour avoir voulu toucher à l'arbre de la science . . . Il n'y a pas un attendrissement dans toute son œuvre, pas un sourire et pas une larme, rien que des ricanements et des sarcasmes, des angoisses et des désirs, des cris de révolte et des blasphèmes. Jamais le poète n'appelle l'émotion ni la pitié . . . Baudelaire est une curiosité morale, une manifestation singulière . . . un *cas* exceptionnel, un *sujet* précieux . . . Au point de vue de la forme, soit en vers soit en prose, l'auteur des *Fleurs du mal* est incontestablement un des premiers de ce temps-ci. Il avait la grande tradition de la fin du XVIIe siècle, sa phrase a je ne sais quoi de noble et de serein dans l'allure qui rappelle les grands maîtres, et il y joint sa personnalité très-accusée. Pompeux sans être théâtral, limpide et clair, d'une précision absolue, il apporte un esprit de méthode et de classification dans l'exposé de ses idées qui fait qu'elles prennent une forme et qu'elles s'accusent en plein relief . . . Le bizarre, l'extraordinaire et une curiosité malsaine de l'inconnu et du nouveau l'ont porté presque toujours à exercer son admirable talent d'écrivain sur des pensées peu sympathiques à la foule . . . [car *les Fleurs du mal*, malgré leur "ton magnifique" et leur "forme accomplie", ne sont après tout que des "pensées maladives"] (117-120) . . . [Baudelaire, il est vrai, ne pratiquait pas les vices qu'il décrit:] Les plus grandes débauches, les rêves de Caprée et les sadiques orgies du poète des *Fleurs du mal*, n'existaient que dans son imagination. (123) . . . Baudelaire, poète, est remarquable par la coupe de son vers, par le nombre et le rythme; ce n'est point un spontané; il créait avec peine, et son vers sent le travail et la difficulté; mais il produit des pièces exquises et complètes; ses images sont grandes, quoiqu'il ait le souffle assez faible, le sonnet est sa forme de prédilection; si l'effet est grand, il ne saurait durer longtemps. Il a eu le don du relief, mais du relief plastique; c'est la saillie du marbre et du bronze et non point celle de la vie. (128-129) . . . Baudelaire se penchait sur son gouffre et en décrivait les inquiétantes profondeurs, il choyait les monstruosités; le difforme et l'inconcevable l'attiraient; il était fasciné par les angoisses; la lie lui plaisait plus que la liqueur qui lui semblait fade. La fureur, l'exaspération, le paroxysme le tentaient, l'exception était son idée fixe, et il lui fallait... l'aigu à l'état chronique. — C'est l'amour de ce qu'on appelle en art le "caractère" qui... amène à cet idéal et produit cette douloureuse exception que nous étudions comme un cas devenu rare, comme une éléphantiasis morale... Baudelaire... chantait l'horrible... Ce n'était pas un esprit pervers, c'était un poète malade. (129-130)... En acceptant le sujet, le livre [*Les Paradis artificiels*] est une œuvre. L'auteur a noté avec une rare précision... les extases et les ravissements; mais pour les noter avec tant de sûreté... il fallait faire un fréquent appel au sortilège. (133)... [Les traductions de Poe] sont aussi parfaites que peut l'être une traduction (135)... [Comme critique d'art] Baudelaire... mérite d'être pris en sérieuse considération, quoiqu'il ait apporté dans ses jugements quelques-unes des tendances bizarres de son esprit... Le temps a ratifié les jugements de l'écrivain. (138)... [Citation du passage où Gautier, en 1862, compare la muse de Baudelaire à la fille de l'alchimiste dans le conte d'Hawthorne: Yriarte trouve la comparaison très juste.] ... Il fallait étudier Baudelaire comme une curiosité morale, constater sa forme exquise en regrettant qu'elle n'ait point enveloppé une pensée plus saine et plus humaine... C'était un poète malade, et si cette fleur mélancolique, aux tons sombres, aux parfums vénéneux, eût été transplantée dans un frais jardin... peut-être, en conservant sa forme parfaite et ses tons violents, eût-elle fini par ne plus exhaler ses vapeurs empoisonnées. (143-144)

(25) 1871, 15 mai, Arthur Rimbaud, Lettre à Paul Demeny. (Arthur Rimbaud, *Œuvres complètes*, Paris, Bibliothèque de la Pléiade, 253-257; lettre publiée pour la première fois par Berrichon dans la *Nouvelle Revue Française*, octobre 1912.)
Il faut être *voyant*, se faire *voyant*. Le poète se fait *voyant* par un long, immense et raisonné *dérèglement* de *tous les sens*. Toutes les formes d'amour, de souffrance, de folie; il cherche lui-même, il épuise en lui tous les poisons, pour n'en garder que les quintessences... Baudelaire est le premier voyant, roi des poètes, *un vrai Dieu*. Encore a-t-il vécu dans un milieu trop artiste, et la forme si vantée en lui est mesquine. Les inventions d'inconnu réclament des formes nouvelles.

(26) 1872, 31 mars, Ernest Feydeau, "Causerie", *Revue de France*. (Repris dans *Théophile Gautier, Souvenirs intimes*, Plon, 1874).

[Les dîners chez Madame Sabatier, rue Frochot:] Il fallait véritablement avoir le caractère des mieux faits pour avaler toutes les couleuvres de Baudelaire. L'auteur des *Fleurs du mal* se cassait constamment le cerveau pour se rendre absolument insupportable, et il y parvenait. [Malgré] un véritable talent de poète [il] nous choquait presque tous ... nous *assommait* par son insupportable vanité, sa manie de *poser*, l'aplomb imperturbable avec lequel il débitait, sans en penser un mot, les sottises les moins divertissantes. La peur folle, incessante, de ressembler ... à cette bête noire des artistes ... le *bourgeois*, avait fait rapidement tomber le pauvre garçon au-dessous de Joseph Prudhomme lui-même ... Ayant le cerveau détraqué, il avait naturellement horreur du bon sens, mais il se croyait de tous points un homme supérieur, et les coups de griffe les plus sournoisement appliqués de Sainte-Beuve n'avaient même pas le pouvoir de lui faire tomber les écailles des yeux. [C'était une espèce de mauvais gamin qu'il fallait "corriger" de temps en temps.] De sottise en sottise, le pauvre diable en était arrivé au point de prendre en toute chose exactement le contrepied du sens commun, et se croyant alors original, il se pavanait dans cette forfanterie pitoyable. [Il aimait "diminuer" les hommes de génie—Shakespeare, par exemple; il était "chétif" par comparaison aux autres hôtes de Madame Sabatier—Sainte-Beuve, Gautier, Paul de Saint Victor, Louis Bouilhet, Jules de Goncourt; il les fatiguait tous à tel point qu'il s'attirait parfois des réponses assez dures. Seul Gautier avait de l'indulgence pour lui parce que, au fond, Gautier aimait lui aussi] le rare, l'excentrique, le quintessencié, le baroque, le *faisandé*, disait Sainte-Beuve ... le paradoxe.

(27) 1872, *Charles Baudelaire, Souvenirs, Correspondances, Bibliographie suivi de pièces inédites* (Pincebourde, 1872).
[Volume de 212 pages qui contient des documents d'un assez grand intérêt: l'oraison funèbre de Banville, des souvenirs de Baudelaire par Charles Cousin (camarade du poète au collège Louis-le-Grand), une lettre de Taine à Baudelaire, datée du 30 mars 1865, où Taine s'excuse d'écrire un article sur Poe mais félicite Baudelaire de ses magnifiques traductions.]

(28) 1872, 5 octobre, Anonyme, "Revue des livres, *Charles Baude-*

laire, Souvenirs, correspondance, bibliographie", *La Renaissance littéraire et artistique*, 1ᵉʳ année, n° 24.
[Compte rendu du n° 27.]
Un volume assez mince, mais d'un intérêt réel... Un poète exquis et profond... Dans la postérité, comme parmi les contemporains, la gloire de Baudelaire sera fondée principalement sur le suffrage des esprits d'élite... Ne voilà-t-il pas (dans les hommages de Flaubert, de Taine, *et al.*) de quoi venger la mémoire de Baudelaire des puériles impertinences de M. Barbey d'Aurevilly, de la critique étroite et puritaine de M. Scherer, le protestant du *Temps*, et des attaques plus dénuées encore (s'il est possible) de M. Feydeau, dans la *Revue de France?*

(29)   1872, 5 octobre, Charles Monselet, "Théâtres: *L'Ivrogne*, drame, par feu Charles Baudelaire", *Le Monde Illustré.*
[Compte rendu du n° 27.]
[*L'Ivrogne* est une] fantaisie excentrique... Je recommande aux lettrés la lecture de ce volume, qui ajoute aux documents sur l'histoire d'une intelligence bizarre et supérieure.

(30)   1872, 17 octobre, Anonyme, "Chronique", *Le Temps.*
[Compte rendu du n° 27.]
Baudelaire, qui a fait quelque bruit de son vivant, a conservé après sa mort un petit groupe de fidèles étrangement confits en dévotion et fort empressés à se disputer les moindres scories de son laboratoire pour venir ensuite les monter en épingle et les offrir, comme une découverte de prix, à la curiosité du grand public... Le seul morceau intéressant est une pièce composée sur les bancs du collège... [Les ambitions dramatiques de Baudelaire étaient] de la folie pure ou un enfantillage sans nom. [Baudelaire] traversait la vie en somnambule. [L'auteur s'étonne de la complaisance de Vigny pour Baudelaire et ne voit dans les éloges de Flaubert que de l'ironie.]

(31)   1872, 24 octobre, Francis Magnard, "Paris au jour le jour", *Le Figaro.*
[Compte rendu du n° 27.]
Il vient de paraître un recueil de documents inédits sur Baudelaire. Cet homme de talent, prétentieux et parfois insupportable, avait trouvé... un sujet de drame bien singulier dans une de ses poésies, *le Vin de l'assassin.*

(32) 1872, 2 novembre, Atta-Troll, "Les Poètes morts jeunes. Ernest
      Feydeau", *La Renaissance littéraire et artistique.*
      [Contre l'article de Feydeau, *supra*, n° 26.]
      M. Feydeau n'a pas dissimulé l'unique motif de sa haine contre
      le poète si regretté des *Fleurs du mal*; dans chaque mot de son
      réquisitoire tardif perce l'imprescriptible rancune d'un esprit
      peu alerte, qui s'est trouvé souvent en butte aux taquineries
      d'un railleur impitoyable ... M. Feydeau attend que son persé-
      cuteur descende les marches ... de la tombe.

(33) 1872, Champfleury, "Rencontre de Baudelaire", *Souvenirs et
      portraits de jeunesse* (Dentu, 1872).
      [Portrait intéressant de Baudelaire à l'époque de l'hôtel Pimo-
      dan. Ses goûts littéraires et artistiques étaient bizarres: "Rien
      dans aucune littérature ne pouvait, suivant lui, tenir à côté de
      Swedenborg" (132-133); il aimait aussi Wronski, tandis qu'il
      détestait Montaigne, La Fontaine et Molière comme "trop
      sages"; il aimait les maniérismes de Bronzino, qu'il appelait "le
      plus grand peintre de toutes les écoles" (133), et aussi Van Eyck
      et les primitifs.] ... Esprit névralgique, Baudelaire ne trouvait
      pas de résonance à ses inquiétudes dans les œuvres des écri-
      vains du XVIIᵉ siècle [il admirait pourtant Boileau] ... Les
      intelligences dévoyées, maladives, sombres, violemment gro-
      tesques ou terribles répondaient en lui (134). [Ainsi, ses écri-
      vains préférés étaient Poe—"une *curiosité* littéraire qui étonne
      mais qui ne remuera jamais la foule"—Mathurin, Lewis, Hoff-
      man et (les deux seuls auteurs latins que Champfleury l'en-
      tendait citer) Lucain et Apulée. C'était un dandy, qui] fatiguait
      son tailleur pour obtenir des habits pleins de *plis*. La régularité
      faisait horreur à cette nature pleine d'irrégularités. [Il aimait
      étonner les habitants de l'île Saint-Louis par ses toilettes extra-
      vagantes. Il passait des nuits entières aux casinos et aux bals
      publics pour regarder les danseurs; et comme tout vrai dandy,
      il avait le culte de la volonté:] L'utopie de cet artiste bizarre
      était de ne se présenter au public que maître de lui-même,
      dans toute sa force. (137) [L'intérêt qu'il portait aux stupéfiants
      résultait de son désir de les étudier:] Baudelaire goûta aux
      divers poisons qui s'infiltrent dans le corps et l'esprit. Ainsi que
      le médecin qui se pique avec une flèche javanaise pour chercher
      un contre-poison, c'était en *savant* que Baudelaire étudiait les

passions. (135-136) [Il appartenait] à la famille des rêveurs inquiets, des chercheurs d'imprévu... On trouvera [chez lui] une intelligence singulière qui, en haine du commun, dépassa souvent le but et s'insurgea contre la sérénité et la santé. (139) ... Parce que certaines natures vulgaires ont le don de tirer des larmes du public et de l'intéresser, s'ensuit-il que l'artiste doive se parquer dans un coin?... Ce fut l'erreur de quelques intelligences et plus qu'aucun autre Baudelaire fut victime de cette erreur. Ne voulant ou ne pouvant rendre les sensations de la foule, il s'insurgea contre elle... Et il releva ses compositions par des piments aigus, et il attifa ses héroïnes de clinquant et la pourriture s'attaque à de beaux corps. Il revient avec complaisance dans ses œuvres sur le titre de *parfait comédien*. (139-140). [Et voilà le grand défaut de cette œuvre, malgré] sa force, sa grandeur, son image puissante, des indignations à la d'Aubigné, sa langue savante. (142)

(34) 1873, 15 mai, Théodore de Banville, "Le Salon de 1873", *Le National.*
Baudelaire avait raison d'aimer la peinture de M. Manet, car cet artiste patient et délicat est le seul peut-être chez qui l'on retrouve ce sentiment raffiné de la vie moderne, âpres jouissances et douleurs délicieusement savourées, qui fait l'exquise originalité des *Fleurs du mal.*

(35) 1874, lundi, 7 septembre, Théodore de Banville, "Baudelaire", *Les Exilés* (Lemerre, 1875).
Toujours un pur rayon mystérieux éclaire
En ses replis obscurs l'œuvre de Baudelaire,
Et le surnaturel, en ses rêves jeté,
Y mêle son extase et son étrangeté.
    L'homme moderne, usant sa bravoure stérile
En d'absurdes combats, plus durs que ceux d'Achille,
Et, fort de sa misère et de son désespoir,
Héros pensif, caché dans son mince habit noir...
Et gardant en son cœur, lutteur déshérité,
Le culte et le regret poignant de la beauté;
La femme abandonnée à son ivresse folle,
Se parant de saphirs comme une vaine idole,
Et tous les deux fuyant l'épouvante du jour,

Poursuivis par le fouet horrible de l'Amour;
La Pauvreté, l'Erreur, la Passion, le Vice,
L'Ennui silencieux, acharnant leur sévice,
Sur ce couple privé du guide essentiel,
Et cependant mordu par l'appétit du ciel,
Et se ressouvenant, en sa splendeur première,
D'avoir été pétri de fange et de lumière;
L'être vil ne pouvant cesser d'être divin;
Le malheureux noyant ses soucis dans le vin,
Mais sentant tout à coup que l'ivresse fatale,
Ouvre dans sa cervelle une porte idéale . . .
Le libertin voyant, en son amer délire,
Que l'ongle furieux d'un Ange le déchire,
Et le force, avivant cette blessure en feu,
A traîner sa laideur sous l'œil même de Dieu;
La Matière, céleste encor même en sa chute,
Impuissante à créer l'oubli d'une minute,
Pâture du Désir, jouet du noir Remord,
Et souffrant sans répit jusqu'à ce que la Mort,
Apparaissant, la baise au front et la délivre;
O mon âme, voilà ce qu'on voit dans ce livre
Où le calme songeur qui vécut et souffrit
Adore la vertu subtile de l'esprit . . .
Dans cette œuvre d'amour, d'ironie et de fièvre,
Où le poète au cœur meurtri penche sa lèvre
Que des mots odieux ne souillèrent jamais
Vers la Foi pâlissante, ange des purs sommets,
Et, triste comme Hamlet au tombeau d'Ophélie,
Pleure sur notre joie et sur notre folie.

(36)   1874, Firmin Maillard, *Les derniers bohêmes. Henri Murger et son temps*, (Sartorius, 1874).
"La fosse commune: Baudelaire" (136-139)
Un vrai poète . . . Un des hommes de lettres les plus singuliers de notre époque . . . L'un des écrivains les plus originaux de ce temps.

(37)   1875, Charles Grandmougin, *Esquisse sur Richard Wagner* (Durand, Schoenewerk et Cie).
[Comparaison entre l'œuvre de Wagner et la *Séraphita* de Balzac.]

L'idéal wagnérien s'affirme... dans notre littérature. Plus tard
apparut un livre plus curieux encore, où nous retrouvons ces
mêmes aspirations, aspirations de mystique vers l'insondable,
vers l'infini... c'étaient *les Fleurs du mal.* Abstraction faite des
tableaux répugnants et de toutes les hideurs que le poète étale
complaisamment, ces poésies respirent la spiritualité à un degré
éminent. Baudelaire était plus qu'un visionnaire, c'était un
voyant. L'effet de certaines compositions de Wagner est analogue à celui que produisent certaines pièces du maître; elles
nous plongent dans une sorte de repos muet et d'atonie ex-
pectante; elles suscitent l'extase dans l'esprit étonné. N'est-ce
point un hymne à la Wagner que la fameuse *Elévation?* ...
N'est-ce point là la traduction poétique du *Prélude* de *Lohengrin?* Quoi de plus musical? quoi de plus en rapport avec cette
orchestration pleine d'accents dont l'école nouvelle a le secret?
... Les femmes de Wagner sont dans *les Fleurs du mal.* Yseult
n'est-elle point digne d'un de ces mystérieux sonnets que Baudelaire parachevait si bien? ... Le poète et le musicien se sont
rencontrés sur le même terrain; tous deux sont anti-sataniques;
tous deux prient et veulent croire. Cette sorte de Tentation de
Saint-Antoine qui obsède Tannhäuser se retrouve à chaque pas
dans Baudelaire. (50-52).

(38) 1876, Gustave Vapereau, *Dictionnaire universel des littératures*
(Hachette, 2ᵉ édition, 1884).
Il acquit une rapide notoriété par un recueil de vers, *les Fleurs
du mal*... condamné par les tribunaux et dont la laborieuse
originalité fit de lui le chef d'une petite école poétique. Acharné
jusqu'à la folie à la recherche du bizarre, il s'était voué à la
traduction des *Œuvres d'Edgar Poe.*

(39) 1877, 24 mai, Edmond de Goncourt, *Journal.*
Baudelaire est un grand, très grand poète, mais n'est point...
un prosateur original, il traduit toujours Poe, quand même il
n'est plus son traducteur—et qu'il aspire à faire du Baudelaire.

(40) 1878, février, Emile Zola, "Les Poètes contemporains", essai
écrit pour un journal russe, *Le Messager de l'Europe,* et publié
pour la première fois en France dans le volume *Documents
littéraires* (Charpentier-Fasquelle) en 1881.

Baudelaire est... un maître très dangereux. Il a, aujourd'hui encore, une foule d'imitateurs. Sa grande force a été qu'il apportait également une attitude personnelle très accentuée. Il faut voir en lui le romantisme diabolique. M. Leconte de Lisle s'était raidi dans une pose hiératique, il restait à Baudelaire le rôle d'un démoniaque; et il a cherché le beau dans le mal, il a... "créé un frisson nouveau". C'était, au fond, un esprit classique, de travail très laborieux, ravagé par une monomanie de purisme. Aussi n'a-t-il laissé qu'un recueil de poésies... Je ne parlerai pas des étrangetés voulues de sa vie; il avait fini par être la propre victime de ses allures infernales: il est mort jeune, d'une maladie nerveuse... Il s'est fait dans notre littérature une place originale qu'il gardera. Certaines de ses pièces sont absolument superbes de forme, et j'en connais peu qui soient d'une imagination plus sombre et plus saisissante. On comprend quelle admiration il souleva parmi les jeunes gens, qui aiment les audaces. Après lui tout un groupe a raffiné sur l'horreur. C'est toujours du romantisme, mais du romantisme aiguisé d'une pointe satanique. (172-173)

(41) 1878, Henry d'Ideville, *Vieilles maisons et jeunes souvenirs* (Charpentier, 1878).

[Description d'une brasserie de la rue Serpente, où un certain Trapadoux, vers 1840, prêchait le réalisme à un groupe de jeunes littérateurs, parmi lesquels se trouvaient Champfleury, Courbet, Baudelaire, Privat d'Anglemont. Baudelaire, d'après d'Ideville, n'acceptait pas le réalisme, mais sa poésie en montre l'influence:] Les vrais poètes... ceux mêmes qui, comme Baudelaire, avaient un instant paru puiser leurs inspirations au tonneau de bière de Trapadoux, réagirent et protestèrent maintes fois contre cette direction nouvelle. Baudelaire... alla trop souvent... chercher le *laid* ou plutôt *l'horrible*... Nul plus que lui, cependant, ne demeura amoureux de la matière. Même quand il exalte la Charogne, c'est de la décomposition matérielle que Baudelaire fait surgir un épanouissement idéal. (206)

(42) 1878, Marc de Montifaud (Madame Quivogne, née Marie Amélie Chartroule), *Les Romantiques* (Imprimerie A. Reiff, 1878).

[L'auteur s'attaque au tribunal qui a condamné Baudelaire en

1857] l'atteignant dans ses plus nobles prérogatives de poète. [Mais] l'écrivain, en naissant, est prédestiné à l'ignominie... Il lui suffit de tenir une plume pour qu'il sente organiser autour de lui un cercle occulte et judiciaire... Il faut donc louer Baudelaire d'avoir osé démasquer ses persécuteurs en leur montrant clairement qu'il les connaissait; il faut le louer de n'avoir été ni poltron ni flagorneur, devant ceux qui tiennent les destinées des gens de lettres... Il avait de la chance à mourir en 1867. En 1878, la XIe chambre... l'eût condamné à l'exil, ou à une prison où les directeurs auraient tenté de l'empoisonner. (234-235)

(43) 1879, août, J. K. Huysmans, Préface aux *Rimes de Joie* de Théodore Hannon, *La Revue des revues*. (Repris dans *Rimes de Joie*, Bruxelles, Gay et Doucé, 1881.)

Le seul maître moderne qui fût, en dépit de son exaspérant diabolisme de dandy et de romantique, attirant et curieux, le seul qui ait sonné une note vraiment nouvelle, qui ait... créé une œuvre vivante et vraie, qui ait osé... briser les moules prônés d'Hugo, le seul qui se soit résolument engagé dans les sentiers jusqu'alors inexplorés du réalisme... Le Poète de génie qui, de même que notre grand Flaubert, ouvre sur une épithète des horizons sans fin, l'abstracteur de l'essence et du subtil de nos corruptions, le chantre de ces heures de trouble où la passion qui s'use cherche dans des tentatives impies, l'apaisement des folies charnelles... le poète qui a rendu le vide immense des amours simples, les hantises implacables du spleen, la déroute des sens surmenés, l'adorable douleur des lents baisers qui boivent, le peintre qui nous a initiés aux charmes mélancoliques des saisons pluvieuses et des joies en ruine... le prodigieux artiste... Charles Baudelaire.

(44) 1879, E. Charavay, *Alfred de Vigny et Charles Baudelaire candidats à l'Académie française* (Charavay Frères, 1879)

Baudelaire a assez payé ses affectations de vice, ses recherches de célébrité malsaine, son goût tout littéraire des méchancetés et des crimes; son œuvre nous reste; elle est belle jusque dans ses parties gâtées; elle abonde en vers délicats ou magnifiques; elle témoigne d'une parfaite probité littéraire. C'est l'œuvre d'un poète exquis, profond, auquel personne ne peut être comparé. (114)

(45) 1880, 30 août, Octave Uzanne, "Baudelaire inédit", *Le Figaro*.
[Article intéressant; premier signalement de l'importance des
Journaux intimes. Auguste Poulet-Malassis, avant sa mort, avait
prêté les papiers inédits de Baudelaire à Uzanne; ils ont été
livrés aux enchères et adjugés plus tard, en juillet 1878. Uzanne
les appelle] une manière de lave refroidie, issue de ce volcan
intellectuel qui produisit *les Fleurs du mal* . . . [Baudelaire est]
ce rare poète, hanté plutôt qu'inspiré par le génie le plus virile-
ment quintessencié que nous ayons vu se produire en France,
depuis nombre d'années.

(46) 1881, 25 février, Octave Uzanne, "Baudelaire inconnu, préfaces
inédites des 'Fleurs du Mal' ", *Le Livre, revue mensuelle*.
[Examen des préfaces inédites.]

(47) 1881, novembre, Barbey d'Aurevilly, "Un Poète à l'horizon:
Maurice Rollinat", *Lyon Revue*, Tome II, 3e année.
[D'Aurevilly présente Rollinat comme disciple de Baudelaire:]
Baudelaire et Poe . . . étaient enfin la poésie du spleen, des nerfs
et du frisson, dans une vieille civilisation matérialiste et dépravée . . . qui est à ses derniers râles et à ses dernières pâmoi-
sons . . . [Leur poésie est] gâtée dans sa source . . . phtisique,
maladive, empoisonnée, mauvaise, décomposée par toutes les
influences morbides de la fin d'un monde qui expire . . . Les
temps actuels ne sont plus guère explicables qu'à la pathologie . . . Cette poésie phtisique et maladive, d'une époque si
désespérément décadente, cette poésie du spleen et du spasme
—de la peur, de l'anxiété, de la rêverie angoissée, du frisson
devant l'invisible, cette poésie adorée . . . par des générations
qui n'ont plus que des nerfs . . . [est] la poésie habituelle
d'Edgard Poe et de Baudelaire. [Des poètes modernes comme
Poe, Baudelaire et Rollinat, sont obligés, par leur haine du
matérialisme contemporain, de s'intéresser aux "nervosités de
la nature humaine", et leur poésie est par conséquent nourrie
d'excès: Poe ne pouvait écrire qu'après douze verres de cognac,
et Baudelaire devait absorber des doses répétées d'opium et de
morphine.]

(48) 1881, 15 novembre, Paul Bourget, "Baudelaire", *La Nouvelle
Revue*. (Repris dans *Essais de psychologie contemporaine*, Lemerre, 1883)

Il est des éducateurs d'âme d'une précision d'enseignement plus rigoureuse que Baudelaire... Il n'en est point de plus suggestifs et qui fascinent davantage... Des stances de lui poursuivent l'imagination qu'elles inquiètent avec une obsession qui fait presque mal. Il excelle surtout à commencer une pièce par des mots d'une solennité à la fois tragique et sentimentale qu'on n'oublie plus... Il y a d'abord dans Baudelaire une conception particulière de l'amour... Baudelaire est à la fois mystique, libertin et analyseur. Il est mystique, et un visage d'une idéalité de madone traverse sans cesse les heures sombres ou claires de ses journées... Il est libertin, et des visions dépravées jusqu'au sadisme troublent ce même homme... A travers tant d'égarements où la soif d'une infinie pureté se mélange à la faim dévorante des joies les plus pimentées de la chair, l'intelligence de l'analyseur reste cruellement maîtresse d'elle-même. La mysticité comme le libertinage se codifie en formules dans ce cerveau qui décompose ses sensations... Le raisonnement n'est jamais entamé par la fièvre qui brûle le sang ou par l'extase qui évoque les chimères... Trois hommes à la fois vivent dans cet homme ... bien modernes, et plus moderne aussi est leur réunion. La fin d'une foi religieuse, la vie à Paris, et l'esprit scientifique du temps ont contribué à façonner... ces trois sortes de sensibilités... Les origines... qui ont fait cette âme sont donc aisées à déterminer... La foi s'en ira, mais le mysticisme... demeurera dans la sensation... Ses goûts de libertin... lui vinrent de Paris. Il y a tout un décor du vice parisien... dans la plupart de ses poèmes... Il a mangé dans les tables d'hôte à côté de filles plâtrées, dont la bouche saigne dans un masque de céruse... Et... il a mené l'existence du littérateur qui étudie toujours, et... il a aiguisé le tranchant de son intelligence... et de ce triple travail est sorti, avec la conception d'un amour à la fois mystique, sensuel et intelligent, le flot de spleen le plus âcre et le plus corrosif qui ait depuis longtemps jailli d'une âme d'homme... Baudelaire... était d'une race condamnée au malheur. C'est l'écrivain peut-être au nom duquel a été accolée le plus souvent l'épithète de "malsain". Le mot est juste, si l'on signifie par là que les passions du genre de celle que nous venons d'indiquer trouvent malaisément des circonstances adaptées à leurs exigences. Il y a désaccord entre l'homme et le milieu. Une crise morale en résulte et une torture du cœur

... Les combinaisons d'idées compliquées ont plus de chance de ne pas rencontrer des circonstances appropriées à leur complication. Celui que ses habitudes ont conduit à un rêve de bonheur fait de beaucoup d'exclusions, souffre de la réalité qu'il ne peut pétrir au gré de son désir... C'est l'explication du spleen du subtil Baudelaire, comme du "mal du siècle", comme du pessimisme... L'ennui a toujours été le ver secret des existences comblées. D'où vient cependant que ce "monstre délicat" n'ait jamais plus énergiquement baîllé sa misère que dans la littérature de notre siècle où se perfectionnent tant de conditions de la vie, si ce n'est que ce perfectionnement même, en compliquant aussi nos âmes, nous rend inhabiles au bonheur? Ceux qui croient au progrès n'ont pas voulu apercevoir cette terrible rançon de notre bien être mieux assis et de notre éducation plus complète. Ils ont reconnu dans l'assombrissement de notre littérature un effet passager des secousses sociales de notre âge... Il me semble plus vraisemblable de regarder la mélancolie comme l'inévitable produit d'un désaccord entre nos besoins de civilisés et la réalité des causes extérieures: d'autant que, d'un bout à l'autre de l'Europe, la société contemporaine présente les mêmes symptômes... de cette mélancolie et de ce désaccord. [Bourget cite à l'appui de sa thèse le nihilisme russe, les livres de Schopenhauer, les excès de la Commune en 1871, la misanthropie acharnée des romanciers naturalistes: tout cela] révèle ce même esprit de négation de la vie, qui, chaque jour, obscurcit davantage la civilisation occidentale... Lentement, sûrement, s'élabore la croyance à la banqueroute de la nature, qui promet de devenir la foi sinistre du XXe siècle, si la science ou une invasion de barbares ne sauve pas l'humanité trop réfléchie de la lassitude de sa propre pensée. Ce serait un chapitre de psychologie aussi intéressant qu'inédit que celui qui noterait... la marche des différentes races européennes vers cette tragique négation de tous les efforts de tous les siècles... Baudelaire est un des "cas" les plus réussis de ce travail particulier. ["Le Goût du néant", "Spleen", "Madrigal triste", "Le Voyage", etc.:] de ces vers s'exhale... l'amère et définitive malédiction jetée à l'existence par le vaincu qui sombre dans l'irréparable nihilisme... Il suffit de reprendre un par un les éléments psychologiques dont nous avons reconnu l'influence sur la conception de l'amour chez le poète pour reconstituer l'histoire de

ce "goût du néant"... [Ayant perdu la foi au contact du siècle,
Baudelaire en ressent quand même la nécessité: c'est ce besoin
de croire, de combler le vide spirituel de l'existence, qui le jette
vers les paradis artificiels, les lectures mystiques—Proclus, Swe-
denborg, Poe, De Quincey—qui explique sa recherche des sensations fortes et extraordinaires—la mort, la débauche, l'épouvante: il y cherche vainement l'assouvissement de ses désirs:]
De ces courses l'Ame revient plus exténuée, plus persuadée que
la religion n'est qu'un rêve... Ce même nihilisme est l'about-
issement du libertinage analytique propre à Baudelaire... Une
indescriptible nuance de spleen... s'établit chez le libertin qui
ne connaît plus l'ivresse... Il rêve de souffrir alors, et de faire
souffrir, pour obtenir cette vibration intime qui serait l'extase
absolue de tout l'être. L'étrange rage qui a produit Néron et
Héliogabale le mord au cœur... Voilà l'homme de la décadence... ayant, par la précocité de ses abus, tari en lui les
sources de la vie... Si une nuance très spéciale d'amour, si une
nouvelle façon d'interpréter le pessimisme font déjà de la tête
de Baudelaire un appareil psychologique d'un ordre rare, ce qui
lui donne une place à part dans la littérature de notre époque,
c'est qu'il a merveilleusement compris et presque héroïquement
exagéré cette spécialité et cette nouveauté. Il s'est rendu compte
qu'il arrivait tard dans une civilisation vieillissante, et... il s'en
est réjoui... Il était un homme de décadence, et il s'est fait un
théoricien de décadence. C'est peut-être là le trait... qui exerce
la plus troublante séduction sur une âme contemporaine...
[Baudelaire] recherche tout ce qui paraît morbide et artificiel
aux natures simples... partout où chatoie... la 'phosphorescence de la pourriture', il se sent attiré par un magnétisme invincible... Son intense dédain du vulgaire éclate en paradoxes
outranciers... Son ironie douloureuse enveloppait dans un
même mépris la sottise et la naïveté, la niaiserie... et la stupidité... Cette ironie teinte encore les plus belles pièces du recueil des *Fleurs du mal*, et chez beaucoup de lecteurs... la
peur d'être dupes de ce grand dédaigneux empêche la pleine
admiration... Malgré les subtilités qui rendent l'accès de son
œuvre plus que difficile au grand nombre, Baudelaire demeure
un des éducateurs féconds de la génération qui vient. Son influence... s'exerce sur un petit groupe. Mais ce groupe est
celui des intelligences distinguées: poètes de demain, roman-

ciers déjà en train de rêver la gloire, essayistes à venir, indirec-
tement, et à travers eux, un peu des singularités psychologiques
... pénètre jusqu'à un plus vaste public; et n'est-ce pas de
pénétrations pareilles qu'est composé ce je ne sais quoi dont
nous disons: l'atmosphère d'une époque?

(49) 1881, Frédéric Godefroy, *Histoire de la littérature française*
(Gaume, 2ᵉ édition, 1881), tome X, *XIXᵉ siècle, Poètes.*
Disciple d'Edgar Poe ... regardant avec lui la perversité comme
l'élément constitutif de notre nature, dédaignant toute foi, toute
croyance religieuse et n'examinant l'homme que dans ses passions mauvaises, dans ses actes d'ivrognerie et de débauche,
Charles Baudelaire voulait être le peintre des déformités physiques et morales de la société, et prit pour sujet exclusif de ses
inspirations le laid, l'horrible, l'ignoble ... Il domina de toute
la force d'une volonté puissante ses aspirations poétiques, et fit
servir à l'étude implacable de la réalité sa science du rythme et
son amour du vers ... Si le beau éclate également dans l'horreur
et dans la grâce ... si l'excès même de la dépravation peut avoir
une moralité, le recueil de Charles Baudelaire est une œuvre
excellente, parfaite. *Les Fleurs du mal* sont le résultat d'un pessimisme exaspéré ... En niant la délicatesse, la vertu, l'intelligence, en les remplaçant par la cupidité, la débauche, l'orgie
brutale, le poète a écrit, dans le soulèvement d'un désespoir
continu, un livre sincère, mais injuste, troublé, malsain ... Il a
méconnu les sentiments du cœur, il n'a rien voulu croire hors
de la volupté ... *Les Fleurs du Mal* sont écrites dans une langue
ferme et concise. Une puissance extraordinaire de style et d'inspiration anime cette poésie sinistre, déchirante ... ces rimes
habituellement vigoureuses et retentissantes ... Mais fallait-il
déployer tant de force pour de hideuses et méprisantes réalités?
(277-280) ... Charles Baudelaire a placé dans *les Fleurs du mal*
un grand nombre de sonnets dont quelques-uns, au point de
vue de la forme, sont des plus remarquables que l'on ait écrits.
(417)

(50) 1881, Maurice Du Seigneur, *L'Art et les artistes au salon de
1881* (Ollendorff, 1881)
Parmi les salons dont les auteurs ont disparu, il faut encore
citer ... ceux de 1845 et 1846, par Charles Baudelaire, connus
seulement des passionnés de cet étrange et fantaisiste poète ...

Voici une critique vivante et audacieuse, quelque peu paradoxale... disant ce qu'elle veut sans arrière pensée, s'égarant
parfois dans les sentiers parfumés de la senteur excitante des
Fleurs du mal, mais s'arrêtant toujours là où il faut admirer les
manifestations de la véritable originalité... Nous pourrions,
pour votre édification, faire encore de nombreux emprunts à
cette critique si alerte et si neuve pour l'époque à laquelle elle
s'est produite; elle dérive de Balzac pour l'observation et de
Diderot pour l'audace des mots. Dans son œuvre artistique,
Baudelaire se laisse bien emporter quelquefois par le tourbillon
de l'idée au lieu de céder aux froideurs de l'analyse; Edgar Poe
alors le détourne de Balzac, mais il est sans contredit le précurseur de l'école naturaliste actuelle. (76-80)

(51) 1882, 13 août, Emile Verhaeren, "Charles Baudelaire", *L'Art
moderne* (repris dans *Impressions*, *3ᵉ série*, Mercure de France,
1928.)

Pour nous, à travers la poésie des *Fleurs du mal*, Baudelaire
apparaît comme un alchimiste ou un sorcier du XIVᵉ ou du XVᵉ
siècle. Il date de là, de ces temps sinistres où la misère humaine
saignait de toutes ses plaies, où la cruauté hantait les cervelles,
où la folie les détraquait, où le désespoir touchait au paroxysme... Tout un monde d'hystériques, de convulsionnaires, de
démoniaques s'y agite... Charles Baudelaire appartient à cette
classe de malades. Il conçoit à peu près les choses comme eux
ont dû les sentir... Nul poète ne sent d'une façon plus aiguë,
avec des nerfs plus surexcités; il pousse tout à l'outrance, il
semble avoir des sens spéciaux pour subir les morbidesses, les
mélancolies, les navrements, les désespoirs. Il vit dans un
cauchemar, se croit maudit, gémit, blasphème. Tout affecte à
ses yeux des allures macabres, son vers a des torsions d'épilep-
tique, la cruauté lui plaît, les monstres le tentent, le vice raffiné
l'enchaîne, le mal savant l'attire; Satan, d'un bout à l'autre,
règne dans son œuvre... C'est à travers un tel tempérament
que Baudelaire a vu et jugé le monde moderne... Son imagination est toujours restée fidèle au culte noir; en tant que poète,
il est chrétien—un chrétien hanté par le diable. Sa langue...
est trempée dans le mysticisme... Elle est admirable pour exprimer les doléances et les misères, les affaissements et les
ennuis. Au reste, comme la nature de l'auteur, elle date du

moyen âge. Et pourtant Baudelaire est reconnu comme poète essentiellement actuel, ayant mieux que personne traduit l'âme de son temps. Et la cause en est qu'aujourd'hui comme alors on vit dans le dégoût des religions, parmi les ruines de croyances ... Alors vient l'ennui et le spleen ... Or, personne n'a su comme Baudelaire mesurer toute la largeur du bâillement. Ce que les modernistes prisent encore, c'est son goût capricieux pour les choses malades, fanées, pour les chloroses et l'artificiel, pour les léprosités et les plaies. Il a mis à la mode les poésies sur le musc et le benjoin ... Mais ce qui n'est nullement moderne, c'est le ton général de sa littérature, c'est le jour et l'angle sous lesquels il voit les choses, c'est sa continuelle préoccupation du surnaturel, c'est sa croyance, réelle ou feinte, à toute une série de superstitions, c'est de faire ménage quotidien avec le diable et de lui enrouler sans cesse des vers autour des cornes. Les poésies des *Fleurs du mal* nous semblent les personnages d'une immense sarabande macabre ... C'est une fresque gothique.

(52) 1882, septembre, Edmond Schérer, "Baudelaire et le Baudelairisme", *Le Temps*. (Repris dans *Etudes sur la littérature contemporaine*, VIII, Calmann-Lévy, 1885).
[La gloire de Baudelaire est] une mystification [car] Baudelaire n'a rien, ni le cœur, ni l'esprit, ni l'idée, ni le mot, ni la raison, ni la fantaisie, ni la verve, ni même la facture. Il est grotesque d'impuissance. Son titre unique c'est d'avoir contribué à créer l'esthétique de la débauche, le poème du mauvais lieu ... Il n'est pas de réputation ... plus surfaite que celle des *Fleurs du mal*. On n'y trouve pas même ... la virtuosité ... C'est un martelage pénible et fatigant, un assemblage de tropes fausses jusqu'au burlesque, d'expressions dont l'impropriété ressemble à une parodie. L'image n'est jamais ni juste ni belle. La nuit devient une cloison, le ciel un couvercle ... Le seul mérite de Baudelaire, sa seule force, c'est qu'il a le courage de son vice ... Le Baudelairisme n'est pas la littérature d'une société destinée à vivre, c'est une littérature de—je n'ose pas écrire le mot ... Je me contente de dire: la littérature d'une génération au sang vicié et au tempérament ruiné.

(53) 1882, Théodore de Banville, *Mes Souvenirs* (Charpentier).
[Baudelaire est *tout entier* dans le livre d'Asselineau et la

"Notice" de Gautier. Il aimait les vieux poètes français et certains poètes latins] surtout ceux de la décadence . . . Sa toilette
comme ses mœurs furent toujours d'un parfait dandy . . . *Les
Fleurs du mal* [sont] . . . le livre immortel où la douleur et
l'amour, comme de pénétrantes essences, exhalent leurs enivrants parfums . . . ces vers dont les notes attendries et désolées
font vibrer tout l'être humain dans une commotion de volupté
et d'épouvante. Son œuvre, comme la vie elle-même, est souil-
lée par des taches de sang; mais leur effrayante pourpre est
jeté sur une riche étoffe chatoyante, dont les capricieuses bro-
deries, étincelantes de mille feux caressants, font songer au
flamboiement et au resplendissement des astres célestes. (88)

(54)   1882, Emile Hennequin, *Contes Grotesques par Edgar Poe*
       (Ollendorff, 1882).
       [Les traductions de Baudelaire] méritent et ont reçu toutes les
       louanges. En aucune autre occasion, la langue française n'a été
       plus magistralement tendue et surmenée de façon à acquérir la
       richesse, la force abrupte, le mystère, le ton voilé et fantastique
       des œuvres imaginatives anglaises . . . [Cependant, en admet-
       tant la charge d'ivrognerie proférée par Griswold et en l'expli-
       quant comme une sorte de] suicide prémédité, une méthode
       de travail meurtrière, un acte intentionnel, libre, profitable,
       Baudelaire commettait . . . une double inconséquence, oubliant
       les théories de Poe et les siennes sur le travail du littérateur.
       Avant de faire passer l'auteur de *Marie Roget* pour un inspiré,
       composant dans le saisissement de l'enthousiasme, il aurait dû
       songer qu'il contredisait ainsi la *Genèse d'un poème*, traduite
       par lui, et ses propres réflexions, désapprouvant dans *les Paradis
       artificiels* des stimulants de la pensée. (3-4)

(55)   1883, 1ᵉʳ juin, Maurice Barrès, "Théodore de Banville prosa-
       teur", *La Jeune France.*
       Baudelaire, toujours un peu lourd, donne étrangement l'impres-
       sion, la sensation; tout se passe au plus intime de l'âme, c'est la
       sensation intense, réfléchie, torturée par la volonté . . . Baude-
       laire doit se relire le soir, par les sombres temps pluvieux; on
       se désespère avec lui; et les angles sombres que forment les
       murs se peuplent de visions sans forme et de tristesse. Je doute
       qu'une femme le consulte souvent.

(56) 1883, juin, J. K. Huysmans, "L'exposition des Indépendants en 1880" (Repris dans *L'Art moderne*, Crès, 1929).
Baudelaire est le poète de génie du XIX\ siècle, il domine de cent pieds tous les autres, y compris Hugo. (139)

(57) 1883, 6 juin, Edmond de Goncourt, *Journal*.
[Goncourt apprend d'un collégien qui lui rend visite] qu'à l'heure actuelle, les intelligents, les piocheurs, les lettrés du collège sont divisés en deux camps: les futurs normaliens qui appartiennent à About et à Sarcey, et les autres sur lesquels Baudelaire et moi, serions les deux auteurs contemporains qui ont le plus d'action.

(58) 1883, Théodore de Banville, *Paris vécu* (Charpentier, 1883).
[Baudelaire et l'Académie française:]
Baudelaire, ce poète sensitif, délicat, intense, affranchit la poésie moderne du lieu commun et de la rhétorique; il ose être sincère, il puise son inspiration au plus profond de l'âme humaine ... et nous donne ses *Fleurs du mal*, qui, après l'œuvre de Hugo, resteront au premier rang parmi les chefs-d'œuvre lyriques.

(59) 1883, Théodore de Banville, *Petit traité de la poésie française* (Charpentier, 1883).
... Le plus romantique et le plus moderne de tous les livres de ce temps—le merveilleux livre intitulé *les Fleurs du mal*. J'en détache deux sonnets irréguliers, où l'on sentira la flamme et le souffle du génie. ["Le Rebelle", "Je te donne ces vers ..."]

(60) 1883, Maxime du Camp, *Souvenirs littéraires* (Hachette, 1883).
[Baudelaire n'a pas dépassé Musset, Laprade et Gautier; il] s'est avancé à côté d'eux, sur le second rang ... Comme poète, il n'a eu qu'une corde, mais il l'a fait vibrer avec une énergie rare; sa traduction des œuvres d'Edgar Allan Poe est un chef d'œuvre d'exactitude ... Le premier, il le fit connaître en France ... Baudelaire avait pour un écrivain un grand défaut ... il était ignorant. Ce qu'il savait, il le savait bien, mais il savait peu. L'histoire, la physiologie, l'archéologie, la philosophie lui échappaient ... C'était un poète subjectif; il s'enfonçait au dedans de lui-même, s'y plaisait et y restait ... [Lorsque *la*

Revue des Deux Mondes publia quelques extraits des *Fleurs du mal* en juin 1855] ce fut un étonnement et un succès. On admira la facture savante, la vigueur métallique du vers, mais plus d'un lecteur fut choqué de l'âcreté de la pensée. On était accoutumé à voir la poésie française ne jamais revêtir que des idées douces, tendres ou tristes; la jérémiade des poètes se perdait dans le nuage des souffrances indéfinies; la lamentation était vague et l'aspiration confuse. Avec *les Fleurs du mal*, il n'en était plus ainsi; l'auteur faisait l'autopsie de soi-même... Le retentissement fut grand, comme pour toute œuvre exceptionnelle. [Tome II, 84-89.]

(61) 1883, Louis Nicolardot, *L'Impeccable Gautier et les sacrilèges* (Tresse, 1883).

[Baudelaire disciple de Gautier:]

... Un disciple n'est pas au-dessus du maître... Chez Baudelaire tout fut étude... Il m'a toujours semblé un don Juan systématique... Ce volcan de passions est tout simplement du givre; il en a l'éclat et la frigidité... [Anecdote ignoble sur "Madame Sérail"—sans doute Madame Sabatier.]... Baudelaire gagne beaucoup dans la jeunesse qui fait de la poésie une pluie de verglas. Ses *Fleurs du mal* lui valurent un procès en police correctionnelle... Peu lu avant ce jugement, il a été très recherché depuis. (6-7)

(62) 1884, J. K. Huysmans, *A Rebours* (Charpentier-Fasquelle).

En littérature, on s'était jusqu'alors borné à explorer les superficies de l'âme... Baudelaire était allé plus loin; il était descendu jusqu'au fond de l'inépuisable mine... avait abouti à ces districts de l'âme où se ramifient les végétations monstrueuses de la pensée. Là, près de ces confins où séjournent les aberrations et les maladies, le tétanos mystique, la fièvre chaude de la luxure, les typhoïdes et les vomitos du crime, il avait trouvé, couvant sous la morne cloche de l'Ennui, l'effrayant retour d'âge des sentiments et des idées. Il avait révélé la psychologie morbide de l'esprit qui a atteint l'octobre des sensations... Il avait suivi toutes les phases de ce lamentable automne... Dans cette sensibilité irritée de l'âme... il voyait ... surgir l'horreur de ces passions âgées... où l'un se livre encore quand l'autre se tient déjà en garde, où la lassitude réclame aux couples des caresses filiales dont l'apparente juvénilité paraît neuve, des candeurs maternelles dont la douceur repose et concède, pour ainsi dire, les intéressants remords d'un vague inceste. En de magnifiques pages il avait exposé ces amours hybrides, exaspérées par l'impuissance où elles sont de se combler, ces dangereux mensonges des stupéfiants et des toxiques appelés à l'aide pour endormir la souffrance et mâter l'ennui... Il avait... sondé ces plaies plus incurables, plus vivaces, plus profondes, qui sont creusées par la satiété, la désillusion, le mépris, dans les âmes en ruine que le présent torture, que le passé répugne, que l'avenir effraie et désespère... Dans un temps où le vers ne servait plus qu'à peindre l'aspect extérieur des êtres et des choses, [Baudelaire] était parvenu à exprimer l'inexprimable, grâce à une langue musculeuse et charnue, qui plus que toute autre, possédait cette merveilleuse puissance de fixer avec une étrange santé d'expressions les états morbides les plus fuyants, les plus tremblés, des esprits épuisés et des âmes tristes. (187-191) [Baudelaire et Poe se ressemblaient par leur "commune poétique" et leur "inclination partagée pour l'examen des maladies mentales"; mais leur conception de l'amour n'était pas du tout la même:] Baudelaire avec son amour, altéré et inique, dont le cruel dégoût faisait songer aux représailles d'une inquisition; Poe avec ses amours chastes, aériennes, où les sens n'existaient pas. (254)

(63) 1884, 9 juin, Emile Verhaeren, "J. K. Huysmans", *Le National belge* (repris dans *Impressions, 3e série,* Mercure de France, 1928).

[Compte rendu d'*A Rebours*.]

Des Esseintes... vit la poésie de Baudelaire, il vit l'idéal compliqué de cet énorme cerveau noir, de cet artiste colossalement original qui, le premier, a chanté ténèbres dans les temples de l'art. Il admet toutes ses théories et ses songes, il pratique dévotement son culte; il comprend, comme lui, les littératures faisandées... Il a la perception de la douceur des choses fanées, pâlies, éteintes, tristes; il se cloître dans le douillet silence ouaté des appartements; il traîne une existence de grand chat anémique et voluptueux.

(64) 1884, 5 novembre et 5 décembre, Maurice Barrès, "La Folie de Charles Baudelaire", *Taches d'encre.* (Repris en volume sous le le même titre, Paris, Les Ecrivains réunis, 1926.)

Au meilleur de son œuvre... perce quelque affectation de cette recherche de l'effet qu'il poussa dans la vie jusqu'aux légendaires extrémités qu'on se répète... Nous sentirons l'angoisse de ce faux comédien, une émotion poignante, tout en dedans, non pas verbeuse et prodigue en apostrophes... Fût-il maladroit... l'âpreté dont il se fouille et se retourne l'âme révèle sa sincérité... Cet homme est tourmenté comme son œuvre... Sur son livre comme sur un gibet de douleur, il est étendu, prophète d'un art nouveau; sa tête couronnée de dérision s'abandonne sur son épaule; son côté sanglant... porte encore le scalpel qui le fouilla... [Baudelaire, en somme, est une sorte de Prométhée chrétien, un Christ du XIXe siècle, dont les balbutiements sur son lit de mort sont comparables à la Sainte Folie de la Croix et seront célèbres comme tels. Mais son Christianisme, bien que sincère, n'est guère orthodoxe: lui —et ses disciples—se servent du Christianisme plutôt pour se procurer des sensations extraordinaires que par vrai sentiment religieux:] Gardons-nous de les saluer trop vite chrétiens, ces poètes. La liturgie, les anges, les satans, tout le pieux appareil, ne sont qu'une mise en scène pour l'artiste qui juge que le pittoresque vaut bien une messe... Ils se plaignent au ciel... mais à quel ciel? Puis il est des blasés que titille le péché... qui ne vont à l'église que pour pouvoir blasphémer... C'est un autre calice que celui du Christ, mes frères, que le calice des *Fleurs du mal*... [Le style de Baudelaire montre l'influence de Chateaubriand, de Sainte-Beuve, de Byron, et de Gautier; quant à Gautier:] Ce ne peut être que la maîtrise du langage qu'il salue [chez lui]... il y a du parfait grammarien dans la prose de Baudelaire... L'esthétique des *Fleurs du mal* sort tout d'une pièce d'Edgar Poe... [Mais Poe n'était pas du tout réaliste, et il n'avait pas la conception baudelairienne de la femme. Du reste, malgré toutes ces influences, le style de Baudelaire reste très original: on y remarque] une savante concision, du marbre brûlant, la réflexion jusqu'aux frontières de la démence, souvent un vers superbe, rarement une belle suite. Sa prose se soutient mieux, lourde et telle qu'un bloc de glace polaire... C'est pour ce voulu de l'inspiration... que tant de très jeunes esprits, qui s'affichent réalistes, en réaction de 1830, se complaisent avec ce poète, plus intuitif cependant qu'observateur, et le plus idéaliste du siècle... Sur le travail Baudelaire

peinait. Ses meilleures pages nous écrasent. Il mettait en vers
difficiles de la prose superbe. Après tant de veilles, l'œuvre de
cet acharné est courte. Chez lui le moindre vocable trahit
l'effort par où il atteignit si haut . . . Baudelaire ne fut peut-être
qu'un esprit laborieux qui sentit et comprit par Poe des choses
nouvelles et se raidit toute sa vie pour se spécialiser. Mallarmé
et Verlaine faillirent à leurs ambitions . . . C'est leur effort . . .
que nous admirons . . . Baudelaire est notre maître pour avoir
réagi contre le matérialisme de Gautier . . . et contre tout le
superficiel du romantisme. C'est par *les Fleurs du mal*, peut-
être, que nous reviendrons à la grande tradition classique,
appropriée sans doute à l'esprit moderne, mais dédaigneuse des
viles couleurs éclatantes et de toutes les sauvageries plastiques
. . . et rêvant d'exprimer en termes clairs et nuancés des choses
obscures et toutes les subtilités intimes . . . Baudelaire dota
notre langue des plus délicats procédés d'analyse. Dans le
balancement perpétuel qu'on nomme le Progrès, *les Fleurs du
mal* . . . déterminent . . . un des mille retours du moral sur le
physique . . . Il demeure une psychologie et une langue baude-
lairiennes . . . Baudelaire et ses amis s'imposent comme les
interprètes de la sensation . . . C'est la sensation qu'ils éveillent
tout d'abord, ces poètes sensualistes, c'est elle qu'ils prétendent
réaliser; c'est encore les sens du lecteur qu'ils attaquent pour
rejaillir de là dans l'entendement . . . Un vers des *Fleurs du mal*
c'est une phrase de musique écourtée qui se termine en nous
malgré nous, c'est une goutte odorante qui peuple de sensations,
de pensées vagues, le silence . . . [L'amour de Baudelaire] est
sensuel jusqu'à la science . . . La débauche n'assouvit pas; elle
affole les désirs, elle les complique d'étranges imaginations. Par
des voluptés sombres il va jusqu'à Lesbos . . . jusqu'au sadisme
. . . Ce qu'il advient de pareilles outrances, on le pressent. Le
poète qu'emportent des appétits débridés roule au fond de tous
les excès . . . Son cerveau s'enflamme, ses nerfs se détraquent,
de sombres manies l'obsèdent . . . Et puis un désespoir morne,
un dégoût de plomb . . . Pourtant . . . c'est ainsi que, retourné à
ses voluptés détestables par rappel de sensualité et par recherche d'artiste . . . le poète demeure sur le fumier de son
dégoût . . . Seul avec cette torture "La Conscience dans le Mal",
l'analyse dans la sensation . . . Cette manière nouvelle de sentir
. . . apporte-t-elle quelque bien à l'humanité? La fin d'action la

plus immédiate de ces artistes est de faire de beaux vers. Bien vite ils s'aperçoivent que, même ce but atteint, le bonheur leur échappe... Ils se trouvent en face de la vie, également désarmés et inquiets d'idéal; ils s'agitent dans l'irrésolution. N'est-ce pas ... la souffrance de tous, à cette queue de siècle où la vie dédaigne ses buts anciens?... De là Leconte de Lisle et Flaubert coulent au désespoir... A cet instant du siècle des existences entières et des heures rares de chacun de nous sont faites de ces mêmes substances dont Baudelaire a pétri son œuvre... la vie des sens... Les sensations de Baudelaire et des siens sont d'ordre rare toujours et les plus excessives où puisse atteindre la machine humaine se travaillant elle-même. Tous les esprits vraiment de cette époque se sont rencontrés à quelque heure à sentir de façon analogue... L'œuvre de Baudelaire, tout d'abord, parut peu féconde... [Mais] sommes-nous parents de ce malade, *les Fleurs du mal* deviennent notre histoire même. Plaisir amer et des plus doux que de se répéter tel vers de Baudelaire au matin de la nuit parisienne... le long des boulevards désertés... [Le décor choisi de cette poésie, c'est Paris, la grande ville de la décadence moderne, avec] ses fiacres, son gaz, l'écœurement de nerfs surmenés, les ardeurs inassouvies, les irritations, les putains, le dégoût pâteux de cette vie, une nostalgie des pays bleus ou gris... [L'influence de Baudelaire se fait sentir chez Mallarmé] qui écrit pour lui seul et quelques blasés le savourent [chez Verlaine, qui, comme Baudelaire,] a une excellente théorie de la vraie débauche intellectuelle ramassée, [et chez Rollinat, qui a poussé le baudelairisme macabre jusqu'à l'outrance. Tous les autres décadents en prose et en vers viennent directement de Baudelaire:] Dans le roman, nous indiquerons les taches verdâtres, la décomposition des *Monstres parisiens* de M. Catulle Mendès... Dans *Fleurs d'ennui*, dans *Mon Frère Yves*, M. Pierre Loti fait accepter et admirer... des subtilités étranges, un frissonnement perpétuel des nerfs, une symphonie faite uniquement de sensations, des plus brutaux appétits comme des plus raffinées morbidesses, et c'est par Loti, par Francis Poictevin... que le courant parti de Baudelaire vient caresser le domaine des Goncourt, sensationnistes eux aussi, [de J. K. Huysmans et de tant d'autres,] pauvres malheureux grisés de cette atmosphère [qui se tuent en voulant imiter Baudelaire.]

(65) 1884, Louis Desprez, "Baudelaire et les Baudelairiens", dans *L'Evolution naturaliste* (Tresse, 1884).

Baudelaire est un sphinx qui attire les jeunes gens... Un tel poète ne naît que dans les civilisations avancées. Il exprime des nuances d'idées et de sensations d'une variété et d'une complexité extrêmes. L'odeur des pourritures et des boues remuées s'unit dans son œuvre à des senteurs de musc et de benjoin... Baudelaire trouve des expressions pour les sentiments troubles, inavoués, inexprimés, qui grouillent au fond de l'homme... Cette sensibilité maladive marquait ici la place de Baudelaire ... Dans la plupart des poètes contemporains... on retrouve la touche frissonnante des *Fleurs du mal* (271-272) [Baudelaire, du reste, était victime d'une névrose fondamentale: sa liaison avec Jeanne Duval nous en fournit la preuve:] Une liaison banale laisse froid ce poète aux nerfs maladifs; il trouve exquis le rare, se complaît seulement dans les voluptés raffinées. Recherche morbide... [Suivent quelques citations de la "Notice" de Th. Gautier, 273-274. Grâce aux *Fleurs du mal*, Baudelaire jouit] d'une réputation immense et méritée, [elles révèlent] une originalité vraie, quoique trop voulue, [ce sont] un ensemble de poésies, assez arbitrairement groupées, mais d'un effet saisissant. Baudelaire a la prétention de donner une image du monde moderne... En réalité son livre... produit l'effet d'un cauchemar puissant. Doué d'une vision si étrange que les choses les plus simples se transforment et prennent pour lui des apparences monstrueuses, le poète n'a rien moins que le sens du réel. On ne comprend pas comment certains critiques... ont pu mettre dans le même groupe *les Fleurs du mal* et... *Madame Bovary*, deux mondes parfaitement distincts, le romantisme à l'agonie et le naturalisme naissant... Où nous voyons rouler des omnibus et se heurter des passants, Baudelaire voit "couler des mystères"; il ne peut faire trois pas sans que sur lui s'abatte l'essaim "des mauvais anges"... Et pourtant il serait imprudent de prétendre qu'il n'a pas rendu d'une façon saisissante des détails très particuliers de la vie moderne. Contradiction apparente: Baudelaire a toujours la fièvre; il semble communiquer cette fièvre aux objets et aux êtres qu'il décrit. Ce procédé dénature complètement telle ou telle scène... Baudelaire reste amer et triste, même devant le soleil qui est gaieté; par conséquent, il réservera ses traits les meilleurs pour les mélancolies lunaires ... Il rend avec puissance et variété les heures troubles du crépuscule; sa tristesse et son spleen sont dans la nature à ces heures-là ... A-t-on jamais mieux montré l'ensommeillement las et morbide du matin? (276-278) Une dizaine de pièces ... vivront autant que la langue française ... "La Charogne" restera comme une merveille descriptive: c'est la seule poésie spiritualiste du livre ... Ce sceptique avait conservé ... une admiration mystique pour je ne sais quelle madone et surtout une robuste terreur de Satan. Il a des comparaisons absolument stupéfiantes. Il marivaude dans l'horrible. 278-279 [Sa technique poétique n'est pas sans défauts:] Comme ce despotique est amené par la rime! Car ce vrai poète, qu'on nous représente comme un versificateur savant, cheville continuellement. Il y a des défauts plus graves, une obscurité souvent complète [mais] ... Alfred de Vigny seul ... a écrit des vers d'une concision aussi puissante ... des visions aussi amples. C'est un don que de plus grands écrivains, des hommes de génie, n'ont pas eu au même degré. (279-280) ... Du milieu des bizarreries de chaque page on entend s'envoler des strophes sonores. L'expression a la grandeur de l'idée. Baudelaire est l'un des rares poètes français qui aient communiqué au sonnet ... une ampleur dont on ne l'aurait pas cru capable ... Seul, M. Leconte de Lisle a écrit des sonnets aussi grandioses ... Ce qui donne au public la mesure d'un écrivain, c'est l'influence de ses livres sur la littérature de son temps. La génération nouvelle sait par cœur *les Fleurs du mal:* elle se grise de Baudelaire ... et, comme les défauts se communiquent plus aisément que les qualités, c'est surtout son maniérisme qu'on emprunte au poète de la Charogne. Il y a là un véritable danger pour le génie français, fait, avant tout, de clarté et de bon sens. Les ultra raffinent encore sur le maître. Et cependant, Baudelaire semblait s'être enfoncé aussi loin que possible dans l'étrange. Jugez où l'on aboutit. Lorsque l'art sort de l'imitation franche de la nature, lorsqu'il se laisse égarer dans le cauchemar, il entre dans une impasse. Baudelaire mourut à l'âge de quarante-six ans, au seuil de la folie. (281-282)

(66) 1884, Ant. Laporte, *Baudelaire et Roger de Beauvoir. Bibliographie.* (A. Laporte, libraire bouquiniste, 1884).
Baudelaire, nature incomplète et mal pondérée, fait à la diable

de qualités et de passions disparates, présente au diagnostic de
la critique, un tempérament littéraire tellement exceptionnel,
que crainte d'entendre accuser de partialité notre jugement,
nous préférons l'étayer des appréciations de critiques connus.
[Citations de Vermersch, d'Albert de la Fizelière, de Banville,
d'Asselineau, etc., 5-7.] En face de ce cas esthétique particulier
d'un écrivain qui s'isole volontairement, amoureusement dans
un genre hors nature, et qui prostitue à son profit toutes les
délicatesses de la pensée et toutes les richesses de la langue,
que conclure, sinon, que s'il n'était pas fou, il était bien près de
l'être ... Son œuvre bat la fièvre ... il a écrit à outrance parce
qu'il était fou. Amoureux d'une individualité singulière que les
Américains présentent comme un génie, Edgar Poe, Baudelaire
a voulu boire et s'enivrer dans son verre; or, comme il était trop
grand pour lui, il a tué le disciple comme il avait tué le maître
... Sa poésie est du romantisme décadent, du romantisme à
l'agonie, elle râle, désespérée, violente dans l'ignoble et l'horrible. Baudelaire avait l'hystérie de l'impossible et du monstrueux, il était possédé par l'attraction du mal ... [Sa traduction
de Poe] dépasse le mérite de l'original ... *Les Fleurs du mal*,
réunion de petits poèmes laborieusement ciselés, ont la prétention de peindre le monde moderne dans ses douleurs, dans
ses passions et surtout dans ses immondices morales. Baudelaire
est un Delacroix poète, il a, en poésie, les violences de tons et
de couleurs de sa peinture verte et violacée ... [C'est] un grand
et superbe talent frappé par la folie. (7-8)

(67) 1884, Paul Marieton, *Joséphin Soulary et la pléiade lyonnaise*
      (Marpon et Flammarion, 1884)
      Il y a décidément aussi parenté d'allure entre Soulary et Bau-
      delaire, un autre révolté, sauf que la révolte de celui-ci est
      moins ordonnée en général ... On retrouve néanmoins la mo-
      rale chrétienne sous ce rationalisme voulu. (54)

(68) 1884, Catulle Mendès, *La Légende du Parnasse contemporain*
      Bruxelles, Brancart, 1884).
      [Baudelaire est] le parfait poète ... Ses merveilleux poèmes en
      prose comptent parmi les pages les plus parfaites de la littéra-
      ture française. (93)

(69) 1885, 10 mars, Octave Uzanne, "Causerie d'un curieux: Baudelaire et Vallès", *Le Livre.*
[A propos de l'article nécrologique "écœurant et impitoyable"
de Vallès, paru dans *La Rue* le 7 septembre 1867.]
A peine donnait-il dix ans d'immortalité à Baudelaire qui, après
vingt-huit ans, est plus glorieux, plus grand et plus vivant que
jamais dans l'esprit de nos contemporains d'élite.

(70) 1885, 25 mars, Théodore de Banville, "Baudelaire", *La Revue
contemporaine.*
L'œuvre du poète . . . s'est répandue dans le public avec une
force d'expansion inouïe; elle compte maintenant parmi les
œuvres les plus populaires du siècle . . . une œuvre forte, lucide,
sincère, douloureuse et vraie comme la vie . . . [Banville s'in-
digne de la "légende": Baudelaire était "élégant, séduisant,
distingué"; il a créé mieux qu'un "frisson nouveau"; il a créé]
un art vraiment nouveau qui est à lui et n'est qu'à lui . . . Baudelaire est le seul qui ne doive rien à Victor Hugo. [Hugo avait
tout épuisé: comment faire quelque chose de nouveau après
lui?] Baudelaire résolut ce problème . . . en s'abandonnant et
en se confinant à l'originalité de son génie. Son décor pompeux, raffiné, compliqué, splendide . . . ne se trouve nulle part
dans la vie réelle, et il est sorti tout entier de l'imagination du
poète. Dans ce décor, un seul personnage . . . très moderne:
L'Ame humaine . . . personnage unique, amoureux, saignant,
blessé, avide de volupté et d'extase, subissant toutes les misères
. . . mais toujours apaisé, consolé, bercé sur ses plaies et sur ses
blessures, par l'intarissable Pitié du poète . . . La Pitié [de Bau-
delaire] accueille et réchauffe toute la déplorable humanité.
[Hugo et Baudelaire ont voulu tous les deux souffrir pour les
autres; mais tandis que Hugo prodigue sa pitié à des "victimes
évidentes" de la vie telles que le laquais, la fille perdue, etc.,
Baudelaire plaint "tout ce qui vit et respire".]

(71) 1885, 6 août, Paul Bourde, "Chronique", *Le Temps.*
Au moral, [le symboliste] est catholique pour pouvoir blasphémer Dieu . . . En littérature, il a pour père direct Baudelaire.

(72) 1885, 9 août, Edmond Picard [non signé], "Les Verbolâtres",
L'Art moderne, V.

[L'auteur regrette que Baudelaire] brouille le cerveau à tant de jouvenceaux littéraires.

(73) 1885, Théodore de Banville, *Lettres chimériques* (Charpentier, 1885).
"XXXVIII, Baudelaire, à Paul Bourget", 278–284.
[Lettre amicale à Paul Bourget à propos des *Essais de Psychologie contemporaine*. D'après Banville, en sa qualité d'ancien ami de Baudelaire, Bourget insiste trop sur les bizarreries du poète—sur ses paradoxes, ses amours avec Jeanne Duval, sur la "légende" en somme. Baudelaire, dit-il, ne débitait pas de paradoxes, n'était ni mystificateur, ni pauvre, ni débauché; il aimait vraiment Jeanne Duval—"admirablement belle, gracieuse et spirituelle"—qui, du reste, n'était pas noire du tout, mais blanche, bien qu'elle ait été une fille de couleur.]
Allons!... Renonçons franchement au Baudelaire ogre, au Baudelaire macabre... Osons voir dans le poète des *Fleurs du mal* l'honnête et simple grand homme qu'il fut en effet. Admirez comme son vers, venu en droite ligne de Villon, d'Agrippa d'Aubigné, de Régnier, est solide et robuste, et se porte bien! ... Au lieu d'imaginer ce Baudelaire désolé, féroce et chimérique, combien il est plus vrai et plus original de voir en lui ce qu'il fut réellement, un puissant créateur et un grand révolutionnaire. Ce qu'il a décrit... ce n'est pas un mal qui lui fût propre, c'est le mal, c'est les angoisses du temps où il a vécu. Ce qu'il porte dans un cadre... ce n'est pas, comme vous l'avez cru, son portrait; c'est un miroir, où se reflètent les visages douloureux, ahuris et convulsés des passants... A mesure que les autres renommées diminuent et graduellement s'effacent, celle de Baudelaire grandit et chaque jour prend un relief plus accusé... Et son œuvre se répand avec une rapidité vertigineuse, non seulement parmi les lecteurs d'élite, mais parmi le grand public. Pourquoi? Parce que seul, absolument seul, il a osé être sincère. Jusqu'à lui, l'homme moderne avait su détruire beaucoup de religions, mais non celle du lieu commun; il y avait des pensées, des sentiments, des amours, des désespoirs *pour la littérature*; il était admis qu'on devait feindre de voir la vie autre qu'elle n'est, et les plus ingénieux talents se bornaient à rajeunir les lieux communs, à les embellir, à les présenter sous une forme habilement renouvelée. Baudelaire, le premier

de ses contemporains, rompt audacieusement, résolument, avec les faussetés convenues et universellement adoptées... Il a déchiré les voiles qui enveloppaient son époque, et l'a montrée telle qu'elle est, dans sa nudité horrible... Le poète des *Fleurs du mal* ne méprise et ne dédaigne nullement la Science; il pense seulement... que la Science n'a rien à faire avec les chansons. Il ne hait pas le Progrès, mais il estime que le Progrès n'a rien à faire avec les manifestations de l'esprit humain non susceptibles de progrès, comme la Poésie, par exemple... Le poète n'en veut pas à la Science et au Progrès de ne lui avoir inspiré qu'une foi insuffisante... par cette bonne raison qu'il n'a nullement perdu cette foi religieuse. Cellule dans un organisme... il souffre, non d'une incrédulité qui lui soit propre, mais de l'incrédulité qui mine et dessèche l'organisme dont il fait partie.

(74) 1885, Charles Buet, *Médaillons et camées* (Giraud, 1885).
Charles Baudelaire, ce profond sensitif, ce philosophe presque mathématicien... méconnu de son vivant mais dont l'influence est actuellement toute-puissante sur la jeunesse. (34-35)

(75) 1885, Léon Cladel, *Léon Cladel et sa kyrielle de chiens* (Frinzine, 1885).
Beaucoup de nos confrères... savent en quels termes s'exprimait, en 1861 ou 1862, le plus original peut-être des écrivains modernes sur [Gautier], auquel il avait dédié ses "Fleurs maladives" qui sont encore et seront toujours pleines de santé... Notre cher et noble Baudelaire avait [une sympathie profonde pour les humbles, et leur avait] réservé depuis longtemps une place d'honneur en ses impérissables poèmes. (5-6)

(76) 1885, G. Dargenty, *Eugène Delacroix par lui-même* (Rouam, 1885).
Qu'on nous permette, en terminant, de substituer à notre opinion... celle d'un homme qui a le mieux jugé et compris Delacroix, du critique éminent et du poète incomparable dont la plume incisive et pénétrante a su le plus sagacement, à notre sens, mettre en relief les traits particuliers du génie de ce maître. (220) [Vingt pages de citations de Baudelaire sur Delacroix.]

(77) 1885, Stanislas de Guaita, *Rosa Mystica* (Alphonse Lemerre, 1885).

Charles Baudelaire est le plus grand novateur de notre ère poétique, le plus robuste dompteur de langue qui se rebelle— Théophile Gautier compris. Il a forcé le Verbe en ses plus mystérieux retranchements, il en a rasé les dernières murailles. Veut-il définir l'indéfinissable?—Il évoque des analogies et ... n'hésite pas à transposer le parfum en couleur ou en sonorité, la forme en rythme ... Il en résulte parfois que la langue s'affine et se subtilise au point de dérober la pensée au commun des lecteurs: un esprit très délié et des nerfs quelque peu malades sont "de rigueur", si l'on veut suivre partout Baudelaire ... Comme tout grand poète, Baudelaire est un symboliste: il drape ses plus belles conceptions du voile mythique, et derrière ses images les plus hardies, il est de profondes pensées ... Baudelaire est sentimental aussi, jusqu'à en être navrant, et son cœur saigne d'un éternel, impossible et violent amour ... C'est comme poète de la sensation qu'il est plus profondément original ... Nul ne l'a creusée plus avant.—Vous qui retournez le scalpel de l'analyse en vos chairs frémissantes de plaisir ou frissonnantes de douleur, saluez votre maître ... Si *les Fleurs du mal* sont en ce jour plus généralement goûtées qu'il y a quinze ans, c'est que le nombre s'est fort accru de ces natures extra-nerveuses et fiévreusement analystes, comme était celle de Baudelaire ... Baudelaire ... est mystique jusqu'en la débauche, et ne perd jamais de vue son farouche idéal, lorsqu'il plonge à l'égoût des plus épouvantables réalités. Ses fantaisies macabres, si riches d'ardente ironie, de mysticisme dévoyé et de rousse splendeur démoniaque, sont des *pantacles* alarmants de la décadence et de la perversité modernes ... Une auréole de gloire posthume illumine le visage douloureux de Baudelaire—et ce martyr conscient d'un art meurtrier a, du fond de la tombe, magnétisé tout son siècle, qui tourne, de plus en plus, au tourbillon de son verbe troublant et ensorceleur! (8-17) [Influence de Baudelaire sur Verlaine, Mallarmé, Rollinat, etc., 17 *sqq.*]

(78) 1886, janvier-avril, Charles Morice, "Lamartine, Baudelaire, Shelley", *La Revue contemporaine*.

Quoique Alfred de Vigny et Baudelaire aient vécu, Lamartine reste, parmi les morts, notre seul poète, le seul dont le nom évoque tout un monde d'enchantement, d'aristocratie et de rêve, de beauté, d'harmonie, d'*inspiration*. La Négation [qui distingue la poésie de Baudelaire] est... le fruit corrompu des âmes et des civilisations vieillies... Quand les âmes ont usé l'affirmation elles nient... C'est la fin... de la primitive espérance... [Cette négation est surtout présente dans *les Tableaux parisiens*:] C'est bien la Ville,—c'est bien l'atmosphère des villes, cette Négation hypocrite... Parfaits symboles, la pierre étouffant et tuant l'arbre, la fumée des industries enténébrant le ciel... Baudelaire ayant dû y entrer, s'est fait le Prince de ces maladives Ténèbres... *Théologiquement* parlant, Baudelaire s'est fait diable; dans l'antithèse chrétienne, c'est l'Enfer qu'il a choisi, et son Christianisme n'a pas de ciel... [C'était bien] une âme profonde et tragique [mais] il n'avait pas le cœur d'un héros. Il n'eut que l'énergie de la faiblesse, mais il l'eut *naturellement*, cette énergie désespérée d'embrasser le Malheur, de s'enclore vivant en un caveau de ténébreuse tristesse, et là d'élever un autel au mensonge et d'y célébrer les rites blasphématoires de la religion du mal. Quant à ses apparences de Diable... le diabolisme de Baudelaire est une livrée du Mal,— un peu théâtrale... Avec autant de Beauté que Lamartine, Baudelaire n'eut pas de jeunesse, comme avec autant de génie il ne fut pas célèbre... La laideur et l'ennui ont avili de leur rancune les vers de Baudelaire comme la joie et la beauté ont embelli de leur reconnaissance les vers de Lamartine... Lamartine venait du XVIIIᵉ siècle par Chateaubriand et Parny; Baudelaire y retourne par J. de Maistre et le marquis de Sade. La noblesse spirituelle de Lamartine avait ce principe de vie: un trop aisé contentement. La lâcheté spirituelle de Baudelaire avait ce principe noble, un idéal trop haut... Baudelaire écrivait ses poèmes en prose avant de les écrire en vers. Voltaire aussi.—Le Diable aussi? Ce sont des raisonneurs et des méticuleux servilement assujettis aux règles de la logique.—Lamartine et les anges ne connaissent point ce mode d'ascension lente, graduée vers la Poésie. Baudelaire était très homme de lettres et très citadin; il affichait du goût pour Boileau-Despréaux... Lamartine, un amateur princier... l'esprit large et simple... L'un naturel, instinctif et ignorant; l'autre artificiel, conscient et artiste... Si un poète *sachant ce qu'il fait*—c'est toute la définition du poète moderne—l'annonçait et l'exposait par le pourquoi et le comment avant de l'accomplir, le *Public* entrerait en méfiance, émettrait une vague accusation de pédantisme, prononcerait les mots "absence d'inspiration"—car il ne sépare l'inspiration d'*une certaine inconscience*—et pour finir évoquerait tels augustes noms de poètes incontestés qui passent pour s'être abandonnés sans calcul au caprice de leur tempérament... Le poète moderne se double naturellement d'un esthète... Ne sont-ils pas, en effet, particuliers à notre siècle, les poètes-esthètes, Edgard Poe, Wagner, Baudelaire?

(79)   1886, août, Jean Fleury, *Histoire élémentaire de la littérature française depuis l'origine jusqu'à nos jours* (10e édition, Plon, 1895).
[Le passage suivant date de la 2e édition du livre, dont la préface est datée d'août 1886.]
Baudelaire (1821-1869 [*sic*]) se complaisait... à l'analyse de sentiments maladifs, rares, d'un raffinement compliqué, et s'imposait de produire à tout prix une sensation même chez les blasés. Mystique et libertin, il se délectait au milieu du laid, du puant, par pose et pour étonner, mais aussi par goût personnel; très travaillé et quelquefois heureusement inspiré dans son style, fort vanté par les uns, il est devenu chef d'école, mais il reste inintelligible pour le grand public. (464)

(80)   1886, 18 septembre, Jean Moréas, "Un Manifeste littéraire: le Symbolisme", *Le Figaro, supplément littéraire*.
[Baudelaire est] le véritable précurseur [du Symbolisme].

(81)   1886, 22 septembre, Quisait, "Les Décadents", *Le Gaulois*.
J'ai cru entrevoir... que l'école remontait à Rabelais, en passant par Baudelaire et Alfred de Vigny!... Les profanes n'aperçoivent pas très distinctement ce que vient faire là ce farceur de Baudelaire; mais Baudelaire est à la mode.

(82)   1886, 27 septembre, "Ange Bénigne" (la comtesse de Molènes), "Le Moins connu parmi les célèbres", *Le Gaulois*.
Baudelaire est Parisien ces jours-ci, puisqu'il a failli être déclaré le précurseur d'une école dont on s'occupe; peut-être alors est-il permis d'évoquer cet admirable artiste en vers un peu oublié... et qui eût été de force, si sa vie n'eût été courte, à sauver la

poésie que sa fantaisie avait un instant compromise. La vanité et le désir du gain ne furent pour rien dans les écarts de sa muse... Baudelaire était un simple, un ami de la nature. On l'a souvent rencontré... aux alentours de Honfleur, son grand œil doux suivant les voiles, les mouettes et les nuages... les biographes qui l'ont cru poser se sont trompés: ses poses étaient naturelles. [Quelques anecdotes; compte rendu de la] douloureuse fin de l'exquis et grand poète Baudelaire.

(83) 1886, 7 octobre, Jean Moréas, "Une Réponse" (à Anatole France), *Le Figaro*.
Vous admirez Lamartine, Monsieur, tout en estimant, j'aime à le croire, Charles Baudelaire; et moi j'admire Baudelaire tout en estimant Lamartine.

(84) 1886, 16 octobre. Alfred Vallette, "Les Symbolistes", *Le Scapin*.
[Le sonnet de Baudelaire, "Correspondances", est] la plus forte pierre d'assise de l'Eglise Symboliste.

(85) 1886, René Ghil, *Traité du Verbe* (Giraud).
Charles Baudelaire: premier, magique Maître ordonne qu'en les voix propres des Instruments dénommés se distinguent ses vers; et, surtout, l'agonie solitaire s'angoisse des Violons en les notes hautes, et d'un Orgue poignant l'horreur sainte sourd. (14)... [Le style de Baudelaire est surtout admirable—car un poète doit être] patient, austère et studieux. (20)

(86) 1886, Octave Uzanne, *Nos Amis les livres* (Quantin).
Dans ces *Fusées et suggestions,* le traducteur d'Edgar Poe se révèle sous un jour très bizarre et peu connu. C'est bien toujours le même esprit satanique... mais à côté de ce sombre héros... on aperçoit l'écrivain mis à nu jusqu'au derme. Dans ses *Mélanges,* Baudelaire se cherche, s'écoute penser et se regarde vivre... C'est le pécheur qui s'humilie devant un Dieu qu'il reconnaît et qu'il appelle; c'est l'amoureux des paradis artificiels qui se prend à songer au paradis réel. (144-145)... Sur la religion, sur la morale, sur la dignité et le culte de soi-même, le poète des *Limbes* professe des opinions de l'ordre le plus élevé. Ce pauvre cher poète... était au fond un grand désabusé plutôt qu'un mystificateur... Il a passé dans notre

génération banale en conservant... les dons innés qu'il cultiva toujours selon sa conscience d'écrivain. (153-154)... [Uzanne cite ensuite les passages les plus importants des *Journaux intimes*; il s'insurge contre l'article de Jules Vallès, 1867: Vallès, "ce Giboyer hargneux" a fait] un article écœurant, qui blesse à la fois toutes les convenances et tout sentiment de vérité... Ce qu'il détestait particulièremen en Baudelaire, c'était son aristocratie intellectuelle, le vernis, le poli, la beauté de son style... A peine donnait-il dix ans d'immortalité à Baudelaire qui, après vingt-huit ans, est plus glorieux, plus grand et plus vivant que jamais dans l'esprit de nos contemporains d'élite. (226)

(87) 1887, 19 janvier, "Simon Brugal" (Firmin Boissin), "Marc Trapadoux et Baudelaire", *Le Figaro*.
[Selon Brugal, Baudelaire, Dulamon et Trapadoux étaient appelés de leur vivant "les trois mystificateurs":] J'estime que Baudelaire seul méritait réellement l'épithète. On a noirci, en effet, beaucoup de pages sur les mystifications de cet impeccable et merveilleux écrivain. [Anecdotes: les mésaventures de Baudelaire comme journaliste à Châteauroux en 1850.]

(88) 1887, 21 mars, Jules Levallois, "Les Physionomies de la Bohême, IV. Baudelaire et son monde. La Crèmerie de la mère Jolivet et le café Lucot", *Le XIXᵉ Siècle*. (Repris sous le titre "Au Pays de Bohême", *la Revue Bleue*, 5 janvier 1895.)
S'il y a eu une légende de Baudelaire... peu favorable, personne plus que lui, sachez-le bien, n'a, de parti pris et par un sot amour-propre, contribué à la créer... On l'a pris au mot, et il en reste diminué malgré son incontestable talent. Même dans ce qu'il savait le mieux, il se calomniait à plaisir. Quand il travaillait à sa remarquable traduction d'Edgar Poe, quoiqu'il sût parfaitement l'anglais, il ne manquait jamais de dire: "Je vais faire travailler ma mère", voulant insinuer que le véritable traducteur était Madame Baudelaire [*sic*]... A quel point finissait chez lui la vérité et commençait le mensonge? C'est ce qu'il était difficile de distinguer... Son goût des paradoxes, la nécessité de les soutenir après les avoir lancés, donnaient à sa conversation un tour étrange et outrancier... Baudelaire savait fort bien se taire et surtout, au besoin, se contredire. Ses

enthousiasmes étaient artificiels comme ses dégoûts. Qui ne connaît ses *salamalecs* à l'impeccable Théophile Gautier? Eh bien! il l'avait traité pendant longtemps de "banal enfileur de mots". Tout en lui était factice et prémédité, tout en vue de la galerie, se composât-elle d'une seule personne. Je ne lui ai jamais pardonné son lâche reniement de Rouvière devant Sainte-Beuve ... Non seulement Baudelaire ne prenait ni du haschich ni de l'opium, comme il s'en est vanté, mais même il fuyait les spiritueux ... La griserie chez lui était purement cérébrale; elle suffisait à en faire un parfait cabotin, car c'est là son vrai nom. Si le cabotinage n'était de toutes les époques, je dirais volontiers que Baudelaire est le père et le grand-père du cabotinage contemporain. Sa pauvreté même sentait le cabotinage, car sa mère était fort riche et n'a jamais refusé de l'aider. C'est par cette attitude de comédien, dont il avait du reste l'aspect et le masque avec son menton glabre et rasé, qu'il tranchait sur sa génération et sur la nôtre, sur ces hommes de candeur, d'extrême sincérité, d'enthousiasme persistant qui supportaient courageusement la gêne et ne s'y drapaient pas.

(89) 1887, Jules Laforgue. [Avant le 20 août 1887, date de sa mort, Jules Laforgue préparait un livre sur la poésie contemporaine qui devait comprendre des études sur Baudelaire, Corbière, Mallarmé, Rimbaud et Victor Hugo. Les extraits suivants sont tirés des *Œuvres posthumes de Jules Laforgue, Mélanges posthumes,* Mercure de France, 1903.]

Après Alfred de Vigny, chaste et fataliste, Hugo apothéotique, bucolique et galantin, Gautier païen, Musset mondain et collégien déclamatoire, Lamartine raphaélesque, [Baudelaire] a montré la femme sphinx malgré elle, déshabillable, sujet aux cuisantes expériences du chercheur d'idéal, chat de sérail. (111 ... *Le premier,* il se raconta sur un mode modéré de confessionnal et ne prit pas l'air inspiré ... Le premier il parla de Paris en damné quotidien de la capitale (les becs de gaz ... la prostitution, les restaurants, les hôpitaux) ... mais cela de façon noble, lointaine, supérieure ... Le premier qui ne soit pas triomphant, mais s'accuse, montre ses plaies, sa paresse, son inutilité ennuyée au milieu de ce siècle travailleur et dévoué. Le premier qui ait apporté dans notre littérature l'ennui dans la volupté et son décor bizarre: l'alcôve triste ... Le Fard ...

le spleen... la maladie... la névrose... et la damnation ici
bas. La spiritualité anglaise presque norvégienne. Baudelaire
est déjà un esthète oriental... Le premier il a rompu avec le
public... lui, le premier, s'est dit: la Poésie sera chose d'initiés... Le Public n'entre pas ici... Pour éloigner le bourgeois
... s'envelopper d'allégories... se poser comme méprisé et
conspué... tels les élus de souffrance du Moyen-âge qui *voy-
aient* et que la foule brûlait comme sorciers... Par anti-démo-
cratie, haine du bourgeois imbécile, américain, voltairien et
bruyant et industriel vénal, il est spiritualiste, onctueux, prélat
parfumé, rusé, jésuite impie, satanique, succube, douillet,
créole, automnal... Par aristocratie et dégoût de la foule qui
n'acclame que les poètes éloquents et soi-disant inspirés, il
affirme le travail, la patience, le calcul, la charlatanerie, l'originalité coquettement, savamment voulue, travaillée, *selfsame.*
(111-113)... Il a le premier trouvé après toutes les hardiesses
de romantisme ces comparaisons crues, qui soudain dans l'harmonie d'une période mettent en passant le pied dans le plat:
comparaisons palpables, trop premier plan, en un mot améri-
caines... toc déconcertant et ravigottant:
      La nuit s'épaississait ainsi... qu'une cloison!
Il peut être cynique, fou, etc.... Jamais il n'a un pli canaille...
Il est toujours courtois avec le laid. Il se tient bien. Jamais il
ne se bat les flancs, jamais il n'insiste, ne charge. [Son style a]
une allure large et harmonieuse, semée çà et là de petites cris-
pations... Il a trouvé le miaulement... nocturne, singulier,
langoureux, désespéré, exaspéré, infiniment solitaire... La
strophe sonne plaintif... L'orage de sa jeunesse et les soleils
marins de ses souvenirs ont dans le brumes des quais de la
Seine détendu les cordes de viole byzantine incurablement
plaintive et affligée. La source de ses images est le sens du
symbolique—l'allure solennelle, le vers qui *enchasuble* en ses
plis lamés de mots cassants en *té*, la pensée subtile comme un
parfum, ou bien joue le flacon de cristal taillé à facettes. Ou
bien le vers houleux ondule... se pavane... roule... Le vers
se développe avec indifférence... Il aime le mot charmant
appliqué aux choses équivoques. (113-115) [Il évite le pédantisme à tout prix; il a su faire] des poésies détachées, courtes,
sans sujet appréciable (comme les autres, lesquels faisaient un
sonnet pour raconter quelque chose poétiquement, plaider un

point, etc.) mais vagues et sans raison ... éphémères et équivoques ... qui font dire au bourgeois ... "Et après?" ... On
souffre, on a la folie de sa chair; et d'autre part là-haut la
beauté quand même nous prend en pitié; nous, créature éphé-
mère et tourmentée, avec ses grandes lignes, la Beauté c'est-
à-dire Ce qui ne Change Pas ... L'Eternité, le Silence ... Cette
noblesse immuable qui annoblit les vulgarités intéressantes,
captivantes; cette façon de dire ... cette familiarité de martyr
... Ce *confus* est d'un maître ... Ni grand cœur, ni grand
esprit; mais quels nerfs plaintifs! quelles narines ouvertes à
tout! quelle voix magique! (116-118)

CHAPITRE II

1887–1892, *Les Œuvres posthumes*

LE VOLUME D'EUGÈNE CRÉPET, *Charles Baudelaire, Œuvres posthumes et correspondances inédites,* marque un tournant dans l'histoire critique de Baudelaire. S'il faut choisir un moment où il commence à prendre sérieusement rang dans la littérature française, c'est bien le 21 mai 1887.[1] Le livre, en rendant accessibles des documents d'un grand intérêt littéraire, a montré pour la première fois "une image fidèle du vrai Baudelaire" et a ainsi porté un coup décisif à sa légende de poseur et de mystificateur.

Tout le monde, il est vrai, ne l'accepte pas sans réserves. Brunetière s'en empare pour son premier grand réquisitoire contre Baudelaire (n° 5), et R. de Bonnières (n° 3) ne trouve pas que Crépet ait ajouté beaucoup à la mémoire du poète. Mais d'autres, et parmi les critiques les plus en vue de l'époque (Desjardins, Lemaître, Anatole France, n°s 19, 21, 34) changent d'avis sur Baudelaire en lisant ses lettres et ses journaux, tandis que Spronck, Charles Morice et Maurice Barrès (n°s 39, 35, 7, 42) trouvent dans *les Œuvres posthumes* de nouvelles raisons pour aimer un poète qu'ils estimaient déjà. L'article de France est même une réponse à Brunetière.

Il fallait du reste répondre à Brunetière: son étude est l'un des morceaux critiques les plus extraordinaires qui soit. On a souvent mésestimé un nouveau poète, mais rarement à ce point-là. Brunetière était alors le critique universitaire le plus éminent et ses connaissances littéraires étaient vastes. Si ses livres datent un peu aujourd'hui, ils contiennent quand même de très bonnes pages. Il aimait la littérature et s'en occupait sérieusement, ce qui lui fait honneur. On se demande donc comment il a pu écrire ainsi sur un poète, d'autant plus qu'il connaissait parfaitement l'histoire de Pradon et des autres ennemis de Boileau et de Racine.

Il lui était permis, sans doute, de regretter l'influence de Baudelaire sur les jeunes écrivains: à une époque où Mendès, Rachilde, Péladan et les auteurs du *Décadent* et de *la Décadence* se réclamaient tous de Baudelaire, cette influence ne paraissait pas très heureuse: l'école décadente a sombré assez vite dans le fatras et ne nous a pas légué une seule bonne œuvre. Qu'il ait été trompé par la légende et

[1] Date où le livre de Crépet a paru en librairie.

n'ait vu chez Baudelaire que poses et que mystifications—passe encore: de plus fins que lui se sont laissé prendre à ces racontars. Qu'il n'ait trouvé dans "Mon Cœur mis à nu" que "le journal piteux de son impuissance", là aussi il avait un peu raison: on a peut-être exagéré, surtout de nos jours, la valeur des *Journaux intimes* qui, en dernière analyse, ne sont importants qu'en tant qu'ils expliquent et corroborent *les Fleurs du mal.* Mais comment, par quelle espèce d'ablepsie intellectuelle a-t-il pu, a-t-il osé dire que "la poésie des odeurs" (comme il l'appelle) est tout ce qu'il y a de bon chez Baudelaire et que *les Fleurs du mal,* lorsqu'elles ne sont pas franchement mauvaises, sont la banalité même? Le mystère reste entier: on ne peut que hausser les épaules. Ce qui est certain, c'est que Brunetière aurait mieux fait de se taire: ces coups furieux lui ont fait sérieusement tort aux yeux de la postérité.[2]

Les Journaux intimes, du reste, constituaient la plus grande révélation du livre de Crépet. Ces notes, écrites au jour le jour, en coup de vent parfois, au hasard d'un déménagement ou d'un voyage, entre des lettres furibondes à M. Ancelle et des brouilles avec Jeanne Duval, ne laissent pas de doute sur le mysticisme fondamental de Baudelaire. On en avait parlé de son vivant, bien que très défavorablement; Barrès et quelques autres y étaient revenus plus tard. Mais la question restait malgré tout en suspens. Ce n'est qu'après la publication de "Fusées" et de "Mon Cœur mis à nu" qu'on a pu sonder les profondeurs de son inspiration religieuse. Encore aujourd'hui le problème suscite d'interminables débats: il a même pris un tel essor que nous avons vu dernièrement des Baudelaire jansénistes.

Les documents inédits ont exercé une très grande influence sur les Symbolistes qui, à l'instar de Verlaine et de Mallarmé sous le second Empire, ne cessent de prôner Baudelaire comme chef d'école. Anatole France signale le classicisme de ses vers et Cladel en loue l'universalité (nos 34, 56). Parfois ces louanges sont un peu suspectes: Rodenbach et Péladan, par exemple (nos 59, 58, 65)—tout comme Gautier en 1868 et Huysmans en 1884—aiment Baudelaire parce qu'il est décadent ou parce qu'ils le croient tel; et nous savons ce qu'était la décadence vers 1887: se droguer, se farder, s'enfermer dans des bou-

---

[2] Par exemple, Kléber Haedens, *Une Histoire de la littérature française* (Julliard, 1945), 388: "Brunetière et Faguet . . . se couvrent de ridicule en refusant tout talent à Baudelaire." A propos de Faguet, il y a aussi le mot de Léon-Paul Fargue: "Faguet méritait une punition à cause de Baudelaire", cité par Frédéric Lefèvre, "Une Heure avec Léon-Paul Fargue", *Les Nouvelles littéraires,* 12 janvier 1928.

doirs surchauffés et y pratiquer des mœurs douteuses. L'influence de la "Notice", en somme, est toujours forte: disciples et critiques ne cessent d'y chercher Baudelaire, malgré le témoignage contradictoire des *Journaux intimes*. Brunetière surtout a pris la plupart de ses idées chez Gautier. Médusé par les passages où Gautier discutait la décadence et le culte de l'artificiel, il cite la "Notice" à tout propos pour mieux déprécier *les Fleurs du mal*.

Comme le souhaitait Crépet, pourtant, un nouveau Baudelaire avait paru: malade, traqué, tourmenté, mais probe et fidèle, luttant héroïquement contre les tracas de la vie pour mener à bien son œuvre. La phrase de Jules Lemaître précise très bien l'effet du nouveau volume: "Plus je me rapproche de l'homme et plus je reviens de mes préventions contre l'artiste."

EXTRAITS CRITIQUES

1887–1892

(1) 1887, 14 mai, Eugène Crépet, quelques extraits de "Mon Cœur mis à nu", *Le Figaro, supplément littéraire*.
[Crépet s'était rendu acquéreur des manuscrits de Baudelaire à la vente des papiers de Poulet-Malassis.]

(2) 1887, 21 mai, Eugène Crépet, *Charles Baudelaire, Œuvres posthumes et correspondances inédites précédées d'une étude biographique par Eugène Crépet* (Quantin, 1887), in-8, pp. civ-333.
J'ai la conviction qu'ils [les documents inédits] ne peuvent... que servir sa renommée, en la dégageant, sous certains aspects, des ombres qui la couvrent... Je me suis borné à les ranger sous le fait ou le détail biographique auxquels ils se rapportaient le plus directement. C'était le meilleur moyen de laisser se former librement, de tous ces traits épars... une image fidèle du vrai Baudelaire trop longtemps mal connu ou travesti, même par ses admirateurs. Les témoignages que renferme l'étude biographique... sont, somme toute, favorables au poète et à l'homme. Ils montrent le dévouement de l'artiste à son art, sa poursuite ardente et obstinée du beau, son amour de la perfection... ses qualités privées: sa probité scrupuleuse, sa fidélité à ses amis, sa droiture native... et surtout une sincérité extrême... Voilà ce qui rachète tous ses travers et toutes ses faiblesses. (vii-viii)

(3) 1887, 22 mai, Robert de Bonnières, "Baudelaire", *Le Figaro* (repris dans *Mémoires d'aujourd'hui*, Ollendorff, 1888).
[Ne trouve pas que les documents de Crépet apportent grand' chose de nouveau sur Baudelaire.]
Il n'y avait chez lui de sincérité véritable que la sincérité intellectuelle qu'il mettait dans ses inventions. Ces inventions peignent bien au juste son état d'esprit, mais non pas les faits. Ce sont des documents psychiques, mais non point du tout biographiques. Il se vantait de ce qu'il n'avait ni dit ni fait... Il faut, il me semble, se défier de la plupart de ses témoignages comme de ceux d'un hystérique... qui "a cultivé son hystérie avec jouissance". D'ailleurs, ce n'est point tant de l'homme qu'il

s'agit que du poète... Je ne crois pas qu'il en soit de plus savoureux, de plus profond, de plus âcre, et à la fois rempli de pitié pour la douleur humaine et qui, enfin, ait mieux ému les nouvelles générations d'artistes et de penseurs. Il y a dans ses poésies une puissance de concentration qui étonne. Le poète fait tenir un monde dans un vers. Il est sensible jusqu'à l'exaspération, intelligent à l'excès... Sa philosophie est celle que nous respirons en cette fin de siècle. Il a goûté la femme comme on la goûte aujourd'hui. Il l'a voulue artificielle, peinte, aromatisée... Nous voyons Paris tous les jours, mais lui seul nous le montre... Quoique plongé dans la chair c'est le plus spiritualiste des poètes... le plus exact des peintres. Il écrit un style moderne sur des sujets modernes avec la perfection d'un classique. Depuis vingt ans qu'il est mort, ses vers n'ont point d'âge!... [Son seul défaut, c'est de] n'exprimer que des choses rares, [et de] raffiner sur la rareté de ses sensations. [Son œuvre] s'en ressent tout entière. Elle est... obscure et guindée... l'air et la lumière y sont comme en une serre énorme. Faute de banalités pour se reconnaître, on est souvent dérouté... Cette recherche du mal... et la conception mystique qu'il en avait, ont fait de lui le dernier des poètes théologiens. C'est lui qui, après Dante, alla le plus avant dans les conséquences du péché originel.

(4) 1887, 23 mai, T. Colani, "Les Livres: Charles Baudelaire, Œuvres posthumes", la République française.
Un des plus grands mystificateurs du siècle... [Dans les Journaux intimes] il prend des airs de pontife... Ce goût de la dévotion, était-ce aussi une pose?... [Est-ce que les Fleurs du mal] sont l'œuvre d'un dandy qui prend plaisir à scandaliser, à épater le bourgeois, ou... la profession de foi d'un penseur?... Ce qu'il y a de grand et de vrai chez Baudelaire [c'est] l'artiste. Il a le culte du beau langage... Prendre Poe comme intercesseur, quelle bizarrerie!... De Maistre et Edgar Poe ont l'un et l'autre une grande part dans sa maladie... On rencontre rarement [des livres] d'un intérêt aussi complexe et, à tout prendre, aussi dramatique.

(5) 1887, 1er juin, Ferdinand Brunetière, "Baudelaire", la Revue des Deux Mondes.
Baudelaire, sa légende, ses ridicules affectations de dandysme,

ses paradoxes, ses *Fleurs du mal* ont exercé, depuis une vingt-
aine d'années, exercent encore sur la jeune littérature... une
grande et fâcheuse influence... Avec Stendhal, Baudelaire est
l'une des idoles de ce temps—une espèce d'idole orientale,
monstrueuse et difforme, dont la difformité naturelle est re-
haussée de couleurs étranges... Ce n'est qu'un Satan d'hôtel
garni, un Belzébuth de table d'hôte. Retranchez des *Fleurs du
mal* une demi-douzaine de pièces qui ne diffèrent point de
celles que vous savez... il ne reste que des lieux communs; et,
dans les procédés de Baudelaire pour les renouveler, bien
moins de *satanisme* que d'antique rhétorique. Au lieu de mettre
l'objet de l'art dans l'imitation de la nature et dans l'expression
de la vérité, le faire uniquement consister dans l'artifice, et ne
se servir de l'artifice lui-même que pour l'expression du paradoxe, telle pourrait être... la formule du *baudelairisme*; et...
il n'y en a pas de plus fausse... En réalité, Baudelaire n'a
rien voulu, rien essayé que de se faire un nom... et parmi les
moyens enfin qu'il y a de conquérir le bourgeois... il a choisi
tout simplement le plus sûr et le plus rapide, qui sera toujours
de commencer par le mystifier et le scandaliser. Pessimisme,
sadisme et satanisme, tout cela, chez lui... n'est que des *poses*
... Il était né menteur, un de ces menteurs vaniteux... C'était
plus qu'un plaisir, c'était une volupté pour lui que de se calomnier; mais, en se calomniant, il composait son personnage.
["Mon Cœur mis à nu" est "le journal piteux de son impuissance", et les autres documents publiés par Crépet ne valent
guère mieux:] On ne sait de quoi l'on doit sourire: de l'apparente énormité des paradoxes ou de leur enfantine banalité...
Qui ne voit *comment* ces paradoxes sont faits, je veux dire
fabriqués, et qui ne se chargerait d'en faire à la douzaine?...
Ce qui... ne fait guère d'honneur à notre perspicacité, c'est
que l'on se soit laissé prendre à cette rhétorique, et que l'on
n'ait pas vu qu'elle ne servait... surtout dans les *Fleurs du
mal*, qu'à déguiser la banalité même... Pour faire du Baudelaire, ne dites point: un cadavre, dites: une charogne... ne
dites point: une mauvaise odeur, dites: une puanteur... [le
satanisme de Baudelaire] est un troisième procédé... à ces
expressions grossières, à ces images répugnantes ou obscènes,
mêlez maintenant quelques blasphèmes... Au moins, s'il était
maître dans l'emploi de ses procédés!... Mais les vers de

Baudelaire suent l'effort; ce qu'il voudrait dire, il est rare, très
rare qu'il le dise; et, sous ses affectations de force et de violence, cet homme fut doué du génie même de la faiblesse et
de l'impropriété de l'expression... Quelle langue! quel style!
et que de mots! et que de peine, surtout, pour ne rien dire que
de bien simple pourtant et de banal... Prenez ainsi... les
pièces les plus vantées, à peine y trouverez-vous une douzaine
de vers à la suite qui soutiennent l'examen;—et un examen où
il faut en venir, parce que Baudelaire est un pédant... Le
pauvre diable n'avait rien ou presque rien du poète que la
rage de le devenir. Non seulement le style, mais l'harmonie, le
mouvement, l'imagination, lui manquent. Pas de vers plus pé-
nibles, plus essouflés que les siens, pas de construction plus
laborieuse... Il ne développe guère que des lieux communs
[en les rendant] plus communs encore. Comme nos romantiques avaient fait entrer la notion des *couleurs* dans une
poésie... Baudelaire... y a fait entrer les *odeurs*:

> Lecteur, as-tu quelquefois respiré,
> Avec ivresse et lente gourmandise,
> Ce grain d'encens qui remplit une église,
> Ou d'un sachet le musc invétéré?

Voilà de mauvais vers, mais qui disent toutefois quelque
chose... Convenons donc, de bonne grâce, que quelques-unes
des meilleures pièces des *Fleurs du mal*... valent la peine
qu'on les lise... Le Flacon, La Chevelure, Correspondances,
Parfum exotique... [Son influence sur les jeunes a été surtout
mauvaise parce qu'il était] un malade qui s'était fait de sa
maladie même un moyen d'existence littéraire. [Son portrait
ressemble aux] images classiques et aux représentations consacrées des mégalomaniaques dans nos Traités des maladies
mentales. Même attitude, même port de tête hautain et provo-
cateur, même regard, même éclair de défi dans les yeux...
Lui-même aussi bien nous apprend "qu'ayant toujours cultivé
son hystérie avec jouissance et terreur, il a senti... passer sur
lui le vent de l'aile de l'imbécillité". Si Baudelaire ne fut pas ce
que l'on appelle un fou, du moins fut-ce un malade, et il faut
avoir pitié d'un malade, mais il ne faut pas l'imiter. Ce qu'il
y a de mieux dans... *les Œuvres complètes*, ce pourrait être
... la traduction de celles d'Edgar Poe... [les *Salons*] ne
valent en leur genre ni plus ni moins que tant d'autres. [Enfin,

Crépet a publié tous les inédits du poète, et Brunetière espère
que désormais] on ne nous reparlera plus de l'illustre mystificateur dont l'unique excuse est d'être lui-même devenu la dupe
de ses propres mystifications.

(6) 1887, 4 juin, Fourcaud, "Baudelaire", *le Gaulois*.
[Malgré le livre de Crépet, Fourcaud ne change pas d'avis sur
Baudelaire:] Tous les jeunes gens de la bourgeoisie riche...
admirent Baudelaire... L'artifice de son raffinement les mys-
tifie... [Le poète était un homme supérieurement doué, mais]
désorbité, vicié par des notions paradoxales. Ce qui frappe
surtout, en un tel homme, c'est son désir éternel d'étonner...
C'était un esprit faible et doux qui a subi sans résistance les
influences extérieures. Il n'a été qu'un homme de lettres. Vous
ne dégagerez point une philosophie de son œuvre... Lorsqu'on
lit l'œuvre critique de Baudelaire, on est stupéfait de ses
clairvoyances, de ses profondeurs cachées, et l'on se rend
compte de ce qu'il aurait pu faire... Mais, dès qu'il cesse
d'analyser les autres, l'étrangeté le subjugue... Il faut le
plaindre comme un des plus grands naufragés de la vie.

(7) 1887, 7 juin, Maurice Barrès, "Critique littéraire: Le caractère
de Baudelaire", *le Voltaire* [repris dans *la Jeune France*, août,
1887].
Des esprits fort distingués se refusent à goûter le poète des
Fleurs du mal... [Ils] devraient lire les Lettres à Poulet-
Malassis et à Sainte-Beuve, les deux *Journaux intimes*, et ces
mille détails familiers que publie M. Crépet. Ils y connaîtraient
enfin le vrai caractère de Baudelaire, et quelques-uns, pour
l'amour de l'homme, comprendraient le poète. Baudelaire fut
un galant homme et de parfaite éducation; trop nerveux,
cependant... Ceux qui liront ce fragment [le passage sur Mme
Aupick dans "Mon Cœur mis à nu"]... avec la connaissance de
l'intensité que prennent certaines préoccupations chez les malheureux troublés de maladie nerveuse, discerneront aisément
... la parfaite sincérité de ce vœu... Aujourd'hui s'il eût
vécu... il jouirait d'une magnifique autorité; nous aurions le
bonheur de l'honorer et il vivrait largement de son œuvre...
[Grâce au livre de Crépet] nous sommes loin de l'excentrique
macabre, dont les plaisanteries saugrenues réjouissent encore

les échotiers. [L'étonnement était le principe de son esthétique; c'était un génie grave, douloureux, analyste. Le volume de Crépet] permet de restituer l'admirable caractère du sincère et clairvoyant Baudelaire qui... comme ses pairs, Stendhal et Sainte-Beuve, prétendait à l'honneur d'être plus qu'un rhétoricien.

(8) 1887, 7 juin, Paul Ginisty, "La Vie littéraire: Les projets de Baudelaire", *Gil Blas*.
Si *les Fleurs du mal* dominent tout son œuvre, comment oublier toutefois que Baudelaire a abordé les travaux les plus divers, qu'il a été un critique d'art admirable, un traducteur merveilleux... Etrange paresseux... que ce génial écrivain dont l'esprit était toujours en éveil, et jusqu'à le tuer!... Ce que M. Crépet a recueilli de plus précieux, dans ces notes de Baudelaire, ce sont des pensées, jetées au hasard, hardies, troublantes, paradoxales, contenant la genèse de travaux de toute sorte, études critiques, poésies, fantaisies littéraires ou philosophiques... Que d'œuvres singulières fussent sorties, sans doute, de ces ébauches! Mais ce grand novateur est mort à quarante-six ans!

(9) 1887, 7 juin, Paul Marsan, "Chronique. Charles Baudelaire", *Courrier du soir*.
M. Crépet a bien mérité du monde des lettres... La puissante et curieuse physionomie de ce poète unique s'en trouve agrandie... Baudelaire a donné une note spéciale qui ne peut vraiment séduire que l'imagination subtile d'un artiste. Elle n'est guère compréhensible à la grande masse des cerveaux.

(10) 1887, 10 juin, Octave Uzanne, compte rendu du livre de Crépet, *Le Livre*. [Repris dans *les Zigzags d'un curieux*, Quantin, 1888.]
Ici Baudelaire apparaît seul, grandiose, admirable, tout enfiévré par sa religion de lettré et par le satanisme de ses visions; il passe d'un bout à l'autre de ce livre, grandi à nos yeux, par ses souffrances, ses hantises et la sublimité de son idéal. Tout entier livré à la culture de son hystérie morale, l'auteur des *Fleurs du mal*, face à face avec soi-même, se sonde, s'analyse, se cherche, se confesse, s'excite ou s'humilie avec

une ardeur et une foi de véritable apôtre crucifié ... Baudelaire paraît agrandi à nos yeux, plus encore par son caractère
que par la puissance et l'originalité de son talent ... Ces débris
ont une violence concentrée ... Dans ces pensées ... il y a une
force de vérité condensée qui éclate dans le cerveau du lecteur
et le met en tentation de paraphraser tant d'aphorismes subtils;
il y a aussi des trouvailles incomparables d'images ou d'idées.

(11)   1887, 15 juin, Philippe Gille, "Charles Baudelaire, *Œuvres post-*
       humes, 1887", le Figaro [repris dans *La Bataille littéraire, 4*ᵉ
       série, 1887-1888, Victor-Havard, 1891].
       On a beaucoup parlé de Baudelaire ... Il me semble qu'il a
       donné sur lui-même tous les renseignements dans ces trois
       lignes: "Mes ancêtres, idiots ou maniaques dans des apparte-
       ments solennels, tous victimes de terribles passions". Toute
       la vie de Baudelaire est là-dedans, sa folie, son talent, ses
       excentricités, voulues d'abord, naturelles ensuite, y ont leur
       germe. Ceux qui ont vu Baudelaire dans l'intimité reconnais-
       sent qu'il a commencé par "poser". Sa prétention à étonner le
       bourgeois ... en est la preuve. C'était déjà la préoccupation
       de l'effet qu'il produisait, celle du "moi" à quelque prix que ce
       fût ... A force de vouloir étonner "le bourgeois" ... il lui est
       arrivé ce qui arrive au collégien qui ... jouant au viveur ivre,
       finit par se griser réellement. Pour le malheur de Baudelaire,
       ses amis s'égayaient trop à le voir ainsi; ils ne savaient, hélas!
       pas qu'il avait dans le sang, de par ces "idiots et maniaques",
       un grain de folie qui fut d'abord l'originalité de son talent
       indiscutable, mais qui, développé, en a fait le pauvre dément
       que nous avons vu dans les brasseries de Bruxelles. La plupart
       de ceux qui chantent Baudelaire aujourd'hui ne sont guère
       sensibles qu'à ses insanités, il vaut infiniment mieux que cela
       et mérite d'être admiré et étudié, folie à part.

(12)   1887, 17 juin, L. Derome, "Baudelaire", *le Moniteur universel.*
       [Baudelaire a écrit] deux petits livres de valeur inégale: *les*
       Fleurs du mal ... et ... *les Paradis artificiels* ... L'œuvre était
       maigre, courte d'haleine, noire; il y avait du cynique et de
       l'obscur à foison, avec un grain d'originalité amère et souffre-
       teuse. Décidemment, l'auteur des *Fleurs du mal* n'était pas un
       poète: c'était un avorton de la Muse, un pâle reflet de Byron

... Le Baudelaire des *Œuvres posthumes* n'est ni poète, ni même écrivain... [Pourtant:] Artiste par soubresauts, rêveur et original jusqu'à l'excès, méprisant et railleur comme un bohême, à la façon d'Henri Heine dont il est loin d'avoir l'étoffe, il serait plutôt un moraliste grincheux... Sa morale, souvent immorale par l'expression, car il est vicieux et de relations vicieuses, est beaucoup meilleure qu'elle n'en a l'air. Elle a des éclairs d'une élévation extraordinaire. Ce ne sont que des éclairs fugitifs. Il est moraliste néanmoins... Baude-laire... n'a qu'une idée... c'est la mesure de la moralité des choses. Il les pèse mal, il les voit d'une manière confuse. Il y a dans sa pensée le désordre qu'il y avait dans sa vie. Mais il est moraliste. Si étrange que cela soit, la note profonde de cette personnalité tourmentée est la note religieuse. Elle le suit partout... Avec cela, il a l'esprit de contradiction absolue... Il a une volonté infirme... On a signalé chez lui une absence complète de goût... Il n'a que des qualités négatives. Eh bien! tel qu'il est, on ne le hait ni ne le méprise; dans ses traits contractés, il y a comme le signe d'une vertu secrète qu'on respecte et qui attire... Il n'était pas sûr que *les Fleurs du mal* fissent vivre le nom de Baudelaire. Il peut compter main-tenant d'aller à la postérité. Ce qu'il n'avait pu faire lui-même, M. Eugène Crépet l'aura fait pour lui.

(13)   1887, 18 juin, A. Dubrugeaud, "Charles Baudelaire", *Echo de Paris.*

Baudelaire... était doué d'une intelligence vaste et parfois très élevée... l'art n'avait pas de secrets pour lui... Mais "faire bien les vers"... ce n'est pas assez... Où sont dans ces œuvres consacrées au culte extérieur de la nature extérieure, la part du cœur et celle de la réflexion?

(14)   1887, 20 juin, Charles Canivet, "Variétés. Charles Baudelaire: *Œuvres posthumes*", *le Soleil.*

C'est affaire à la postérité de reconnaître le génie d'un homme; ainsi, les générations qui ont suivi Baudelaire, amies de la forme et juges impartiaux de la valeur même de l'homme, ont fait, à ce grand poète, la place qu'il mérite; et plus le temps marchera, plus cette place sera grande. Baudelaire aimait à surprendre la galerie; mais cette manière de voir ne diminue en rien son talent. Littérairement sincère, il n'eut aucune sincérité dans sa vie. A présent, Baudelaire est un poète classé. Malgré son désir d'étonner, nul autre poète ne poussa jamais plus loin le souci et le respect de l'art. Si l'homme eut des faiblesses, le poète et l'écrivain n'eurent à se reprocher jamais ni une heure de faiblesse ni un acte de courtisanerie. C'est pour cela que Baudelaire vivra, sans avoir énormément produit, et grandira dans l'admiration de la postérité.

(15) 1887, 20 juin, Gustave Frédérix, "Revue littéraire: *Œuvres posthumes* de Baudelaire", *L'Indépendance belge*.
[Frédérix, qui était Belge, s'occupe surtout des notes cruelles de Baudelaire sur la Belgique; il les excuse à cause de la nature misanthropique et excentrique du poète:] On ne pouvait pas s'attendre à ce que des œuvres posthumes, etc. grandissent Baudelaire, à qui les décadents et déliquescents ont fait si grand renom en ces dernières années. On lui adjuge une bien autre part que celle que [lui ont attribuée Victor Hugo et Sainte-Beuve]. Ses disciples réclament pour lui de plus vastes royaumes... L'étude [de Crépet] ruine bien des légendes, rétablit avec minutie, sagacité, la vie authentique de Baudelaire, une triste vie, la vie d'un malade de corps et d'esprit... M. Crépet a fait œuvre de critique fine et d'investigation patiente. Et le Baudelaire qu'il a restitué et raconté est bien et définitivement celui qui a existé.

(16) 1887, 25 juin, Gustave Kahn, "Charles Baudelaire", *la Vie moderne*. [Compte rendu du livre de Crépet.]
M. Crépet, qui évidemment a pour Baudelaire la plus grande sympathie, n'ose pas encore... le mettre à sa vraie place. Il s'appuie sur l'autorité de Sainte-Beuve... Qui pensait encore à Sainte-Beuve?

(17) 1887, 27 juin, Edmond Lepelletier, compte rendu du livre de Crépet, *l'Echo de Paris*.
[Lepelletier regrette] que Baudelaire n'ait pas donné suite à son fameux projet du drame de *l'Ivrogne*... Le théâtre était une besogne trop secondaire pour cet esprit supérieur... [Les notes sur la Belgique sont] des boutades, souvent curieusement justes, toujours originales et colorées... Dans les "Fusées" et dans "Mon Cœur mis à nu", nous retrouvons ce goût du fleuri, du coquet, du recherché.

(18)   1887, juillet, Teodor de Wyzewa, "Les Livres", *Revue indépendante.*

Baudelaire eut le grand mérite de s'efforcer toujours à se faire différent de ce qu'il était; M. Brunetière, qui ne l'a point pardonné à Baudelaire, doit, j'imagine, s'y efforcer de même sorte.

(19)   1887, 2 juillet, Paul Desjardins, "Baudelaire", *la Revue bleue.*

Baudelaire... ne s'acceptait pas tel que la nature et l'éducation l'avaient fait; il contredisait son génie spontané, se donnait et se prenait pour ce qu'il eût souhaité d'être, et cela brouille l'image qu'on se forme de lui. [Les idées qu'on trouve dans les *Journaux intimes*] ne sont pas bien fortes... elles ne sont reliées entre elles par aucune logique... On ne trouvera pas une réflexion qui ait une valeur objective: tout ne sert qu'à peindre les diverses humeurs des hommes, ou plutôt d'un seul homme. Baudelaire était trop inquiet de sa propre conscience pour en pouvoir sortir; il était trop passif, trop sensitif... Sa marque propre, [c'est] la sensation forte, exaltée, maladive, absorbant tout l'être... Il n'avait pas la rude imagination de Chateaubriand... Il était travaillé plus sourdement, plus à fond... avec une dépravation plus incurable... L'origine, le *noyau* d'un poème... chez Baudelaire, c'est la sensation... Voilà comment se forme, dans cet esprit, la première ébauche d'un poème. Mais, hélas! combien d'ébauches qui ne prirent jamais forme!... La sensation est... brève et isolée... Aussi Baudelaire a-t-il l'haleine courte et compose-t-il d'une façon incertaine et obscure... De là vient qu'il gauche d'ordinaire après le 3ᵐᵉ ou 4ᵐᵉ vers... Son idée s'embrouille à ses propres yeux, et il devient "profond" par impuissance d'être clair... Il ne sait où il va et arrive où il peut. Souvent il s'embourbe... Baudelaire n'a que des sensations et point d'idées... Il exploite avec un soin jaloux les quelques thèmes poétiques ou oratoires qu'il a en magasin; il les fait resservir deux, trois, quatre fois... les images surtout sont reprises, repiquées... Il n'a... qu'une imagination faible et presque incolore... Sans doute il est précis... mais il est encore plus abstrait; il l'est jusqu'au prosaïsme, jusqu'à la platitude... Trop souvent aussi sa maudite préoccupation d'étonner le lecteur lui revient... Il a des images forcées et laborieuses... Il emploie une rhétorique verbeuse, impropre, incorrecte... Il paraît fort...

il est seulement inquiet et agité. Dans son art comme dans sa
pensée, comme dans son cœur, Baudelaire est un infirme...
[Quant à ses bonnes qualités:] Sa sensation, voilà non seulement l'originalité rare de Baudelaire, mais toute sa personne.
Cette sensation est d'abord juste et déliée; voyez les Tableaux
parisiens... Le titre seul de ses fameux poèmes suppose toute
l'antique morale... Ce n'est pas simple affaire de mots: la
croyance est enracinée chez lui. Il affirme très fortement le
Diable. Ce qu'il appelle *satanique*... désigne... tout ce qui
est de pur instinct dans la bête humaine. Quoi de plus chrétien
que cette idée?... L'amour est un crime, justement parce qu'il
est nécessité de nature. Dès lors le péché originel apparaît
comme la vérité psychologique la plus haute et le mot suprême
de l'énigme. Baudelaire y croit absolument. [*Les Paradis artificiels* sont un livre sérieux:] Pour Baudelaire, il s'agit de
l'ivresse sacrée des derviches et des fakirs... ce dithyrambe
en l'honneur des narcotiques finit superbement, éloquemment,
pieusement, à la façon d'une belle homélie. [Quant au catholicisme du poète:] Voici la révélation la plus curieuse que nous
apporte le nouveau volume: vers la fin de sa vie... il subit
une crise semblable à celle que le comte Tolstoï a vaillamment
traversée. Il s'aperçoit de l'inutilité radicale de son existence;
il songe à se faire apôtre, évangéliste; il se préoccupe de l'amé-
lioration morale du monde. La vraie civilisation, découvre-t-il
soudain, "n'est pas dans le gaz, ni dans la vapeur... elle est
dans la diminution des traces du péché originel." (Idée bien
russe...) Rien ne peut le consoler de ses vices, comme il
l'avoue avec contrition. [Son dandysme faisait partie aussi de
sa sincérité fondamentale: il explique "son désir de contredire,
de déplaire et d'étonner", et ce désir] était une faiblesse et
point du tout un calcul... Sincère, en effet, Baudelaire ne l'est
pas absolument (et qui donc l'est, en littérature?); mais il n'est
pas absolument affecté non plus... Il est par moitié l'un et
l'autre, comme nous tous. Il était nerveux, bilieux, malade:
donc, en se disant dégoûté de la vie et misanthrope, il ne
mentait pas; il était très franchement mécontent de lui-même,
impatienté de sa propre stérilité, jaloux des autres: donc il ne
mentait pas; il ne trouvait que dans l'horrible et le *satanique*
l'assouvissement de sa sensibilité: donc il ne mentait pas; il ne
mentait pas: il était artiste... Artiste médiocre ou supérieur,

Baudelaire eut d'abord le généreux souci d'en être un, ce qui le distingue déjà de beaucoup de faiseurs de livres. Il aima la fonction d'écrivain avec une passion exclusive... Il se croyait marqué comme par une vocation sacrée, comme pour un sacerdoce. Malgré ses avortements et ses insuffisances, il respecta son art; par cela seul il mériterait d'être respecté. On conçoit... quel style Baudelaire peut avoir. Ou il n'en a pas du tout, ce qui arrive le plus souvent; ou, ce qui arrive par instants, il en a un singulièrement beau, naïf et inouï. Comme chacun de ses poèmes est un mélange de sensations originales et fortes avec des divagations rapportées, le même alliage se retrouve dans l'expression. Quand nous passons sur une note prise d'après nature, il est éloquent, il est vrai à faire crier; quand nous traversons la rhétorique de remplissage, il ennuie et dégoûte... Ses images sont brutales et prosaïques parce qu'elles sont prises (rare qualité) de l'observation directe. Il s'efforce de les rendre telles quelles, avec leur rudesse sans apprêt; car cet affecté devinait bien que la sincérité seule peut donner à l'art du renouveau et de la force. Il est, par endroits, naïf comme une vieille ballade populaire, et dans ces endroits-là il est créateur ... Quel admirable preneur de notes; et comme il respectait bien l'intégrité de sa première impression! Baudelaire est... quelque chose de moins compliqué qu'il ne le croyait lui-même, mais quelque chose d'incertain, d'infirme, de déformé, bref, un esprit assez commun avec une sensibilité assez rare. On voit qu'il est toujours notre contemporain et notre semblable... Peu sympathique et peu digne d'admiration en somme [Baudelaire] tient pourtant une place dans notre histoire intellectuelle. Il n'a rien créé dans le domaine de la pensée, ni doctrine, ni idéal: il n'a même pas apporté d'émotions nouvelles: il n'a laissé que deux ou trois pièces très belles et une centaine de vers inoubliables; mais il représente à merveille un état de la conscience moderne, état singulier, incohérent, maladif, et dont nous ne sommes pas encore affranchis. Il appelle le lecteur *son semblable et son frère*; c'est à chacun de nous que cette dédicace s'adresse encore. Sens exaspérés, parfums troublants de christianisme, inquiétude de l'individu qui sent son isolement, s'en glorifie et s'en épouvante, ambitions vastes et avortement piteux, mélange de sincérité brutale et de vain désir de paraître, impuissance... Voilà une histoire intérieure que nous connaissons mieux que par ouï dire. C'est pour cela peut-être que certains jeunes gens adorent Baudelaire et que d'autres le détestent: les premiers s'aiment eux-mêmes, et les autres préfèrent s'oublier; les premiers sont plus naïfs, mais je suis des autres.

(20) 1887, 3 juillet, Emile Verhaeren, compte rendu du livre de Crépet, *L'Art moderne.* [Repris dans *Impressions, 3ᵉ série,* Mercure de France, 1928.]

Certes, il y a dans le livre de M. Eugène Crépet bien des révélations affligeantes qu'il aurait mieux valu taire. Un sincère ami du poète n'aurait pas jugé à propos de raconter ses misérables amours avec Jeanne Duval, ses luttes contre l'égoisme de sa famille, ses cruels embarras d'argent... Mais à part cela, certains détails de l'ouvrage sont curieux et aideront à déchiffrer un peu plus complètement cette énigmatique figure de grand poète qui n'aura cependant jamais dit tout son secret... Baudelaire s'attache à noter les sensations exceptionnelles, les nuances insoupçonnées, il révèle, comme dit admirablement J. K. Huysmans, la psychologie morbide de l'esprit... Il est en avance sur son temps; il est malade, le premier, de cette glorieuse maladie de nerfs qui affectera tous les sensitifs artistes après lui... C'est là un effet du mysticisme de son âme toute grondante des foudres catholiques... Quant aux femmes, elles lui apparaissent comme les formes séduisantes du Diable ... Ce n'est pas là une religion orthodoxe, mais sa sensation est toujours conforme à la théorie catholique du péché et de la perversité humaine... En somme, c'est une religion *restaurée* —et c'est ainsi qu'elle sera nouvelle, de la même façon que, pour la forme, il renouvellera sa langue en restaurant les mots dans leur signification originelle latine... Baudelaire n'est-il pas avant tout un génie de volonté, discutant chaque vers avec lui-même, écrivant d'abord ses poèmes en prose... tout cela combiné avec minutie et avec calme?... Chaque poésie, calculée, a la rigidité précise d'un théorème... Il n'y a ni scorie, ni trop-plein: le poète fait l'effet d'un calculateur, disposant ses strophes en savant ingénieur ès rimes... Quant au chapitre relatif à la Belgique, il est douloureux pour nous; notre pays y est jugé sévèrement... Malheureusement bien de ces critiques sont cruellement vraies... Cependant il convient de dire que

Baudelaire nous a presque jugés en *ennemi*: il était malade,
aigri... Personne, à peu d'exception près, ne s'était même
douté qu'il y eût dans Bruxelles à ce moment un des plus
nobles et des plus puissants esprits du siècle... Mais qu'im-
portent ces misères! Baudelaire est entré fatalement, comme
cela devait, dans l'immortalité définitive. C'est de lui qu'est
sortie toute la génération littéraire actuelle; c'est lui qu'elle a
étudié, pratiqué avec ferveur, c'est lui qu'elle décalque et
qu'elle imite; c'est pour l'avoir lu qu'elle a gardé pour toujours
l'envie de pleurer; et il semble qu'il ait lui-même été pour elle
ce qu'il dépeint la Lune dans un de ses poèmes en prose: une
atmosphère phosphorique, un poison lumineux... Dorénavant
il ne sera plus seulement admiré; il sera aimé aussi; car, dans
ce nouveau livre, on nous le montre avec une si réelle détresse
d'âme, avec des arrière-lueurs de bonté si imprévues, qu'il
apparaît désormais nimbé d'une mélancolie plus attachante,
montrant sa poitrine ouverte, comme dans les images du Sacré-
Cœur, avec une âme traversée par toutes les douleurs et les
amours navrantes et les déboires de la vie, comme par des
couteaux cruels qui ne dérangent même pas sa couronne d'impérissables épines.

(21)   1887, 4 juillet, Jules Lemaître, "Baudelaire," *le Journal des
débats.*
[Le contenu des *Journaux intimes* est] terriblement pauvre...
c'est la recherche la plus puérile des opinions singulières. Et
cela aboutit à des paradoxes aussi faciles qu'effroyables... Le
pire, c'est que je sens ce malheureux parfaitement incapable de
développer ces notes sibyllines. Les "pensées" de Baudelaire ne
sont qu'une espèce de balbutiement prétentieux et pénible...
Il écrit deux pages pour nous dire qu'il ne conçoit pas la beauté
sans mystère ni tristesse... On n'imagine pas une tête moins
philosophe... Et son catholicisme! et son dandysme! et son
mépris de la femme! et son culte de l'artificiel! Que tout cela
nous paraît aujourd'hui indigent et banal!... J'ai passé, en
parcourant ses *Œuvres posthumes*, par trois impressions. J'ai
senti l'impuissance et la stérilité de cet homme, et il m'a
presque irrité par ses prétentions. Puis j'ai senti sa misère, sa
souffrance intime, et je l'ai plaint; j'ai reconnu en lui des vertus
d'honnête homme; j'ai cru à sa sincérité d'artiste, dont je dou-

tais d'abord.—Enfin, ayant relu *les Fleurs du mal*, j'y ai pris
plus de plaisir que je n'en attendais, et j'ai été contraint de
reconnaître... la réelle, l'irréductible originalité de cet esprit
si incomplet... Il y a en lui une détresse, une angoisse, un
sentiment atroce de sa stérilité... Sans cesse... il confesse sa
paresse, il jure de travailler, et *il ne peut pas.* Ce qui me
touche encore, c'est son dégoût des hommes et des choses...
Ce dégoût... je le crois, je le sens sincère. C'est vraiment une
âme née malheureuse, tourmentée de désirs toujours indéter-
minés, toujours inassouvis, toujours douloureux. Cet homme...
m'eût immensément déplu... à une première rencontre. Mais
j'aurais bientôt découvert que le plus mystifié et le plus étonné
de tous c'était encore lui. Sa personne m'aurait... probable-
ment séduit à la longue. Ce qu'on ne peut certes lui refuser,
c'est d'avoir été un Inquiet. Il a eu... ce qui a manqué à de
plus grands que lui: le sentiment... du Mystère qui nous
entoure... Vers la fin de sa vie... son catholicisme si peu
chrétien... impie et sensuel... semble s'épurer et s'attendrir,
et lui descendre dans le cœur. Il a honte de lui; il a des idées
de conversion, de perfectionnement moral... Et ses notes intimes se terminent par cette page, où il y a... de la simplicité,
de la piété, de l'humilité... Plus je me rapproche de l'homme,
et plus je reviens de mes préventions contre l'artiste... Dans
toute sa correspondance avec son éditeur et ami Poulet-Malassis,
il montre de la délicatesse, de la fierté, de la franchise, de la
fidélité en amitié. Ses lettres à Sainte-Beuve lui font tout à
fait honneur. On constatera, en feuilletant le volume, que
Baudelaire fut un bon fils... Jamais il ne contrista sa mère
autrement que par ses vices... Il fut constamment avec elle,
affectueux, attentif et tendre... On verra aussi que ce grand
débauché garda pendant vingt ans une mulâtresse, Jeanne
Duval, qui le trompa de toutes les façons; que, lorsqu'elle fut
frappée de paralysie, il la fit entrer à ses frais à l'hospice Du-
bois; que, lorsqu'elle en voulut sortir avant sa guérison, il
revint habiter avec elle, et qu'il ne cessa de lui venir en aide,
même après qu'il eut fixé sa résidence en Belgique, malgré
l'extrême gêne à laquelle il était lui-même réduit... [Baude-
laire, donc, a vraiment souffert:] il n'a pas été gâté par la vie...
Ah! le pauvre dandy, le pauvre mystificateur, le pauvre buveur
d'opium, le pauvre diable de poète "diabolique"! Comme il faut

le plaindre! [Et pourtant:] Baudelaire a trouvé et laissé après
lui quelque chose. Son influence après sa mort a été très grande
sur beaucoup de jeunes gens, et même sur des poètes d'un âge
mûr. Le baudelairisme n'est peut-être pas une fantaisie négligeable dans l'histoire de la littérature. Il n'est pas tout entier
... dans l'application de deux ou trois procédés d'une certaine
rhétorique. Quand j'ai lu pour la première fois *les Fleurs du
mal,* je n'étais déjà plus un adolescent, et cependant j'en ai
senti très vivement le charme particulier. Je les ai relues, et je
voudrais vous dire l'espèce de plaisir qu'elles m'ont fait et ce
que j'ai cru y voir... Le baudelairisme... est une des formes
extrêmes, la moins spontanée et la plus maladive, de la sensibilité poétique. C'est tout un ensemble d'artifices, de contradictions volontaires... On y trouve mêlés le réalisme et l'idéalisme... C'est l'union de la sensualité la plus profonde et de
l'ascétisme chrétien... C'est... en amour, l'alliance du mépris
et de l'adoration de la femme, et aussi de la volupté charnelle
et du mysticisme... Et dans l'instant où l'on prétend exprimer
la passion la plus ardente on s'applique à chercher la forme la
plus précieuse... celle qui implique le plus de sang froid et
l'absence même de la passion... On maudit le "Progrès"; on
déteste la civilisation industrielle de ce siècle... et en même
temps, on jouit du pittoresque spécial que cette civilisation a
mis dans la vie humaine et des ressources qu'elle apporte à
l'art de développer la sensibilité... Le baudelairisme serait
donc... le suprême effort de l'épicurisme intellectuel et sentimental. Il dédaigne les sentiments que suggère la simple nature. Car les plus délicieux, ce sont les plus inventés, les plus
savamment ourdis. Le fin du fin, ce sera la combinaison de la
sensualité païenne et de la mysticité catholique, s'aiguisant
l'une par l'autre... On arrive ainsi à quelque chose de merveilleusement artificiel... C'est bien là l'effort essentiel du
baudelairisme: unir toujours deux ordres de sentiments contraires... C'est le chef d'œuvre de la Volonté... le dernier
mot de l'invention en fait de sentiments, le plus grand plaisir
d'orgueil spirituel... Et l'on comprend qu'en ce temps d'industrie, de science positive et de démocratie, le baudelairisme
ait dû naître... du regret du passé et de l'exaspération nerveuse, fréquente chez les vieilles races... Il va sans dire que le
baudelairisme est antérieur à Baudelaire. Mais *les Fleurs du*

mal en offrent l'expression la plus voulue, la plus ramassée et . . . la plus remarquable jusqu'à présent. Sans doute, le souffle y est court et haletant; les obscurités et les impropriétés d'expression n'y sont pas rares,—ni même les banalités. Avec cela une douzaine au moins de ces poèmes sont fort beaux. Et vous trouverez dans tout le livre de ces vers qui appartiennent en propre à Baudelaire, des vers *qu'on n'avait pas faits avant lui*, vers singuliers, "troublants", charmants, mystérieux, douloureux . . . Ce qui fait tort à Baudelaire, ce sont ses imitateurs, dont la plupart sont intolérables. Il leur doit de paraître aujourd'hui faux et suranné à beaucoup d'honnêtes gens. Mais lui-même avait écrit: "Créér un poncif, c'est le génie . . ." Il y a parfaitement réussi. Le baudelairisme est bon à son heure, pour nous consoler de Voltaire, de Béranger, de M. Thiers, et des esprits qui leur ressemblent. Et réciproquement.

(22)   1887, 23 septembre, Emile de Molènes, "A travers champs", *La Liberté.*

Les ouvrages de Charles Baudelaire sont de la littérature pour gourmets; beaucoup de bons liseurs même prennent un médiocre plaisir à cette forme obscure et ciselée, et, quant au fond, le trouvent parfois obscur et rebutant, comme un grimoire. Il n'en est pas moins vrai que Baudelaire fut un rare manieur de plume et un grand artiste . . . Seulement, il vit, de parti pris et sans cesse, le Beau dans l'étrange, dans le recherché; dans l'au-delà des sentiments qui agitent les cœurs ordinaires et dirigent l'esprit de tout le monde; il y eut certainement une grande partie de *voulu* dans ce fameux "satanisme" . . . Ce "satanique" était au fond un homme assez doux, naturellement honnête et demeuré . . . naïf.

(23)   1887, 23 octobre, Anonyme (note de la rédaction), "La Belgique vraie, par Baudelaire", *L'Art moderne.*
. . . Notes cruelles pour notre pays. Est-ce vraiment ainsi que nous sommes apparus à ce grand esprit? Quelle leçon impitoyable.

(24)   1887, 1er novembre, Maurice Peyrot, "Symbolistes et décadents", *la Nouvelle revue,* XL.
Baudelaire, le maître des symbolistes. Assez cocasse.

(25) 1887, Anatole Baju, *L'Ecole décadente* (Vanier, 1887).
Baudelaire pourrait être appelé le vrai précurseur [de l'école décadente]. On trouve dans *les Fleurs du mal* le germe de toutes les beautés que nous admirons et surtout l'idée qui a présidé à la conception de l'école décadente. (2)

(26) 1887, Eugène Véron, *Eugène Delacroix* (Librairie de l'art, J. Rouam, Editeur, 1887).
Le seul de ses contemporains qui ait complètement compris la portée de ses œuvres... Charles Baudelaire, l'effarouchait un peu... [C'était parce que] l'esprit d'analyse étant chez Baudelaire infiniment plus développé que chez Delacroix, cette pénétration lui permettait de plonger dans l'œuvre du peintre à des profondeurs que celui-ci ne soupçonnait pas et de recueillir là des observations absolument personnelles, dont l'énonciation étonnait et déconcertait l'auteur même de l'œuvre. Cette ignorance des dessous de leurs propres créations est commune à tous les grands poètes, à tous les grands artistes... Delacroix... ne pouvait, sans un certain sentiment d'infériorité et presque d'humiliation, constater que la critique de Baudelaire dépassait sa propre perception. (82-83)

(27) 1888, janvier, Emile Hennequin, "La poétique et la prosaïque", *la Revue indépendante*.
On peut se demander comment il est possible qu'il y ait de grands poètes comme Heine, comme aussi Baudelaire, qui mettent dans leurs vers ce qu'ils n'ont pu découvrir qu'en analysant leur âme et celles de leurs contemporains, comment il peut exister de grands poètes psychologues.

(28) 1888, 31 janvier, Maurice du Plessis, article sur l'école décadente, *Le Décadent*.
Baudelaire et Verlaine sont nos dieux...

(29) 1888, 15 février, F. Nautet, "Charles Baudelaire", *la Jeune Belgique*. [Repris dans *Notes sur la littérature moderne*, Bruxelles, Monnom, Paris, Savine, 1889, 147-163.]
Charles Baudelaire n'est pas un écrivain orthodoxe, mais il n'était pas de ceux dont la cervelle est trop petite pour que Dieu puisse y entrer... On saura mieux quelque jour quelle

fut son influence, comment il a endigué, tout au moins chez les artistes, le flot des opinions matérialistes.

(30) 1888, 16 février, E. Lepelletier, "Un autographe", *l'Echo de Paris*. [Lepelletier regrette de n'avoir pu acheter un autographe de Baudelaire—le brouillon de la célèbre lettre à Jules Janin —offert à l'hôtel Drouot le 15 février 1888.]
Le grand et toujours méconnu poète y donnait, dans ce style pénétrant et cruel que nul n'a su retrouver après lui, son avis motivé sur deux de ses confrères, MM. Béranger et de Musset, Alfred. Oh! quelle joie de voir le subtil poète devenu critique perspicace demander ironiquement à son correspondant "s'il est bien sûr que Béranger soit un poète, s'il est convaincu que ce de Musset... soit un poète?" ...Béranger et Alfred de Musset sont restés les deux bêtes noires de ma génération... Musset... poète négligé, banal, vulgaire et qui... a exprimé en vers très plats des vérités trop vraies... Béranger... le grand pervertisseur des masses. C'est à lui que nous devons l'empire, méfait qui... suffirait à motiver une haine honorable ... Aussi faudrait-il tirer à 100.000 exemplaires l'autographe justicier de Baudelaire et le répandre partout où ont pénétré les leuvres et le nom de ce Béranger et de ce Musset.

(31) 1888, 10 septembre, Ed. Rod, "La littérature contemporaine en France", *la Revue internationale* (Rome), XIX.
Baudelaire, après le bruit causé par le procès... tomba immédiatement dans l'oubli... Sa popularité marque le retour de la pensée moderne au grand idéal que romantiques et réalistes ont également méconnu... l'intelligence et la peinture de la vie intérieure... Mais c'est Baudelaire qui a le mieux compris ce que doit être la langue nouvelle.

(32) 1888, 1er novembre, Ferdinand Brunetière, "Symbolistes et décadents", *la Revue des Deux Mondes*.
Ce mystificateur, doublé d'un maniaque obscène, qu'on appelait Charles Baudelaire.

(33) 1888, Alphonse Daudet, *Trente ans de Paris* (Flammarion, 1888).
[Daudet voyait Baudelaire parfois à la Brasserie des Martyrs:]

Charles Baudelaire, un grand poète tourmenté en art par le
besoin de l'inexploré, en philosophie par la terreur de l'inconnu.

(34) 1889, 14 avril, Anatole France, "Baudelaire", *Le Temps*. [Repris
dans *la Vie littéraire*, III, Calmann-Lévy, 1891.]
[Quand Brunetière a attaqué Baudelaire] il a, par mégarde,
offensé les Muses, car Baudelaire est poète... Il a, je le re-
connais, des manies odieuses... Il affectait dans sa personne
une sorte de dandysme satanique qui semble aujourd'hui assez
odieux... Mais il faut dire aussi que Baudelaire était poète...
C'était un poète très chrétien... [Il] n'est pas le poète du
vice; il est le poète du péché, ce qui est bien différent. Sa
morale ne diffère pas beaucoup de celle des théologiens. Ses
meilleurs vers semblent inspirés des vieilles proses de l'église
et des hymnes du bréviaire. Comme un moine, il éprouve
devant les formes de ses rêves une épouvante fascinatrice...
Il est profondément pénétré de l'impureté de la chair... La
doctrine du péché originel a trouvé dans *les Fleurs du mal* sa
dernière expression poétique... Baudelaire est un très mauvais
chrétien. Il aime le péché et goûte avec délices la volupté de
se perdre... Il n'éprouve de goût pour les femmes que juste
ce qu'il en faut pour perdre sûrement son âme... Ce ne serait
pas même un débauché, si la débauche n'était excellemment
impie... Il laisserait les femmes bien tranquilles s'il n'espérait
point, par leur moyen, offenser Dieu et faire pleurer les anges
... Ce qui avait ainsi dépravé Baudelaire, c'est l'orgueil. Il
voulait... que tout ce qu'il faisait fût considérable, même ses
petites impuretés... Au fond, il n'eut jamais qu'une demi-foi.
L'esprit seul en lui était tout à fait chrétien. Le cœur et l'intelligence restaient vides... Cet état d'âme... on en retrouve
dans son œuvre, au milieu d'incroyables puérilités et d'affectations ridicules, le témoignage vraiment sincère... Il peut
être fâcheux que [la poésie de Baudelaire] soit belle; mais
elle est belle. Retranchez tout ce qui inspira à l'artiste la manie
d'étonner, la recherche du singulier et de l'étrange... Il reste
une figure inquiétante et belle... Qu'y a-t-il... de plus magnifique, dans Alfred de Vigny lui-même, que cette malédiction
pleine de pitié que le poète jette aux "femmes damnées"?...
Certes, je n'ai pas essayé d'atténuer les torts du poète; je l'ai
montré... assez pervers et assez malsain. Il n'est que juste

d'ajouter qu'il y a plusieurs parties de son œuvre qui ne sont nullement contaminées. [Son exotisme, par exemple, souvenir du voyage aux Indes:] il y a... des souvenirs enchantés de ces pays de lumière... [Ensuite, l'inspiration tirée des arts plastiques, où Baudelaire a trouvé] des vers superbes et très purs ... [Enfin, ses poésies parisiennes]... La poète a trouvé de fiers accents pour célébrer les travaux des humbles existences. Il a senti l'âme du Paris laborieux; il a senti la poésie du faubourg, compris la grandeur des petits et montré ce qu'il y a de noble encore dans un chiffonnier ivre... Cela n'est-il pas grand et magnifique, et peut-on mieux dégager la poésie de la réalité vulgaire?... Remarquez... comme le vers de Baudelaire est classique et traditionnel, comme il est plein. Je ne me résoudrai jamais... à voir en ce poète l'auteur de tous les maux qui désolent aujourd'hui la littérature. Baudelaire eut de grands vices intellectuels et des perversités morales qui défigurent la plus grande partie de son œuvre. J'accorde que l'esprit baudelairien est odieux, mais *les Fleurs du mal* sont et demeureront le charme de tous ceux que touche une lumineuse image portée sur les ailes du vers. Cet homme est détestable, j'en conviens. Mais c'est un poète, et par là il est divin.

(35) 1889, Charles Morice, *La littérature de tout à l'heure* (Perrin, 1889).
[Baudelaire] a comme recensé nos motifs de tristesse. Il a, comme un prince des ténèbres, tracé dans l'Art un rayon de lumière noire... Il a, lui, consacré la triste vigile à ouvrir des chemins secrets dans les abîmes de l'âme. Il a mesuré la grandeur du mal, de l'artifice et s'en est perversement épris... Baudelaire est un sensuel condamné au mysticisme, étranger à toute explication scientifique et, perdu sur les flots de la vie moderne, les considérant avec un regard sévère de prêtre latin —sans doute de mauvais prêtre—latin et traditionnel par sa hauteur de moraliste, par la logique de sa pensée... par la force carrée de son génie bref,—non pas court, très sûr, riche, sombre par sa poétique même et surtout par sa rhétorique, par l'incisive concision de son style. A la fois, Baudelaire a trouvé le vers moderne et retrempé le génie français dans ses sources vives sans plus lui tolérer les libertés illogiques où il se dépravait. Il a concentré la Poésie française dans ses vers et dans

sa prose—cette prose incomparable ... Ce grand effort et l'objet désolant de sa constante vision lui ont donné une amertume inguérissable. Triste et superbe visage que celui de ce Poète! mais plutôt dans le Baudelaire vieilli que nous montre une photographie des dernières années. Cette bouche qui méprise et ces yeux qui veillent et jugent! ... Un reflet de toutes les hideuses pensées sur ce beau visage est comme une perpétuelle vision de châtiments. Les cheveux restés longs et qui blanchissent, un côté du visage ironique, l'autre rigide et comme d'un mort, les yeux hagards, les lèvres dégoûtées et serrées. (204-206)

(36) 1889, 1ᵉʳ juin, Fernand Clerget, compte rendu du précédent, *La Plume*.
      ... Quelques-uns (Baudelaire, Balzac, etc.) dont la pensée fut belle et sincère, se délivrèrent des entraves venues des Révolutions.

(37) 1889, 1ᵉʳ septembre, F. Brunetière, "Revue littéraire: Question de morale", *la Revue des Deux Mondes*.
      Parmi les corrupteurs des collégiens ... je n'hésiterai jamais, pour ma part, à compter l'auteur de *Rouge et Noir* et celui des *Fleurs du mal*.

(38) 28 octobre, A. Weill, "Chronique: le Pessimisme une blague ou une folie", *les Petites nouvelles*.
      Villiers de l'Isle-Adam n'était qu'un Baudelaire ruolzé et prosaïque, fou comme lui, mais sans avoir comme lui des moments lucides pour forger des vers solidement martelés, car Baudelaire avait le travail lent et difficile. Je connais des pièces de vers de lui dont il m'avait récité le commencement et qu'il n'avait finies qu'un mois plus tard. Il lui fallait des stages entre Bacchus et Vénus avec lesquels il avait dépensé son petit capital qu'il avait hérité de son père.

(39) 1889, Maurice Spronck, *les Artistes littéraires* (Calmann-Lévy, 1889).
      Le poète est là [dans *les Journaux intimes*] tout entier ... Son génie ressort des confidences qu'il a laissées ... Sa personnalité se révèle sous une forme si particulière, qu'il semble presque impossible d'en rencontrer une seconde à qui l'on puisse l'assimiler ou la comparer. C'est un cerveau ... unique dans son

genre... N'a-t-on pas attribué à Goethe cet aphorisme...
"L'homme en France qui ose penser ou agir d'une manière
différente de tout le monde est un homme d'un grand courage?" Ce courage, Baudelaire le conserva inébranlable jusqu'à sa dernière heure... Il lui fallut évidemment une foi bien
ardente dans la vérité de son idéal artistique; il lui fallut surtout un mépris bien établi de la popularité et de l'opinion.
(83-84)... [Dans "le Voyage"] il a souligné le mot *nouveau.*
D'autres artistes se sont faits les chanteurs de la nature ou de
l'humanité, de la beauté plastique ou de la beauté morale, de
l'amour terrestre ou de l'amour divin. Quant à Baudelaire, le
but suprême qu'il indique, le seul vers lequel il ait tendu avec
une énergie continuelle et absorbante, ce fut cette abstraction
où il faisait tenir tout ce qui n'est pas humain, terrestre, réel, déjà
vu et déjà senti... Non seulement il avait peiné sur des sujets
étranges qu'il traitait avec des procédés de style jusqu'alors à
peu près inconnus, mais il avait épuisé sa vie et sa santé à
courir hors des chemins battus, cherchant le singulier et le
factice jusque dans les détails de sa toilette. (101-102) Il est
possible... [qu'il] ait éprouvé le besoin d'étonner *le profane
vulgaire*... Mais... il est infiniment plus vraisemblable...
qu'il essayait en sa personne la réalisation de ce type qu'il eût
voulu rencontrer chez les autres; et que, s'il se faisait original,
c'était bien plutôt pour sa satisfaction intime que pour provoquer l'horreur admirative de ses contemporains... Il s'était
passionné pour *l'artificiel*, cette suprême étape de l'esprit blasé
... Conception... de l'idéalisme le plus quintessencié, dès
qu'on l'entend comme l'entendait Baudelaire, Son artificiel...
n'a rien à voir avec les procédés de l'industrie... On peut lui
trouver un équivalent dans le génie fantaisiste de la Chine ou
du Japon—civilisations très vieilles... Il y a un abîme entre
les deux genres: le premier, bas et vulgaire, ne peut convenir
qu'à des bourgeoisies... le second, d'un raffinement si compliqué, ne surgira que du cerveau des races très savantes. (104-
105)... En dehors de la rareté, de l'infréquence des pensées
et des sensations dont il s'est constitué l'interprète, on doit
noter une autre cause, plus profonde, du discrédit qui l'a
frappé: c'est la complexité de son œuvre, accentuée parfois à un
tel point, que les propositions les plus contradictoires se heur-
tent souvent à quelques pages d'intervalle... [Baudelaire est]

un composé de cinq ou six individualités diverses qui tiennent la parole les unes après les autres, sans ordre logique... Avec sa grande prétention de bannir la spontanéité irraisonnée... cet écrivain fut en réalité le plus soumis de tous aux caprices fantasques de ses multiples imaginations. (88-90)... Fuir le banal dans la vie et dans l'art! C'est en effet le premier principe de sa vie et de son art. (96)... Par ce désordre de l'esprit, oscillant éternellement sur place, sans un but précis... Baulaire apparaît comme une des images les mieux achevées, un des types les plus complets de la société contemporaine, avec ses hésitations, ses tristesses, ses douleurs, ses aspirations vagues et ses vices. (99)... [Cette complexité explique la "décadence" de Baudelaire:] Quand l'humanité a épuisé le nombre des sujets simples qui se présentent spontanément à son esprit ... il va de soi que ses sensations s'émoussent, et qu'elle finit par s'ennuyer dans son âge mûr de ce qui avait charmé sa jeunesse... Dès lors, que lui reste-t-il? Ou bien, comme le poète que nous étudions, s'abandonner complètement au vol de son imagination, se perdre dans les créations fantaisistes et vivre dans l'artificiel; ou bien reprendre les éléments qu'elle rencontre toujours au sein de la nature et sur lesquels elle s'est blasée par l'usage, et les forcer à lui procurer des sensations neuves... en rapprochant surtout les contraires les plus extrêmes... Mieux que les hommes de 1830, Baudelaire avait compris le procédé qu'ils avaient employé et qui leur avait réussi. (111-113)... Cette théorie des contrastes, elle n'a pas envahi seulement le domaine des arts; l'humanité contemporaine s'en est imprégnée dans toutes ses fibres... La littérature et les mœurs nous la montrent appliquée d'une manière très visible au sentiment de l'amour, tel que l'a compris notre siècle; et alors elle s'appelle le *sadisme*... Par sa nature antithétique, elle a séduit les civilisations vieillissantes, et on la voit qui plane sur les grandes décadences de l'Asie et sur la longue orgie de la période impériale à Rome. M. Ernest Renan l'a retrouvée dans les sauvages distractions de Néron. (119-121)... [Le catholicisme de Baudelaire était fondé, lui aussi, sur cette antithèse:] Accoupler l'idée d'une jouissance essentiellement fugitive et l'idée de douleurs atroces et sans fin, c'était réaliser l'antithèse la mieux déterminée qui se puisse concevoir... Faut-il conclure que [Baudelaire], retournant à la vieille théologie du moyen âge, admettait l'existence matérielle d'un être malfaisant en rébellion permanente contre Dieu? ... La vérité est que sa philosophie satanique fut composée de ces deux éléments: que pour lui le démon n'a jamais été qu'un symbole, mais un symbole réel, la représentation de ce besoin du mal qu'il a raconté en même temps que Tolstoï. (121-123) ... Il a cherché l'idéal dans l'amour, comme il l'avait cherché dans l'art, hors de la nature, hors de la réalité ... Aussi, de même qu'il avait appliqué son système des contrastes à aiguiser les sensations artistiques, il l'emploiera comme excitant des sensations amoureuses, et il s'efforcera de joindre aux tableaux du plaisir les tableaux de la douleur ... Des imaginations de ce genre ... ne secouent pas impunément l'âme qui les enfante ... L'épuisement corporel se joint au désespoir mental; les méditations métaphysiques surexcitent le cerveau et exaspèrent le système nerveux. A ces causes, s'ajoute la fatigue des races anciennes; et l'ennui apparaît—l'ennui que Baudelaire peint. (122-126) ... [Baudelaire a] possédé le caractère peut-être le plus original qu'ait produit notre époque. Admirablement organisé comme poète, passionné et irrésolu de tempérament, cherchant de préférence ... les phénomènes les plus rares, hanté d'aspirations immenses vers l'idéal et vers l'infini qu'il tenta d'atteindre par des procédés invraisemblables, il laisse une œuvre bizarre, souvent obscure, mais suggestive entre toutes ... Déjà M. Paul Bourget l'a donné comme le représentant d'une forme spéciale de la psychologie contemporaine; et rien ne serait plus juste, si ... le critique ne concluait peut-être trop hardiment à son pessimisme. Malgré plusieurs invocations au néant, Baudelaire fut en somme si peu pessimiste ... il considérait si peu l'essence même de la vie comme mauvaise, qu'à l'heure où il invoquait la mort, ce n'était pas pour lui demander le repos et l'oubli, mais pour réclamer un nouveau champ d'activité cérébrale, des idées, des sensations, des spectacles nouveaux ... Quand il n'est pas sous l'empire d'une de ses crises de douleur aiguë et de colère nerveuse, nous ne le voyons pas adepte d'une philosophie nihiliste. (133-135)

(40) 1889, 2 novembre, Anatole France, "La Vie littéraire", *le Temps*. [Compte rendu du n° 39.]
Il y a toutes sortes de critiques. M. Maurice Spronck a ce

bonheur d'avoir trouvé tout de suite le genre de critique qui
convenait à son tempérament. Il était doué pour ces études
physiologiques et pathologiques des fonctions de l'âme...
[Flaubert, Baudelaire, J. de Goncourt] offrent quelques caractères communs, dont le plus saillant est peut-être le trouble
profond des nerfs... Le mal qui éclate aujourd'hui couvait
depuis plus de trente ans. La névrose, la folie qui envahit la
jeune littérature était en germe dans les œuvres encore belles
et séduisantes, et d'un tel éclat, et qui semblaient pures, enfin
dont nous avons nourri notre jeunesse.

(41)   1889, 1ᵉʳ décembre, F. Brunetière, compte rendu du n° 39, *la
Revue des Deux Mondes* (Repris dans *Essais sur la littérature
contemporaine*, Calmann-Lévy, 1892.).
L'originalité de Baudelaire n'aurait-elle pas consisté... dans
son charlatanisme? Qu'est-ce donc que M. Spronck trouve de
tellement original à vivre autrement que tout le monde; et, si
l'on découvre en soi quelque principe morbide... qu'y a-t-il
de si rare à la "cultiver", comme Baudelaire, "avec jouissance
et terreur", pour s'en faire un moyen de réputation ou un
instrument de vie?... Je serai bien vieux ou je serai devenu
un bien plat courtisan de la mode et de l'opinion quand je
verrai dans Baudelaire un poète sincère... J'accorde seulement
... qu'en même temps qu'un mystificateur Baudelaire fut un
malade, et peut-être le commencement d'un fou... En revanche, et après avoir encore une fois relu *les Fleurs du mal*...
il me semble que je vois mieux qu'autrefois comment, par quel
dangereux prestige, elles ont... séduit et corrompu tant d'imaginations. Je n'en trouve pas les vers moins prosaïques, ni
surtout moins laborieux; quelques beautés ou plutôt quelques
curiosités m'y paraissent toujours chèrement payées; les thèmes
habituels m'en déplaisent autant, ceux-ci pour leur banalité,
ceux-là pour leur ignominie; mais... l'on sent... sous cette
perpétuelle affectation, circuler en quelque manière la recherche active de la nouveauté... Il a enseigné la manière de
se procurer, à défaut de la vraie... l'air au moins et les apparences de la fausse originalité. Peut-être est-ce la pire leçon
que l'on puisse donner à la jeunesse... Avec sa théorie de
l'artificiel, avec son idée "d'une création due tout entière à l'art,
et dont la nature serait complètement absente", je comprends

donc, et je déplore d'ailleurs, l'influence qu'a exercée Baudelaire . . .

(42)   1889, Maurice Barrès, *Un Homme libre* (Perrin, 1889).
[La maxime des *Journaux intimes,* "Avant tout, être un grand
homme et un saint pour soi-même" est] le but suprême du
haut dilettantisme entrevu par l'un des plus énervés. (120)

(43)   1889, René Ghil, *Méthode Evolutive-instrumentiste d'une poésie
rationnelle* (Savine, 1889).
Baudelaire, maître puissant et sobre, dont le mot correct par
la place voulue qu'il occupe s'entoure dès maintenant d'atmosphère musicale et lumineuse—et dont la pensée est comme un
ferment invincible de doute détruisant la splendeur sans souci
d'antan: mais qui égoïstement disant ses angoisses, ne dit
aucun vocable salutaire qui les épargnera à ceux qui viennent.
(5)

(44)   1889, J. M. Guyau, *L'Art du point de vue sociologique* (Alcan,
1930; première édition, 1889).
[Etude des "névropathes et délinquants [qui] sont entrés dans
notre littérature et s'y sont fait une place tous les jours plus
grande"—tels Baudelaire, Zola, etc. De là une littérature de
décadence, marquée de stérilité, de "perversions des sens",
d'impuissance. Les passages sur Baudelaire sont farcis de citations de Gautier et de Bourget.]
L'imagination sénile cherche à ranimer la sensation par des
raffinements et des ragoûts. Il est probable que les libertins les
plus corrompus et les plus savants (comme fut Tibère) ont été
des vieillards. Tous ces traits de l'imagination dépravée se
retrouvent dans l'imagination des époques de décadence. Le
système nerveux des races s'use comme celui des individus;
tous les cerveaux de décadence, depuis Pétrone jusqu'à Baudelaire, se plaisent dans des imaginations obscènes, et leurs
voluptés sont toujours plus ou moins contre nature; leur style
même est contre nature: ils cherchent partout le neuf dans le
corrompu. (356-357) La décadence dans l'art, c'est la substi-
tution du talent au génie, c'est l'affectation du savoir-faire,
avec la charlatanerie que Baudelaire prétend permis au génie
même. (362) Il est difficile de nier l'influence déprimante et
démoralisante que Baudelaire a exercée sur la littérature de son

époque. Mais Baudelaire répond déjà beaucoup mieux à son temps qu'au nôtre; il n'est plus à proprement parler un modèle; son influence est tout indirecte. Baudelaire s'est trouvé vivre à une époque où l'accoutumance aux idées de négation absolue était loin d'être faite, et sur certains tempéraments ces idées devaient produire des effets tout particuliers. C'est ainsi ... que Baudelaire est l'expression de la peur irraisonnée et folle de la mort... Ce n'est pas tant... l'angoisse de la mort... que l'horreur toute physique du tombeau... C'est plus encore le vertige de l'horreur que celui de l'abîme qui s'est emparé de Baudelaire. (366-367) ["L'invitation au voyage" se compose d'un luxe] faux et imaginaire... ce n'est pas plus la langue natale de la vie que de l'âme: c'est un rêve artificiel et tout littéraire de l'imagination romantique. [La phrase de Gautier sur les "verdeurs de la décomposition" indique très bien tout ce qu'il y a de faux et d'illogique dans le baudelairisme:] Quelque prix qu'on attache aux *verdeurs*, un cadavre qui se décompose sera toujours inférieur physiologiquement et esthétiquement à un corps animé par la vie, parce que le cadavre marque... une dissolution et un retour aux forces plus élémentaires, plus simples... L'erreur des apologistes de la décadence est précisément de croire que la littérature décadente ait plus de *complexité*, plus de *richesse* que l'autre, parce qu'elle a plus de raffinement, plus de sensualité et de dilettantisme intellectuel... La littérature de Baudelaire lui-même ... est une littérature très simple; sous son air de richesse, elle cache une pauvreté radicale... d'idées, de sentiments et de vie; elle commence un retour... à la poésie des sensations, d'images sans suite, de mots sonores et vides qui caractérise les tribus sauvages; et celle-ci a cette énorme supériorité qu'elle est sincère, l'autre non. Les prétendus *raffinés* sont des *simplistes* qui s'ignorent. (376)

(45) 1889, Ernest Laumann, *Le Cœur révélateur* (Art et critique, 1889).
De l'avis de tous les linguistes, la traduction due à [Baudelaire] est la seule qui donne et l'esprit et la couleur du style d'Allan Edgar Poe [*sic*]... Il est impossible d'être plus près du texte, plus près surtout de l'intensité suggestive qu'il dégage. (vii)

(46) 1889, J. F. Mougenot, *Hugo et les décadents 1830-1890* (Le Chat Noir, 1889).

Baudelaire même n'a laissé qu'un disciple, Rollinat, et n'a fait école que parmi les externes de rhétorique. (46)

(47) 1889, Gabriel Mourey, dédicace aux *Poésies complètes de Edgar Allan Poe* (Dalou, 1889).

Au thaumaturge lyrique, au suprême confesseur des âmes damnées, à Charles Baudelaire, à sa gloire, la traduction de ces poèmes qu'il aimait. G.M.

(48) 1889, Georges Pellissier, *Le Mouvement littéraire au XIXᵉ siècle* (Hachette, 1889).

[Baudelaire] raffine encore cette prédilection pour l'étrange et le compliqué, ce goût d'archaïsme ou de décadence, cette inquiète curiosité des choses occultes qui donnent si souvent à la poésie de Gautier une saveur âcrement subtile et comme exquisement vénéneuse. (279)... Baudelaire peut... passer pour une des physionomies les plus originales de son temps— pour une des plus bizarres et des plus complexes. Il est le premier exemple de ces talents contournés, surmenés, impuissants à la création, mais singulièrement délicats dans l'analyse, tels que peut en former une civilisation vieillie, analogue à ces terreaux brûlants qui produisent des fruits capiteux et malsains ... Au besoin de volupté se mêle chez lui, dans la volupté même, un irrésistible penchant à s'analyser. Il ne pratique jamais que l'amour charnel, tantôt dans sa bestialité morne, tantôt dans ses corruptions les plus savantes... [Il] exacerba sa sensibilité maladive non seulement par l'abus du plaisir, mais encore par les excitants factices qui lui créaient ce qu'il appelle ses 'paradis'. (280) Baudelaire avait commencé par la foi... Mais les retours mêmes d'un catholicisme corrompu sont un assaisonnement de plus aux voluptés. Le plaisir est doublé quand une pointe de remords en relève la douceur... Ce blasé s'est ainsi refait une sorte de virginité qui prêtera à la jouissance prochaine un ragoût tout nouveau... C'est le mélange d'une religiosité malsaine avec ce que la débauche a de plus subtil, c'est un mysticisme de mauvais aloi mis au service de la débauche elle-même pour en raviver la saveur, qui fait à Baudelaire toute son originalité... Rien chez lui de simple,

rien non plus de sincère ... Aux yeux de Baudelaire, le péché
originel a imprimé à la nature tout entière une tache indélébile
... Ce qu'il y a de naturel à l'homme, c'est le vice; la vertu est
artificielle. Transportons cette idée de la morale dans l'art, et
nous aurons toute l'esthétique de Baudelaire ... Le beau ...
est artificiel aussi bien que la vertu. A la "beauté naturelle", le
poète préfère la beauté factice ... Il a en horreur toute simplicité. Dilettante de la débauche, il est aussi l'esthéticien de la
"dépravation" ... Baudelaire, du moins, avait le culte de la
"littérature" ... Mais cet artiste opiniâtre triomphe rarement.
Les cadres qu'il remplit sont toujours de peu d'étendue, et il
ne les remplit le plus souvent qu'avec difficulté ... Que de
termes impropres, que d'images fausses, et même que d'incor-
rections! Il y a dans *les Fleurs du mal* quelques vers admirables, d'une beauté mystérieuse et "troublante", mais combien
de pièces vraiment accomplies? ... Ce poète à la fois brutal et
quintessencié, aussi laborieux qu'infécond, sans imagination,
sans idées, et dont l'obscurité voulue ne peut faire illusion sur
le vide de son esprit, a eu de nos jours ses admirateurs fanatiques. Le culte de Baudelaire, confiné d'ailleurs en un con-
venticule de blasés, comporte une part de duperie et une part
de mystification; mais il peut s'expliquer encore par ce qui
répond en ce prototype des "décadents" à certaine perversion
de la sensibilité, à une sorte de détraquement nerveux dont
nos générations actuelles offrent de nombreux exemples. (281-
282)

(49)   1889, Jules Tellier, *Nos Poètes* (Lecène et Oudin, 1889).
L'influence de Baudelaire a été grande en ces dernières années.
Il a eu des imitateurs bien différents; et je crois qu'il les méritait tous. Il y avait en lui un artiste subtil et savant, d'esprit
mystique et de nerfs délicats. Il méritait d'avoir pour émule
M. Rodenbach (et M. Verlaine aussi ...) Il y avait un "fumiste"
compliqué, épris de plaisanteries macabres, et de toute une
diablerie qui peut réjouir. Il méritait d'avoir pour héritier M.
Rollinat. Il y avait enfin une manière de charlatan, soucieux
d'étonner par des moyens faciles, coutumier d'effets de brutalité sans intérêt, amoureux de scandale. Il méritait d'avoir
pour élève M. Richepin. (174-175) ... Baudelaire a fait des
paysages parisiens, mais gâtés par je ne sais quelle préoccu-

pation réaliste et quel choix systématique des laideurs. (176) [Conclusion: il est inférieur à Rodenbach et à Verlaine. (180)]

(50) 1889 (?), M. Tourneux, "Charles Baudelaire", *la Grande encyclopédie* (Lamirault, s.d.), tome V, 852-853.
Romantique par le choix et la nature de ses curiosités, il était classique d'origine, de goût et d'éducation.

(51) 1889, Georges Vanor (Georges Van Ormelingen), *L'Art symboliste* (Vanier, 1889).
... l'unique génie d'Arthur Rimbaud, dont l'œuvre condensée en quelques rares pages d'une prose miraculeuse enferme l'ensemble de toutes philosophies, sciences et littératures connues, en constate les concordances et les rythmes, y amalgame la vie physique et les phénomènes usuels de l'imagination. C'est la plus extraordinaire cosmogonie que l'âme humaine ait jamais conçue, supérieure aussi à l'Euréka de Poe et de Baudelaire. (23)

(52) 1890, 15 mars, note de la rédaction, *La Plume.*
Nous pensons qu'il est irrespectueux de dire, en quelques lignes, son opinion sur les grands écrivains, aussi nous abstiendrons-nous d'examiner ici la grande figure littéraire qui fut Baudelaire. Nous préférons rendre au public quelques-unes des pièces supprimées par la magistrature inique de l'Empire ... ["Epilogue à la ville de Paris", "A celle qui est trop gaie", "Le Léthé", "Les Bijoux", "Lesbos", "Femmes damnées".]

(53) 1890, 1er mai, Gaston Moreilhon, compte rendu de *Fanny Bora*, roman de Georges Bonnamour, *La Plume.*
De Beaudelaire [*sic*] M. Bonnamour a la curiosité des débauches distinguées et multiples.

(54) 1890, 1er septembre, Léon Bloy, compte rendu des *Chants de Maldoror, La Plume.*
Les sataniques des *Fleurs du mal* prennent subitement, par comparaison, comme un certain air d'anodine bondieuserie.

(55) 1890, 15 septembre, Edouard Dubus, compte rendu d'une réunion décadente à la salle Jussieu en 1886, *La Plume.*
J'exaltais Baudelaire comme l'initiateur de la rénovation littéraire que je venais de défendre.

(56)   1890, 15 octobre, Léon Cladel, "La Tombe de Baudelaire", *La Plume.*

[Baudelaire est] ce glorieux élu... le prodigieux architecte des *Fleurs du mal*... le sévère et poli gentleman de lettres, le plus parfait homme de plume de notre ère... ce parangon de lettres... En France, en Angleterre, en Amérique et dans toutes les cités de l'ancien et du nouveau continent, on admire, on admirera sempiternellement l'œuvre, plus impérissable que le granit, du prestigieux traducteur d'Edgar Poe, du troublant évocateur des fantômes qui vaguent dans le cerveau de tout homme... du sombre et magnifique initiateur de la poésie moderne... Il est bien aujourd'hui notre général, notre chef à tous... notre éducateur et notre modèle... ce grand conquérant du verbe... [qui] rayonne, éclaire, règne et triomphe aujourd'hui, royal et divin flambeau.

(57)   1890, Théodore de Banville, *l'Ame de Paris, nouveaux souvenirs* (Charpentier, 1890).

[Lorsque Banville et ses amis écoutaient Baudelaire lire ses vers, ils comprenaient] que le poète de l'âme moderne était né, et qu'il en chantait les douleurs, les élégantes amours et les saines tristesses, de façon à n'être effacé jamais. [Après sa mort, Baudelaire a connu la vraie gloire] plus solide, plus durable, plus universelle que ne l'aura eue aucun homme de ce temps ... Sans espérer d'y parvenir, il essayait de satisfaire sa conscience artistique, son instinct raffiné du beau. (253-254)

(58)   1891, 15 février, Joséphin Péladan, "Critique littéraire", *La Plume.*

Baudelaire est le terrible confesseur des âmes damnées; c'est l'aumônier du désespoir; c'est un Dante au mauvais lieu.

(59)   1891, 4 avril, Georges Rodenbach, "La Poésie nouvelle", *la Revue bleue.*

Ce qui aurait suffi... à sauver la poésie française de la contagion naturaliste, c'est le pouvoir grandissant de Baudelaire. Il entraîna la poésie dans une décadence aussi, mais noble et glorieuse. [Plutôt que Victor Hugo] c'est Baudelaire qui est vraiment le père spirituel et pourrait se reconnaître en ceux qui sont venus... Lui avait appris l'art anglais plein de mystère, où la secrète affinité des choses devait conduire son instinct apparié.

(60) 1891, 30 avril, Edmond de Goncourt, *Journal.*

Daudet soutenait, ce soir, que tout ce que Bourget et les
autres ont écrit sur Baudelaire étaient d'absolues contre-
vérités. Il affirmait que Baudelaire était un *sublimé* de Musset,
mais faisant mal les vers, n'ayant pas l'outil du poète ... En
prose ... un prosateur difficile, laborieux, sans ampleur, sans
flots, que l'auteur impeccable n'avait pas la plus petite chose
de l'auteur impeccable,—mais ce qu'il possédait, ce Baudelaire,
au plus haut degré, et ce qui le faisait digne de la place qu'il
occupait: c'était la richesse des idées.

(61) 1891, 22 novembre, Anatole France, compte rendu du livre de
Maurice Paléologue, *Alfred de Vigny, Le Temps.*

[A propos de la lettre de Vigny à Baudelaire, datée du 27
janvier 1862:]

Il est douteux que l'auteur de cette lettre ait compris le sens
profond et le caractère original de la poésie de Baudelaire et,
quand il parle de ces fleurs du mal, qui sont des fleurs du
bien, on peut trouver que le compliment est fade. Mais comment ne pas admirer la douce gravité, la bienveillance sérieuse
avec laquelle le poète mourant donne à son jeune confrère des
conseils de prudence et de dignité morale?

(62) 1891, Martial Besson, *Anthologie scolaire des poètes français
du XIXᵉ siècle* (Delagrave, 1891).

Nature mystique, extra nerveuse, subtile, compliquée, paradoxale et fiévreusement analyste, servie par un talent travaillé,
compliqué, retors, Charles Baudelaire ne saurait être rattaché
à aucun des poètes qui l'ont précédé ... Une foule de jeunes
écrivains procèdent de lui ... imitant son style plein de nuances et de recherches—"le dernier mot, a dit Théophile Gautier,
du Verbe sommé de tout exprimer et poussé à l'extrême outrance"—s'attachant, comme lui, à donner aux pensées les plus
abstraites, aux sensations les plus subtiles et les plus fugaces,
une réalité vivante et pittoresque. (80)

(63) 1891, Charles Gidel, *Histoire de la littérature française depuis
1815 jusqu'à nos jours, deuxième partie* (Lemerre, s.d. [1891]).

... Un poète singulier, sur les confins extrêmes du romantisme,
dans une contrée bizarre éclairée de lueurs étranges ... Rien

de ce qui plaît aux autres ne lui agrée... La blafarde lumière
de la putréfaction fait ses délices... Comme Pascal, il porte
avec lui son gouffre vivant... [L'amour pour lui est] le délire
des sens et de la lubricité. Il traîne avec lui un cortège de noirs
enchantements, une suite infernale d'alarmes, des fioles de
poisons, des larmes, des bruits de chaînes et d'ossements...
L'homme, du reste, ne mérite guère mieux sur la terre: il est
peu de monstres plus affreux qui lui... Satan tient les fils qui
le remuent... Ainsi conçu, l'homme ne peut avoir aucun but
dans la vie... Rien ne peut réchauffer ce cadavre hébété que
le spleen écrase... Etrange et lugubre poésie!... Quand le
poète s'épuise en invectives contre l'homme, il a des accents
qui font frissonner... C'est l'ironie du prédicateur chrétien
qui pousse à bout la vanité humaine. Il a l'air d'un religieux
qui médite dans un cloître. Saint Jérôme, saint Augustin, Tertullien, n'ont rien dit de plus fort contre la corruption des
cœurs et l'impureté des mœurs. Baudelaire a la virulence du
moine qui foudroie le monde. Bossuet, Bourdaloue, Massillon,
font avec lui un concert inattendu d'imprécations, de cris de
haine et de menaces. L'impureté des sens... semble à eux,
comme au poète, la source toujours vive, toujours débordante
de toutes nos misères... Baudelaire est resté, plus qu'il ne le
croit, attaché à des souvenirs d'une enfance innocente, mais
fortement secouée par les ardentes prédications d'un prêtre.
Il y a chez lui comme une impression de séminaire. Les formes
de certaines pièces en sont étrangement marquées: "les Litanies
de Satan", "A une Madone"... (242-247) Un tel livre fit scandale à sa naissance... Il heurtait tous les communs usages, il
reniait tout ce qu'on est convenu de respecter; il érigeait en
dogme un scepticisme effréné. Néanmoins... on sent encore
vibrer en plus d'un endroit le désir de l'inconnu et de l'immortel. Ce tourment d'une âme blessée se fait jour souvent à
l'improviste comme dans... "la Mort des pauvres". (247)...
La poésie de Charles Baudelaire est vraiment singulière en
notre temps. Il est un original dans toute l'étendue du mot...
Nul n'a été moins imitateur que lui. Il pense, il s'exprime
d'après lui-même, et il s'est frayé dans son art des chemins tout
nouveaux. On ne le voit pas occupé à poursuivre les sujets
ordinaires que traitent les poètes. Il n'a point de goût pour la
sentimentalité et la fadeur. Le romantisme avait enrichi ce

qu'on appelle le domaine de l'art... Il y avait même fait une
large place à l'horreur. Baudelaire devait élargir cette place et
la renouveler... Il a étonné Victor Hugo: "Vous avez... créé
un frisson nouveau." Ce frisson nouveau avait besoin pour
s'exprimer d'une langue nouvelle, le poète se l'est faite... Ses
vers ne dédaignent plus rien. On y fait d'étranges rencontres,
et le lexique du poète égale en hardiesse celui de Marot ou de
Rabelais... ["Une Charogne":] Le poète y dit naturellement
ce qu'il voit. Ses paroles ont une précision, une netteté qui les
illumine. La peinture y est expressive au dernier point, le mé-
canisme de la construction n'y laisse rien à désirer; une seule
chose y manque: c'est le goût. Pourquoi faut-il que l'auteur ait
entrepris un tableau pareil? [C'est parce qu'il] est en plein
dans une théorie moderne qu'il n'a pas médiocrement mise en
valeur et en vogue. Il sacrifie à ce qu'on appelle le réalisme...
Si Baudelaire n'est pas le fondateur de cette école, il en est un
des représentants; il en est l'adepte le plus en vue par son
talent et la libre indépendance de son esprit... [Dans des
poèmes comme "la Beauté", "Elévation", etc., il cherchait] un
idéal subtil et vaporeux. (249-252)... Parmi les réalistes il
pouvait passer pour un spiritualiste, surtout par son talent,
dont il les éclipsait. Il était neuf dans une littérature vieille...
Brutal, scandaleux, effronté, il est souvent raffiné, maniéré,
précieux... Il déconcerte le lecteur. On cherche en vain à
s'expliquer le fond de ses pensées... Il demeure une énigme
mal déchiffrée. Esprit puissant, mais point sûr, épris des faux
brillants des âges de décadence, il a donné le modèle aux
jeunes poètes, moins vigoureux que lui, d'un style qui se pare
de cent sortes de fausses couleurs. Il n'y a réussi lui-même que
grâce aux ressources d'un talent vraiment original. (254)

(64) 1891, Jules Huret, *Enquête sur l'évolution littéraire* (Charpentier, 1891).
[Conversations avec des écrivains contemporains sur l'évolution
littéraire. Huret était rédacteur de *l'Echo de Paris*.]
Jean Moréas [à propos de Verlaine]: Il tient trop à Baudelaire,
trop à un certain *décadisme* dont il se réclame, pour qu'il ne
soit une entrave à la renaissance poétique que je rêve. Mais
l'avenir lui assignera, j'en suis certain, une place très haute
parmi les poètes français. Je tiens à constater que c'est le

meilleur poète depuis Baudelaire, mais cela ne doit pas nous empêcher de combattre son action éventuelle. (80)

Paul Alexis: Quant aux symbolistes, aux décadents, ils n'existent même pas... Non!... Verlaine, Villiers de l'Isle-Adam, Mallarmé étaient des Baudelairiens attardés, pleins de talent certes, mais qui, un beau matin, durent être joliment étonnés tout de même de se voir bombardés chefs d'école... L'école était piteuse. (195)

Henry Céard: Il n'y a d'avenir pour un mouvement littéraire quelconque que s'il se soucie du côté scientifique. Baudelaire l'a écrit d'ailleurs, il y a longtemps: "Une littérature qui ne marche pas d'accord avec la science est une littérature suicide." (204)

José-Maria de Hérédia: Baudelaire, qui faisait très difficultueusement les vers, laissa en prose, peut-être un peu à l'imitation de Bertrand, des poèmes auxquels il n'était pas arrivé à donner la forme poétique. (307)

Pierre Quillard: Dans ce siècle, qui donc fut plus grand que les poètes: Hugo, qui domine le monde et qui reste le Père; de Vigny, Baudelaire, Lamartine, Théodore de Banville,—et maintenant, notre sévère et vénéré maître Leconte de Lisle, et Léon Dierx, et J. M. de Hérédia, et Stéphane Mallarmé et Catulle Mendès. (343)

(65) 1891, Joséphin Péladan, *La Gynandre*, roman (Flammarion, s.d., [1891]).

[Tammuz, le "mage" du roman, venu à Paris pour guérir les dames de la capitale de leur lesbianisme—"ce cauchemar des nuits décadentes"—médite sur Baudelaire, grand poète de l'inversion sexuelle.]

Baudelaire m'arrête, m'inquiète, m'obsède. Ce confesseur de la décadence latine, ce prodigieux savant de ce que l'homéopathie appelle l'expérience pure, ce lyrique qui a éclairé des recoins de l'âme humaine enténébrés jusqu'à lui, ce poète catholique qui par instants fait penser à Dante, dépose contre moi l'entêté partisan de l'invincibilité des Normes. La fin grecque et la fin romaine se sont infâmement complu dans l'antiphysisme viril. La civilisation latino-chrétienne décomposée va-t-elle pourrir sous les espèces de l'antiphysisme féminin? (36-37)

(66) 1892, mars, "M.D." (M. Doris, pseudonyme de Paul Valéry?), compte rendu de *Christophe Colomb* par Léon Bloy, *Chimère*. Léon Bloy... nous apparaît le survivant de cette race catholique et suprême de Baudelaire, Barbey d'Aurevilly, Villiers de l'Isle-Adam...

(67) 1892, 17-24 mars, Henri Hignard, "Charles Baudelaire, sa vie ses œuvres, souvenirs personnels", *Le Midi hivernal* (Cannes). [Article repris en juin 1892 dans *La Revue du Lyonnais*.]
[Hignard avait connu Baudelaire en 1835 au lycée de Lyon et quatre ans plus tard à Louis-le-Grand. Article d'une certaine valeur biographique; on y trouve, publiés pour la première fois, les deux poèmes de jeunesse: "Tout à l'heure je viens d'entendre" et "Hélas, qui n'a gémi..." Hignard était devenu doyen de la Faculté des Lettres de Lyon.]
Quand on rapproche d'une si triste fin la première jeunesse de Baudelaire... on se sent saisi d'une profonde pitié; mais il s'y mêle, il faut bien le dire, une vraie colère pour le milieu néfaste où tant d'espérances de bonheur se sont changées en germe de mort... Il est trop vrai que ce goût de l'extraordinaire, du bizarre, des sentiments exceptionnels, des idées excentriques, n'a pas été moins funeste à cette gloire du poète qu'à la santé physique et morale de l'homme... La critique actuelle se montre en général sévère pour Baudelaire. Ses blasphèmes à froid, imités de Léopardi, choquent les moins croyants; et les purs lettrés lui reprochent d'avoir inauguré cette école du bizarre, qui s'épanouit aujourd'hui sous les noms d'impressionnistes, de décadents, de déliquescents... et qui finit par devenir un véritable outrage au bon sens français. Et combien d'autres raisons de déplorer la déviation d'une si belle intelligence, d'une âme naturellement noble! Baudelaire valait mieux que ses écrits, il valait mieux que sa vie. De ce côté aussi le goût du bizarre l'a perdu. A le lire, on est tenté de le croire profondément vicieux; n'a-t-il pas été surtout... un fanfaron de vices? [Citation de "Hélas, qui n'a gémi..."] A cet accent pénétrant, je crois sentir que mon pauvre ami, avant que son intelligence se troublât, a exhalé dans ces beaux vers le vrai fond de son âme. Seuls ils devraient lui survivre, seuls le faire connaître à la postérité.

(68) 1892, 20 juillet, Charles Morice, "De la critique contempo-

raine", *Le Parti national.*
C'est un poète, c'est Charles Baudelaire, qui a rendu le premier
éclatant hommage à Delacroix et à Wagner.

(69) 1892, 14 août, Maurice Barrès, " Le Tombeau du baudelairisme",
Gil Blas.
Un professeur de rhétorique, c'est bien; un ami, un aîné, un
initiateur, c'est bien mieux, et Baudelaire fut celui-là.

CHAPITRE III

1892–1902, La Statue de Baudelaire

BAUDELAIRE A TOUJOURS trouvé de fervents partisans parmi les jeunes: Verlaine et Mallarmé sous le Second Empire; Rimbaud, Laforgue, Huysmans, Barrès, Bourget vingt ans plus tard; Proust, Gide, Valéry, Claudel, Mauriac au XXᵉ siècle. Cette popularité s'est manifestée avec éclat en 1892 lorsque *La Plume*, périodique artistique et littéraire, prenant l'initiative d'une souscription pour élever une statue au poète, a sollicité la collaboration des hommes de lettres contemporains. Leurs réponses ne laissent plus de doute sur la gloire de Baudelaire. Poètes, critiques, romanciers et hommes de théâtre le saluent à l'unanimité comme inspirateur de tout ce qu'il y a de meilleur dans la littérature contemporaine. Il est sans doute assez facile d'écrire deux ou trois phrases banales à la louange d'un confrère mort depuis vingt-cinq ans, surtout lorsqu'on sait que la lettre sera publiée. Mais ces témoignages sont loin d'être banals. La phrase de Maeterlinck les résume: "Le père spirituel de notre génération." C'est l'idée qui domine les dix années comprises entre 1892 et 1902.

Ce chœur triomphal, cependant, ne s'achève pas sans quelques notes discordantes, surtout de la part de Ferdinand Brunetière (nº 10). "Ce serait un scandale, ou plutôt une espèce d'obscénité que de voir un Baudelaire en bronze... Il a corrompu la notion même de l'art... idéalisé le vice... introduit dans notre poésie française une constante préoccupation de l'ignominie." Mais *les Fleurs du mal* ne se laissaient plus attaquer avec impunité. Les réponses adressées à Brunetière étaient à tel point fougueuses qu'il s'est vu obligé de se défendre (nº 26); et, malgré son prestige universitaire et l'influence de *la Revue des Deux Mondes,* il n'a trouvé qu'une demi-douzaine d'alliés (nᵒˢ 16, 27, 33, 35, 37). L'épisode laisse une impression à la fois bouffonne et confuse. Le duel manqué entre Brunetière et Delpit est d'un comique extravagant; on se demande comment cette idée saugrenue est venue à Brunetière, comme si un échange de coups d'épée aurait pu décider du mérite littéraire de Baudelaire (nᵒˢ 38, 39, 40, 48, 53, 57, 60, 71). Et on comprend mal pourquoi, entre tant de gens qui l'attaquaient, il ait choisi Delpit, dont l'article (nº 18) est plus modéré que beaucoup d'autres. On comprend encore plus mal pourquoi Delpit, ayant défendu Baudelaire, soit lui-même attaqué par Adolphe Retté (nº 79)—à moins que l'Albert Delpit de 1892 ne soit identique au Marc-André Delpit de 1869 (*supra*, Chapitre Premier, n° 22), et dans ce cas, pourquoi Retté ne le dit-il pas?—Dans cette confusion, où l'on écrivait des réponses à des articles et des réponses à ces réponses, un seul fait reste pourtant très clair: on prenait Baudelaire fort au sérieux. La jeunesse était pour lui, et elle comptait les meilleurs écrivains de l'époque. La marée du baudelairisme montait irrésistiblement, à tel point que Brunetière lui-même devait reconnaître certaines qualités au poète—ce qu'il a fait d'assez mauvaise grâce deux ans plus tard (n° 88). On remarque une espèce de panique dans ce qu'il écrit; une exaspération qui crève les phrases comme si la plume déchirait le papier: "Mais c'est assez d'un Baudelaire! Si nous ne pouvons pas effacer son œuvre de l'histoire de la littérature, ne la glorifions pas en lui dressant des statues!"

A tout prendre, donc, ces dix années sont triomphales pour Baudelaire. Même des écrivains comme Maurras et Carrère, qui signalent ce qu'ils appellent les dangers de son œuvre, s'expriment avec réserve et comme à contre cœur (n°ˢ 139, 143, 144).

Deux influences se rencontrent chez la plupart des critiques: celle de Gautier et celle des documents inédits. On cite toujours la "Notice"; on évoque le Bas Empire, les tripots et les maisons closes de Paris; on parle de névroses, de perversité, de décadence. Et en même temps on cherche dans les *Journaux intimes* des renseignements sur l'état spirituel du poète, sur ses croyances, sur sa foi. Points de vue contradictoires, qui devaient finir par se combattre: impossible de fondre ensemble le Gongora excentrique de la "Notice" et le héros tragique de "Mon Cœur mis à nu". Mais on ne s'en rendait pas compte encore. Les critiques hostiles se scandalisent toujours du Baudelaire "décadent" et fondent leurs réquisitoires sur la "Notice", tandis que les admirateurs et les disciples suivent Gautier pas à pas à la recherche de tout ce qu'il y a de plus "faisandé" dans *les Fleurs du mal*. Baudelaire, enfin, ne se dégageait que très lentement de la gaine de décadence où Gautier l'avait enfoncé.

EXTRAITS CRITIQUES

1892—1902

(1) 1892, 15 août—1er septembre, *La Plume.*
[Annonce d'une souscription pour élever un monument à Baudelaire. Léon Deschamps, rédacteur de la revue, a adressé des lettres à la plupart des écrivains contemporains et a publié leurs réponses:] 15 août:
Mallarmé: Je ne sais culte qui égale cet extraordinaire et pur génie.
Leconte de Lisle: J'ai beaucoup aimé l'homme et j'admire infiniment le poète.
Zola: Je ne puis être que très fier de faire partie du comité.
Coppée: Heureux de manifester mon admiration pour Baudelaire.
Mendès: J'ai été l'humble ami, je suis le fervent admirateur de Charles Baudelaire.
Armand Silvestre: Je suis parmi les plus religieux admirateurs de Baudelaire.
Mirbeau: L'immortel Baudelaire ... le plus profond des poètes.
Jules Claretie: Je l'admire profondément, ce poète impeccable.
Maeterlinck: Le plus pur de nos maîtres et le père spirituel de notre génération.
Louis Ménard: J'ai été pendant quarante ans un des cinq ou six admirateurs de Beaudelaire (*sic*)."
1er septembre:
Verlaine: Baudelaire fut mon plus cher fanatisme, et est, c'est-à dire restera, l'une de mes meilleures admirations.
Huysmans: J'admire passionnément Baudelaire.

(2) 1892, 16 août, Léon Bigot, "Baudelaire", *L'Estafette.*
C'est un morbide. Mais combien admirable est sa morbidesse!

(3) 1892, 17 août, Ed. Lepelletier, "La Statue de Baudelaire", *Echo de Paris.*
L'idée est excellente ... Les harangues élogieuses ... feront justice définitive sans doute des racontars ... dont le grand poète fut toujours l'objet ... Baudelaire est l'instituteur littéraire de tous ceux tiennent une plume depuis vingt ans ... Au

fond, c'est un peu notre statue à nous tous, les Beaudelairiens [*sic*] qu'on parle d'inaugurer.

(4) 1892, 21 août, Anonyme, "Une Statue à Baudelaire", *le Petit parisien.*
Nul n'a plus le droit à une statue que l'auteur des *Fleurs du mal.*

(5) 1892, 23 août, Charles Morice, "La Semaine artistique et littéraire. Chez Rodin", *le Parti national.*
Rodin n'est pas l'artiste qui convient le mieux à l'œuvre préméditée [la statue]: c'est le seul qui lui convienne. Il aime Baudelaire... Il y a longtemps que Rodin rêve d'élever un monument à Baudelaire... [L'influence de Baudelaire est visible dans *la Porte de l'Enfer.*]

(6) 1892, 25 août, Fancy, "Notes et échos", *le Télégraphe.*
[A propos de la statue:]
Bravo! pour cette initiative!

(7) 1892, 25 août, Bernard Lazare, "Une Statue", *l'Evénement.*
Nous avons tous chéri Baudelaire comme un ancêtre et comme un éducateur.

(8) 1892, 28 août, C.-H. Hirsch, "La Statue de Baudelaire", *le Télégraphe.*
Vers celui-là sont allés tous les esprits élevés... Et c'est justice qu'enfin l'on songe à honorer sa mémoire... Il règne maintenant sur la cité conquise... C'est un "moraliste", ce poète jadis prévenu d'outrage à la morale.

(9) 1892, septembre, Anonyme, *le Courrier de Bruxelles.*
Les Fleurs du mal de l'infâme Baudelaire ne sont pas faites pour l'artiste soucieux de sa pensée, de son art et de son public.

(10) 1892, 1er septembre: F. Brunetière, "La Statue de Baudelaire", *la Revue des Deux Mondes.*
["Une Martyre" et "Femmes damnées" sont de la "littérature infâme"]... Ce serait un scandale, ou plutôt une espèce d'obscénité que de voir un Baudelaire en bronze, du haut de son

piédestal, continuer de mystifier les collégiens ... Nous nous garderons bien de disputer au poète son talent, non plus qu'aux *Fleurs du mal* leur place ... dans le mouvement de la littérature. La place est grande; l'influence n'a été, n'est encore ... que trop considérable ... [Tout en imitant certains de ses prédécesseurs—Sainte-Beuve, Gautier—Baudelaire a réalisé complètement, dans une langue plus franche et plus cynique] la poésie de l'hôpital et du mauvais lieu, pathologique ... vicieuse et profondément gangrénée ... De tous ces éléments contradictoires ... Baudelaire n'a pas moins dégagé quelque chose d'absolument original, et *les Fleurs du mal*—on peut m'en croire, si je l'avoue—n'en composent pas moins un livre unique dans la littérature française ... Là est le secret de son influence ... L'œuvre forme un anneau dans la chaîne des temps ... L'influence dure encore, et, pour la retrouver partout, il ne faut que jeter un coup d'œil sur la littérature contemporaine ... C'est ainsi que Baudelaire a certainement "ajouté des forces à la poésie française"; il en a "agrandi le répertoire"; et, s'il n'a pas inventé la poésie des odeurs, il a su du moins lui donner une place et une importance toute nouvelle—une importance légitime et une place durable—dans l'art alors tout musical, plastique ou pittoresque des Lamartine, des Hugo, des Gautier ... [L'odorat prête à la création du Rêve:] C'est ce que Baudelaire a mieux su que personne, et c'est ce qu'il a si bien exprimé dans le sonnet célèbre intitulé "Correspondances" ... Quelque évident, et facile à imiter qu'il soit, le procédé est cependant légitime ... Il y a bien dans ces vers quelque chose de légèrement ridicule, mais aussi de profondément sensuel, et en tout cas d'assez original. Le symbolisme contemporain nous est venu de là ... Et *les Fleurs du mal*, à défaut d'autre mérite ou d'autre intérêt littéraire, auraient celui de l'avoir indiqué ... Que faut-il encore que je loue en Charles Baudelaire? La profondeur ou la sincérité de son pessimisme? Très volontiers, s'il ne nous avait pas lui-même avertis qu'en "parfait comédien" il avait dû "façonner son esprit à tous les sophismes comme à toutes les corruptions" ... La générosité de son intention satirique? Ce serait ... lui prêter vraiment trop à rire ... La facture de son vers et la trame de son style? Théophile Gautier ... a tout dit à ce sujet ... [Baudelaire était au fond mystificateur, poseur et il a] volontairement corrompu la notion même de l'art . . . S'il a "ajouté quelques forces" à la poésie, nous lui devons aussi quelques tours de main . . . dont le moins fâcheux n'est pas celui qui consiste à salir ou à souiller presque tout ce que l'on touche. "Une Charogne" en est un éloquent exemple . . . On prend le thème le plus banal . . . et . . . on le "renouvelle" en le développant au moyen de métaphores ou de comparaisons tirées de tout ce que l'homme, depuis six mille ans, s'est efforcé d'écarter de sa vue. Lisez encore à cet égard "Un Voyage à Cythère" ou "L'hymne à la Beauté" . . . On peut essayer "d'idéaliser" tout ce que le vice a de plus répugnant, comme dans "les Femmes damnées", ou tout ce que, comme dans "Une Martyre", le crime a de plus dégoûtant . . . *Idéaliser* le vice . . . cela ne se compense pas . . . et le résultat le plus clair en est d'avoir introduit dans notre poésie française une constante préoccupation de l'ignominie . . . J'entends bien qu'il faut le constater; mais de l'admirer, c'est une autre affaire, et de la glorifier, c'est ce que serait monstrueux . . . [Il y a trois mauvaises théories chez Baudelaire: la théorie de la corruption, la théorie de l'artificiel, et la théorie de la décadence: il ne voyait dans l'art que] *l'artificiel*, et, par ce mot, nous dit Gautier . . . "il entendait une création d'où la nature est complètement absente" . . . Personne peut-être, de notre temps, n'a mieux plaidé la cause de l'art pour l'art ou celle de la décadence . . . [De tels morceaux que "Rêve parisien" sont complètement vides et stériles:] Pensée, sentiment, sensation même, tout y manque; ce ne sont que des formes vides; et la seule impression qu'on en garde est celle d'un vain cliquetis de mots . . . N'est-ce pas aussi bien où il faut que l'art aboutisse, quand on commence par poser en principe qu'il doit se suffir à lui-même? . . . Baudelaire . . . a voulu que l'art devînt proprement un grimoire, dont la lecture ne fût permise qu'à de rares initiés, et d'ailleurs dont les caractères cabalistiques ne cacheraient ni n'exprimeraient rien . . . Etrange conception de l'art . . . qui conduit l'artiste ou le poète non seulement à s'isoler de ses semblables, mais à s'opposer lui seul à eux tous! et que la gravité de ses conséquences condamnerait encore de fausseté, s'il n'y suffisait pas du paradoxe de son principe! Mais c'est assez d'un Baudelaire! Si nous ne pouvons pas effacer son œuvre de l'histoire de la littérature, ne la glorifions pas en lui dressant des statues! . . . Encore une fois, bien loin de vouloir

diminuer le talent de Baudelaire, il nous importe aujourd'hui
qu'il en ait eu beaucoup. Plus en effet on lui en reconnaîtra,
plus il sera coupable d'en avoir fait un détestable usage. C'est
le seul point sur lequel je voudrais voir enfin ses admirateurs
s'expliquer, et nous dire s'ils croient que, d'avoir corrompu la
notion même de l'art, ce soit un honneur à mériter des statues
... Ne proposons pas ... en exemple la débauche et l'immoralité. C'est ce que l'on ferait ... en élevant une statue à Charles
Baudelaire.

(11)   1892, 6 septembre, Georges Rodenbach, "Le Tombeau de Bau-
       delaire", *le Figaro*.
       Baudelaire est vraiment le chef de l'école mystique qui don-
       nera à la France une moisson nouvelle de poètes, il est l'initia-
       teur de toute la littérature actuelle. [Quant à Brunetière, c'est]
       plus un critique d'idées que de style ... Il parlera de tout ...
       sauf de la Beauté, qui seule importe. C'est un protestant. On
       pourrait ajouter que ce protestant est un inquisiteur. Car il est
       dogmatique ... Toute œuvre qui répudie ses doctrines, il la
       déclare hérétique ... M. Brunetière ... apparaît comme un
       Torquemada de la littérature ... Baudelaire est au seuil de la
       vieillesse du monde, un homme de décadence, encore mystique
       et catholique ... Partout [chez lui] on sent la détestation du
       mal, l'horreur des coupables plaisirs. N'est-ce pas précisément
       la moralité de son œuvre? Et comment M. Brunetière ne
       l'aperçoit-il pas? ... L'écrivain a pour mission de réaliser la
       Beauté. Tel fut l'unique souci de Baudelaire—l'art pour l'art ...
       M. Brunetière ne cherchera et ne verra que l'idée exprimée par
       les mots ... Les poètes ne demandent au poète que de s'être
       développé précisément dans le sens de ses aptitudes ... C'est
       ce que Baudelaire a fait, avec un vocabulaire personnel, des
       mots qui déjà par eux-mêmes et par leur seul groupement réa-
       lisent la Beauté ... avec une manière sobre, quintessenciée,
       une invention magnifique d'images—et nulle concession au
       sentimentalisme, à l'éloquence, aux lieux communs de l'huma-
       nité. C'est vraiment de l'art pour l'art; de l'art pour les artistes.
       M. Brunetière appelle cela corrompre la notion même de l'art
       ... Baudelaire ... a eu l'audace ... au seuil d'une société que
       la démocratie, l'américanisme, l'argent allaient décidément
       vicier, d'entraîner l'art—qui n'est pas fait pour tous—sur la

Montagne où une élite en entretiendrait le culte divin.

(12)   1892, 10 septembre, J. Lacoste, "Notes contemporaines, *les Fleurs du mal*", *la Gazette de France*.

Ses vers vous dégoûtent, et vous vous plaignez qu'ils sentent mauvais... Cela prouve simplement que Baudelaire est un grand artiste.

(13)   1892, 12 septembre, Henry Bauer, "Les Grands Guignols", *l'Echo de Paris*.

Entre tous les poètes portés dans la mémoire de mes contemporains... Baudelaire est celui dont nous ne nous lassons pas. Les progrès de l'âge nous détournent d'amours et d'enthousiasmes qui ne concordent plus avec la fatigue de nos sentiments. Nous ne nous laissons plus emporter au magnifique torrent lyrique d'Hugo... De même la noble et pure inspiration de Lamartine... ne rafraîchit plus nos fronts brûlants. Notre cœur ne bat plus aux passages élus des *Nuits* de Musset ... Mais... *les Fleurs du mal* ne nous quittent point. Nous nous reposons sur la forme marmoréenne de ces vers... nous y éprouvons le néant de la volupté, la navrante monotonie des jouissances, le farouche ennui des âmes désordonnées. Certains mots nous pénètrent d'extase par le son, la couleur et l'odeur, par leur sens mystérieux et cabalistique, vibrations d'orgues infinies, pourpre du soleil couchant, ciel fumeux des nuits sans étoiles, senteurs fauves, puissants arômes des forêts tropicales, sonorités de syllabes éveillant un écho ignoré. Enfin cette poésie correspond à un état d'âme, un mode de la pensée, un ordre d'inquiétude physique, un tourment de complication morale qui sont nôtres. [Ereintement de *la Revue des Deux Mondes* (autrefois centre du mouvement romantique, maintenant porte-parole de l'Ecole Normale) et de Brunetière, "le gardien de ses rancunes", un Pharisien, un pédant, etc.]

(14)   1892, 13 septembre, Gustave Geoffroy, "Le Tombeau de Baudelaire", *Le Gaulois*.

L'existence d'esprit de Baudelaire a été commandée par un fait... qui a, sinon engendré, du moins donné une formule de réalité à sa rêverie et à son art, c'est... le voyage qu'il fit à vingt ans. [De là, son exotisme:] Tout son art est là... Qui

peut se vanter, à une certaine heure de la vie, sinon d'avoir
échappé à cette séduction du malheur, du moins, de n'avoir pas
été troublé par cette voix où sonne l'ironie, où pleure le désespoir? Il faut un effort de volonté ... pour échapper à ce magicien pourvu de phrases ensorcelantes, de philtres énervants, à
ce poète morbide qui peut communiquer la contagion de sa
pensée... Il faut avoir la perception complète du génie et du
malheur de Baudelaire pour savoir lui résister, pour lui opposer
une réfutation par l'acceptation du réel, la rêverie désintéressée
de l'esprit... La souffrance d'exister qu'il représente, son
ardeur incertaine vers la consolation des paradis artificiels [le
rendent digne d'une statue] ... Comme la lecture des *Fleurs
du mal,* la contemplation du monument futur perpétuera une
des plus sincères et des plus nobles douleurs humaines.

(15) 1892, 13 septembre, Charles Morice, "L'opinion de M. Brunetière", *le Parti national.*
[Morice s'étonne que Brunetière ait blâmé "Une Charogne":]
Est-ce l'admirateur sincère de Bossuet et de Pascal qui a de ces
fausses délicatesses?... [Comparaisons entre la pensée et le
style de Bossuet, de Pascal et de Baudelaire:] On éprouve une
tristesse réelle à se dépenser en de telles redites—nécessaires,
paraît-il, puisqu'un homme comme M. Brunetière les a oubliées.

(16) 1892, 13 septembre, Gonzague-Privat, "Chronique de Paris",
l'Evénement.
Ce n'est pas M. Brunetière qui refuse une statue à Baudelaire,
c'est le bon sens français ... Baudelaire fut un merveilleux
sertisseur de rimes ... Mais sur quelles marges a-t-il étendu son
domaine! Le titre seul des *Fleurs du mal* en dit plus sur les
intentions de Baudelaire que tout commentaire de son œuvre...
Baudelaire n'était pas sincère.

(17) 1892, 15 septembre, Léon Deschamps, Note du directeur, *La
Plume.*
[*La Plume*] envoie ses remerciements motivés à MM. Brune-
tière (*Revue des Deux Mondes*) et Jean Lacoste (*Gazette de
France*) pour les chaudes sympathies que lui ont valu leurs
fielleux articles.

(18) 1892, 15 septembre, Albert Delpit, "Opinions, Impressions de retour", *l'Eclair*.

[A propos de "l'inqualifiable attaque de M. Brunetière":] C'est un lettré trop délicat pour ne pas admirer Baudelaire autant que nous l'admirons tous. Il sait parfaitement à quoi s'en tenir sur l'influence considérable qu'il exerce sur la jeune école. Alors, pourquoi cet éreintement formidable? Pourquoi? Je vais vous révéler un grand secret. M. Brunetière a *exécuté* le grand poète uniquement parce que celui-ci n'a écrit que fort peu à *la Revue des Deux Mondes*.

(19) 1892, 15 septembre, Ubald Lacaze, "Revue de la presse", *Gil Blas*.

Baudelaire voit de sa tombe se lever pour lui tous les artistes.

(20) 1892, 15 septembre, Saint-Antoine, "Variétés: Petites nouvelles", *l'Ermitage*.

M. Brunetière n'aimait ni ne comprenait pas Baudelaire ... Mais il s'efforce de le comprendre, ce qui est louable.

(21) 1892, 16 septembre, Paul Girard, "Chronique du jour", *le Charivari*.

On a ouvert une souscription pour le monument de Baudelaire ... L'hommage retarde. Cependant, Manet n'étant pas encore doté d'un socle, Baudelaire doit s'honorer d'attendre.

(22) 1892, 16 septembre, Bernard Lazare, "Le mouvement littéraire: M. Brunetière", *l'Evénement*.

D'Aurevilly, Baudelaire, Villiers de l'Isle-Adam, bien d'autres sont passés près de lui; il n'a pu les entendre, parce qu'ils ne parlaient pas la même langue; on ne peut dire qu'il les méconnaisse: il ne les connaît pas.

(23) 1892, 17 septembre, "Raitif de la Bretonne" (Jean Lorrain), *l'Echo de Paris*.

(Réponse cinglante à Brunetière, qui, sous le nom de "Trissotin", est traité de "rétrograde", d'"ennuyeux par vocation".)

(24) 1892, 18 septembre, Raoul Ponchon, "Gazette rimée. Le Centaure de la rue d'Ulm", *le Courrier français*.

[28 quatrains sur Brunetière]

Le Centaure est fort en colère,
Songez donc, on veut élever
Une statue à Baudelaire!
Il n'en peut plus, il va crever.

(25) 1892, 20 septembre, Arsène Alexandre, "L'émoi de M. Brunetière", *Paris*.
Il faut donc, non pas défendre Baudelaire, ce qui serait aussi naïf que de l'attaquer, mais s'amuser un peu de ceux qui l'attaquent encore.

(26) 1892, 20 septembre, F. Brunetière, "Quelques Baudelairiens", *le Figaro*.
[Réponse à Bauer, Lorrain, Rodenbach, etc.: article tout frémissant d'une colère mal contenue.]
Oui ou non—l'une des principales nouveautés de Baudelaire, n'a-t-elle consisté qu'à dégrader, au moyen de mots bas, des idées d'ailleurs souvent banales? Relisez là-dessus: "Une Charogne". Oui ou non—la doctrine de l'art pour l'art... est-elle illusoire, perverse, dangereuse? Oui ou non—l'individualisme désordonné, l'égoïsme morbide, l'adoration pathologique de soi-même, dont Baudelaire demeure le principal représentant, sont-ils coupables, antisociaux et antihumains?

(27) 1892, 21 septembre, H. Henriot, "Chronique du jour", *Charivari*.
On fait bien de se servir du marbre pour conserver le souvenir d'hommes ou de poètes que les générations prochaines ne connaîtraient pas du tout. Les amis de Baudelaire deviennent rares.

(28) 1892, 22 septembre, Charles Formentin, "La Statue de Baudelaire", *l'Echo de Paris*.
... Projet simple et naturel.

(29) 1892, 23-24 septembre, Sosie, "Echos", *Paris*.
M. Brunetière... invoque une autre fois la "Charogne" comme si de toute l'œuvre de Baudelaire il n'avait lu que cette pièce-là ... M. Brunetière ferait bien mieux de dire qu'il ne sent pas l'humanité de Baudelaire. Alors on pourrait l'entendre et on l'excuserait. On excuse toutes les infirmités.

(30) 1892, 24 septembre, Anonyme (Nain Jaune), "Echos", *l'Echo de Paris*.

La diatribe de M. Brunetière—dit Fleur du Bien—contre l'auteur
des *Fleurs du mal* n'est pas pour nous surprendre. Il était, en
effet, dans la destinée de Baudelaire d'être honni par tout ce qui
touche à l'Académie ou aspire à y toucher . . .

(31)   1892, 24 septembre, "Graindorge" (H. Taine?), "Pour Baudelaire ou la critique littérature en 1892", *Echo de Paris*.
[Dialogue entre deux critiques, pour et contre Baudelaire; la
discussion tourne sur le premier quatrain de "Une Charogne".]

(32)   1892, 25 septembre, Paul Adam, "M. Brunetière logicien", *Gil
Blas*.
[Réponse au n° 26; reprise, quelque peu adoucie, dans *Le
Triomphe des médiocres*, Ollendorff, 1898.]
Voulant morigéner les gens, [Brunetière] donna le spectacle
d'une fureur qui mordrait aveuglément les loques à sa portée,
croyant meurtrir la chair. On dirait l'indignation d'un écolier
soumis aux huées de ses condisciples . . . Baudelaire fut le
premier dans le siècle, et peut-être dans tout le monde moderne, qui conçut et traduisit sous des symboles saisissants le
dogme fort ancien, mais oublié, de l'identité des contrastes.
L'idée maîtresse de l'œuvre baudelairienne mène sans cesse à
la contemplation de la mort et de l'amour accouplés. Elle
engage le lecteur à concevoir dans son immensité terrifiante
le rythme qui guide les transformations de l'être à travers le
poudroiement des mondes. Ainsi que Flaubert, mais avec
beaucoup moins de génie, Baudelaire a introduit dans la
pensée contemporaine le mode le plus spacieux . . . de sensation . . . La poésie de Baudelaire vulgarise le dogme de
l'identité des contraires . . . Baudelaire fut le chambellan de
l'Inconnaissable, de l'Indicible . . . [de] tout ce qui se perçoit
de subtil et d'inexprimable sous les sensations excessives . . .
Toute la tentation de l'Au Delà qui attire l'homme et le penche
vers Ailleurs, Baudelaire l'a révélée. Nous lui devons de connaître le seuil des autres vies. Voilà par où il enchanta les
recherches de notre jeunesse . . . Le fond de toute la mauvaise
humeur [de Brunetière] tient à l'ennui qu'il a de ne pouvoir
vanter Baudelaire devant la clientèle de sa revue . . . Les trois
quarts des volumes qui paraissent à présent vivent sur les
idées promues au jour par Baudelaire, et immiscent dans le

monde l'âme immortelle du poète... Baudelaire l'un des premiers a décelé tout son être. Il l'a étendu sur la table l'anatomie; et, devant nous, a levé la chair, mis à nu le jeu des muscles, des fibres, le battement des vésicules. Les contemplateurs de soi accomplissent tous des besognes d'anatomistes ... C'est de la médecine psychique dont ils ouvrent des cours publics... Les anatomistes psychologistes veulent le culte de la douleur comme le seul stimulant de la volonté, Baudelaire d'abord.

(33) 1892, 25 septembre, G. Jollivet, "La bataille autour de Baudelaire", *Le Gaulois.*
Je suis bien assuré que beaucoup de nos lecteurs catholiques protesteraient contre l'hommage médité... Si on fait sa statue, on devrait le représenter en fumiste.

(34) 1892, 25 septembre, Sosie, "Echos", *Paris.*
[A propos du n° 33.]
A son tour M. Gaston Jollivet nous fait connaître son avis sur Baudelaire. Il y met un certain courage, car il se range du côté de M. Brunetière. Comme jugement littéraire c'est évidemment un peu mince.

(35) 1892, 26 septembre, Anatole Cerfbeer, "La Statue de Frédéric Soulié", *l'Evénement.*
[Baudelaire] était un maladif eunuque des lettres, fumiste pénible et vain!

(36) 1892, 26 septembre, Sosie, "Echos", *Paris.*
[A propos du n° 35.]
Hé quoi! Eunuque, celui dont V. Hugo... a dit qu'il avait doté l'art d'un *frisson nouveau?* Et puis, qu'est-ce qu'ils ont tous à l'appeler fumiste? Est-ce à l'homme ou au poète qu'ils en veulent?

(37) 1892, 26 septembre, Ed. Drumont, "Une querelle littéraire", *La Libre parole.*
Elever une statue à Baudelaire était à coup sûr l'idée la plus saugrenue qui se puisse concevoir. [Une statue devrait honorer] un homme qui a vécu de la vie collective de son siècle

... Baudelaire fut un type d'excentrique à froid qui vaut la peine d'être étudié par les lettrés.

(38) 1892, 26 sepembre, Anonyme, "Echos. A travers Paris", *le Figaro*.

Le différent A. Delpit–F. Brunetière a failli avoir son dénouement sur le terrain. [On s'était envoyé des témoins, mais on a fini par consulter un arbitre, M. Edouard Lockroy, qui] a considéré que la querelle n'était pas sortie des limites d'une discussion purement littéraire et a décidé qu'il n'y avait pas matière à rencontre.

(39) 1892, 27 septembre, Anonyme, "Un arbitrage littéraire", *le Gaulois*.

[Le duel manqué entre Brunetière et Delpit. M. Lockroy a décidé:] (1) Le fait d'élever une statue ne peut être considéré comme un outrage par une tierce personne que dans des cas tout à fait exceptionnels; (2) tel n'est pas le cas présent; (3) une statue de Baudelaire ne fera aucun tort à M. Brunetière; (4) M. Delpit n'a rien à gagner à ce qu'on élève une statue à Baudelaire; (5) on a élevé des statues à une foule de gens sans combats singuliers; (6) donc, il n'y a pas lieu à rencontre entre MM. Delpit et Brunetière.

(40) 1892, 27 septembre, Anonyme, "Au jour le jour. Le monument de Baudelaire", *le Temps*.

[Encore le duel manqué entre Brunetière et Delpit.]

(41) 1892, 27 septembre, Paul Foucher, "L'Elève Baudelaire", *Gil Blas*.

[Persiflage amusant de Brunetière, représenté en maître d'école courroucé, dans "un cabinet de travail nu et désolé" de la *Revue des Deux Mondes*, en train de "corriger" Baudelaire.] Donc, Monsieur, l'on parle... de vous élever une statue... Une statue! Est-ce un sujet pourquoi vous fassiez sonner vos mérites? Une statue rendra-t-elle moins haïssable la rare immoralité de votre œuvre?... Vous dégradez, et c'est là votre unique fort, au moyen de mots sales et bas, des idées d'ailleurs souvent banales... Si l'on me demande:

— Avez-vous lu le *Cygne*?

Je réponds:

— J'ai lu la *Charogne*...

— Avez-vous lu les *Sept vieillards?*...

— Vous voulez parler de la *Charogne!* C'est immonde!...

— Avez-vous lu les *Aveugles*, le *Jeu*, le *Crépuscule du matin*, tous les tableaux parisiens?...

— Sale *Charogne!* Basse *Charogne!* Dégradante *Charogne!* Par cette *Charogne*, jugez du reste!

(42) 1892, 28 septembre, Louis de Meurville, "La Statue de Beaudelaire [*sic, passim*]", *la Gazette de France*.

... Nier [comme Brunetière] le talent de Beaudelaire, c'est nier l'évidence... Beaudelaire est, à n'en pas douter, le parrain littéraire de M. Richepin, de P. Verlaine et de toute l'école des poètes réalistes... Il a été, comme poète, ce que Manet a été comme peintre, ce que M. Zola a été comme prosateur, ce que Danton a été comme politique... "L'Humanité" de Beaudelaire est faite précisément de cet écœurement que donne l'incrédulité ou la désillusion. C'est une humanité qui peut nous déplaire; ce n'en est pas moins une, et Beaudelaire a éprouvé comme un vertige de folie, avec une lueur de génie, dans cette chute épouvantable.

(43) 1892, 28 septembre, Paul Royer, "La Statue de Baudelaire", *Gil Blas*.

Ainsi, en dépit de Brunetière, tout seul de son avis, Baudelaire aura sa statue, et ce sera justice.

(44) 1892, 28 septembre, Sosie, "Echos", *Paris*.

[Sosie a reçu une lettre de Cerfbeer, *supra*, nº 35:] "Vous invoquez le grand nom de Victor Hugo, et vous lui faites dire que Baudelaire *dota la poésie d'un frisson nouveau*. Mais la phrase me semble être de Gautier le préfacier (magnifique, lui) du Dieu actuel du décadentisme, de l'impassibilisme, du Pessimisme, du morbidisme et de tous les ismes possibles..."... Erreur! C'est bien Victor Hugo.

(45) 1892, 29 septembre, Sosie, "Echos", *Paris*.

[Cite des quatrains par Henri Second du *Charivari*:]

Môssieu Cerfbeer, va-t'-fair'... lanlaire.

Si tu crois qu'on va t'écouter:

Tu peux n'pas "goûter" Baudelaire,
Mais faut pas nous en dégoûter!

(46) 1892, 29 septembre, Boyer d'Agen, "Baudelaire à la Revue des
Deux Mondes", *le Figaro*.
[Jeunesse de l'auteur à Paris vers 1865; en y arrivant, il fit la
connaissance de Blaze de Bury, qui lui raconta diverses anecdotes sur Baudelaire et lui recommanda *les Fleurs du mal*:] Je
les achetai, les lus . . . et quand Paris, se découvrant à mes yeux,
dans toute sa splendeur et toute sa misère, servit de décor noir
et doré à ces poèmes étranges, je les sentis enfin et les aimai . . .
La confession de tous les jeunes hommes de mon âge.

(47) 1892, 29 septembre, Léon Bloy, "Le Chien et le flacon", *Gil
Blas*.
[Réponse à Ed. Drumont, *supra*, n° 37:]
Une jolie blague, d'ailleurs, le jugement de la Postérité. J'espère
bien, quant à moi, que . . . la Foule si chère à tous les Drumonts
continuera d'ignorer l'artiste miraculeux des *Fleurs du mal*.

(48) 1892, 29 septembre, Gaston Deschamps, "L'Affaire Baudelaire",
Journal des débats.
Il faut en parler, car elle prend des proportions incroyables et
menace de ne pas finir. [L'article de Brunetière est] un des plus
francs et des plus courageux qu'il ait jamais écrits . . . Que
devons-nous à Baudelaire? Nous le lisions au collège, en ca-
chette . . . On ne saura jamais tout le mal qu'a fait aux générations
nouvelles ce talent infernal et maudit . . . M. Brunetière a pris le
bon parti [contre Barrès, Rodenbach, Bauer et A. Delpit.]

(49) 1892, 29 septembre, Anonyme (Chorner?), "Baudelaire et les
Belges. Lettres inédites", *Echo de Paris*.
A l'heure où le suggestif et profond poète des *Fleurs du mal* est
l'objet de polémiques enthousiastes généralement et par endroits
discourtoises et sottes on ne lira pas sans curiosité quelques
lettres inédites tombées par hasard entre mes mains. [Lettres de
Baudelaire à Poulet-Malassis, Ancelle, Manet, etc.]

(50) 1892, 29 septembre, Henri Fouquier ("Nestor"), "La Statue de
Baudelaire", *Echo de Paris*.

[Persiflage de Brunetière et de Buloz, de *la Revue des Deux Mondes*, "l'oracle de Valparaiso et de Santiago du Chili".]
L'essentiel, à mon gré, est que la statue élevée à l'auteur des *Fleurs du mal* reste une affaire d'une certaine intimité entre poètes, lettrés et raffinés. L'erreur serait de vouloir imposer à la foule l'admiration et la vénération de son talent. Avec raison, la foule ne veut admirer que les génies utiles... et ignore les exceptionnels. Baudelaire en fut et en restera un. Corrumpu intellectuellement, il a, dans une langue fort belle... combiné l'érotisme et la mysticité... Même sans connaître sa vie, on sent aisément dans son œuvre ce qu'il y avait de factice tout à la fois dans sa dépravation et dans sa piété... S'il y a quatre ou cinq cents vers de lui—peut-être j'exagère le chiffre?—qui sont d'une admirable venue, il faut mettre à son passif quatre ou cinq mille vers exécrables de ses imitateurs.

(51) 1892, 3 septembre, Anonyme ("Pique-Nique"), "Menus propos, Baudelaire Assassin!" *le Voltaire.*
Anecdote amusante et très vraie qui va mettre en joie le petit cœur endolori de M. Ferdinand Brunetière... [Suit l'anecdote, sans grand intérêt.]

(52) 1892, 30 septembre, Paul Brûlat, "Une Statue à Baudelaire. Chez M. Leconte de Lisle", *le Journal.*
[Compte rendu d'une conversation avec Leconte de Lisle, qui venait d'accepter la présidence du comité pour la statue. Tout en désapprouvant la colère de Brunetière, Leconte de Lisle pense que Baudelaire ne devrait pas avoir de statue:]
"Quel titre Baudelaire pourrait-il avoir à la reconnaissance de l'humanité, lui qui fut, avant tout, un excentrique, un original, une *exception*, et qui, dans sa manie de ne vouloir ressembler à personne, se *baroqua* la cervelle au point d'en tomber malade?
... Baudelaire n'est pas poète. Pour être poète, il faut sentir, il faut penser en vers. Lui, commençait par traduire sa pensée en prose. C'était son procédé de travail..."

(53) 1892, 30 septembre, T. (T. Lefebvre?), "L'Art et la morale", *l'Estafette.*
[A propos de la statue:]
Le projet était hardi, au moment où tout le monde constate que l'art se détourne résolument du naturalisme et cherche d'autres

dieux... Baudelaire fit de l'art pour l'art, n'ayant nul souci d'une pensée générale, et seulement épris des beautés de la forme... Il faut dissimuler la bonne part [de son œuvre] au fond des bibliothèques... [Son œuvre] est ainsi restreinte à la curiosité d'un petit monde de lettres et tiendra peu de place dans l'histoire de la littérature contemporaine... On croira que M. Brunetière avait raison. L'œuvre de Baudelaire est anti-sociale. La foule ne respecte pas... les contempteurs de la décence publique. M. Brunetière a eu l'honneur de le dire. Il faut l'en louer.

(54)   1892, octobre, Anonyme, "Notes et notules: la Statue de Baudelaire", *Entretiens politiques et littéraires.*
Rappelez-vous l'objet que nous vîmes, mon âme,
Aux beaux mois de septembre et d'août:
Baudelaire exhumé, couronné de réclame,
Et sur un piédestal debout!

(55)   1892, octobre, Anonyme, "Questions du jour", *la Jeune Belgique.*
[Article contre Brunetière, le "barbarole de *la Revue des Deux Mondes*", et Drumont, *supra*, n° 37, "le Bouf-bouf des Juifs", à cause de leurs articles sur Baudelaire.]

(56)   1892, 1er octobre, Louis d'Eristal, "La Décadence littéraire", *La Plume.*
Ce n'est pas une époque de décadence que nous traversons, mais plutôt de renaissance littéraire... Baudelaire, par ses 'Fleurs du mal', écloses dans un cœur pessimiste et lassé de vivre, a conduit notre génération à la misanthropie mais au dégoût du mal. Ses vers ont un charme malsain de philtre pervers; ils grisent comme l'opium et dévastent le 'moi' dans ses profondeurs les plus intimes.

(57)   1892, 1er octobre, F. Lhomme, "La Statue de Baudelaire", *L'Art.*
Je demande qu'on [dresse la statue] au débouché d'un égoût ou à la porte d'un charnier.

(58)   1892, 1er octobre, Georges Montorgueil, "Chronique de Partout. Sur une tombe", *Paris.*

[S'étonne des paroles prêtées à Leconte de Lisle par P. Brûlat —*supra*, nᵒ 52—qui a dû mal comprendre.]

(59) 1892, 1ᵉʳ octobre, Adolphe Retté, "Lettre à M. Ferdinand Brunetière", *La Plume*.
[Retté proteste contre l'article de *la Revue des Deux Mondes*, *supra*, nᵒ 10, et propose un débat.]

(60) 1892, octobre, Maurice Talmeyr, "La Statue de Baudelaire", *la Revue hebdomadaire*.
Le génie de Baudelaire est d'avoir exprimé le premier la poésie intime d'une aristocratie cérébrale où se quintessencient toutes les subtilités, tous les rêves et toutes les mélancolies fatiguées d'une humanité fin de race ... M. Brunetière m'a paru digne. Baudelaire n'est pas fait pour lui, il n'est pas fait pour Baudelaire; ils ne sont pas faits l'un pour l'autre, et M. Brunetière le sent, et M. Brunetière le dit.

(61) 1892, 2 octobre, René Brancour, "Baudelaire ému", *le Voltaire*.
Je voudrais montrer que l'apparence souvent ironique, cruelle même de son œuvre, cache la mélancolie la plus intense, la plus sentie ... En dépit de sa surface railleuse, il aime profondément l'humanité ... Le grand poète n'est pas, à vrai dire, un pessimiste, encore moins un matérialiste ... Il est et se proclame un spiritualiste.

(62) 1892, 2 octobre, Anatole France, "La Statue de Baudelaire", *le Temps*. (Repris dans *La Vie littéraire, Cinquième série*, Calmann-Lévy.)
On n'est pas surpris de voir [Brunetière] défendre la morale et y soumettre la littérature ... Pourtant, je ne vois pas bien ce qu'il reproche, en cette matière, à l'auteur des *Fleurs du mal*. Sans prétendre trouver dans ces poèmes un corps de doctrine et vouloir en extraire une éthique, on peut y suivre des tendances, y deviner un sentiment. Or, ce sentiment est chrétien, ces tendances sont rigoureusement catholiques, et le poète s'y fait volontiers théologien ... [Comparaison entre Villon, Bossuet et Baudelaire.] Il n'est point excessif de dire que Baudelaire fut ... le dernier en date des poètes spirituels ... Une croyance intime et profonde du péché originel est le fondement

de cette inspiration que le mal emplit tout entière et qui ne
conçoit pas le salut et le rachat que dans la douleur ... Il faut
que M. Brunetière soit peu chrétien pour n'avoir aucun soupçon
de ces vérités ... Encore serais-je en droit de lui reprocher de
méconnaître en Baudelaire la morale de Bossuet mise en vers
classiques par un disciple de Boileau ... Je fais paraître que
Baudelaire était chrétien et que sa morale est celle des docteurs.
Je n'irai pas jusqu'à le faire bon chrétien, et j'accorderai à mon
adversaire que ce poète mit à peindre le vice une complaisance
qui passe les besoins de l'édification, qu'il goûta à l'excès les
délices du péché et qu'il laissa percer une joie diabolique à
découvrir des crimes rares et des impuretés singulières. Baudelaire n'est pas un de ces esprits unis, limpides, transparents,
qui rassurent. Il a des dessous inquiétants, je n'ai pas dit que
ce fut une âme apostolique. Et je veux bien qu'il se trouve de
l'immoralité dans sa morale ... La poésie de Baudelaire n'est
pas plus immorale qu'une autre. Mais elle n'est point faite
pour les âmes jeunes et simples, pour le public, pour le grand
jour et le grand air. Elle est secrète et veut des connaisseurs
savants et délicats pour la goûter dans une chambre close.

(63) 1892, 2 octobre, Remy de Gourmont, "La Question Baudelaire",
le Journal.

Comme beaucoup de poètes, comme ... François Villon, Baudelaire mena une assez triste vie de pose et de mensonges; son
génie était insuffisant à lui procurer la gloire et la fortune, ni
ses vers n'étaient lus, ni sa prose estimée, il souhaita d'attirer
quand même sur lui l'attention des sots et il se fabriqua lui-
même une légende: passer pour un exquis criminel accompli,
pour un sadique méconnu ... Il n'y réussit que trop bien
[Brunetière est le *seul* à dire non au projet d'une statue, mais
Baudelaire, après tout, n'est pas un poète à qui on dédie des
statues—comme on les dédie à Béranger, par exemple:] Il n'est
pas un poète de grand soleil, un poète de vers d'une incomparable perfection plastique, les rêves qu'il dévoile, les formes
qu'il évoque et dont il souligne, d'un doigt sarcastique, la
morbide ou la violente nudité ... tout cela ... se présente
selon une originalité tellement spéciale qu'il faut vraiment pour
les comprendre ... être doué d'une âme et d'une moelle bau-
delairiennes ... "Aimons nos poètes secrètement et en ca-

chette"... Voilà ce que je voulais dire depuis le commencement de cet article... Baudelaire est le mâle qui a engrossé la Poésie actuelle; c'est la sémence des *Fleurs du mal* qui a gravidé tous les ventres où il y a quelque chose dedans... Ce monument sera... un monument de reconnaissance.

(64) 1892, 2 octobre, Sosie, "Echos", *Paris*.
[A propos du n° 62:]
Quand on veut de lucides jugements littéraires, il faut les demander à M. A. France... [Il] malmène [Brunetière] avec une fine et très élégante ironie.

(65) 1892, 3 octobre, Sosie, "Echos", *Paris*.
Baudelaire fut un vrai poète et ceux qui pensent qu'une belle chose est une "joie éternelle", ne croient pas encourager la débauche en souscrivant pour son monument.

(66) 1892, 3 octobre, G. Bernard-Kohler, "Chronique: Mauvaise foi littéraire", *l'Estafette*.
Ce n'est pas Baudelaire l'artiste, mais l'homme contre lequel Brunetière s'est acharné. Moi, qui ne partage pas toutes ses opinions sur Baudelaire, mais qui les comprends, j'aurais également désiré que l'on se dispensât d'aller mettre un peu de réclame pour les vivants près d'une tombe à laquelle l'admiration de certains assurait suffisamment l'immortalité.

(67) 1892, 3 octobre, André Theuriet, "La Vie littéraire, Charles Baudelaire", *le Journal*.
[Ereintement de *la Revue des Deux Mondes* à cause des articles de Brunetière.]

(68) 1892, 5 octobre, Arsène Houssaye, "Baudelaire", *le Gaulois*.
[La statue de Baudelaire ne devrait pas être placée dans le cimetière du Montparnasse, mais sur un carrefour: si on va la mettre à Montparnasse, pourquoi tant de bruit?] Baudelaire fut un virtuose... Baudelaire eut ses heures de grandes poésies, mais il eut trop la fureur du moi et l'idéal de l'étrange. Il voulait refaire l'âme humaine en refaisant la langue française. Il côtoya l'abîme et l'absolu et il y tomba. Il a toujours eu le vertige de l'originalité... Baudelaire... fut surtout un poète

... un des ces chercheurs d'impossible qui abordent à un nouveau monde, où ils cueillent des fruits ... qui nul n'a cueillis jusque là. Il faut donc le saluer pour avoir fait des trouvailles inattendues et pour avoir chanté des airs nouveaux. [Visite de Baudelaire et de Privat d'Anglemont chez Houssaye pour lui prier de publier sous le nom de Privat des poésies dont Baudelaire ne se souciait plus; "la douceur et la bonté" de Baudelaire. L'article, anecdotique et bavard, est bourré d'erreurs et de racontars douteux.]

(69)   1892, 15 octobre, Adolphe Retté, "Pour Baudelaire", *L'Ermitage.*
[Visite au tombeau de Baudelaire, qui est en état de désolation. Mais après les articles de Brunetière et de Delpit, Retté croit qu'il vaut mieux ne pas élever une statue. On pourra plus tard dédier un volume de vers à Baudelaire.]

(70)   1892, 15 octobre, Emile Zola, "Lettre à Léon Deschamps", *La Plume.*
[Zola nie avoir inspiré les articles en faveur de Baudelaire pour nuire à la candidature académique de Brunetière.]

(71)   1892, 20 octobre, A. Claveau, "Baudelaire", *Le Soleil.*
Je n'aurais jamais cru que Baudelaire pût à ce point exciter les passions. Il y a des mystificateurs qui ont de la veine. On l'a pris au sérieux de son vivant; on continue à le prendre au sérieux après sa mort. On va lui élever une statue. Le monde ... appartient naturellement aux fumistes ... Baudelaire est surtout un faiseur de tours littéraires, un avaleur d'étoupes poétiques, un satanique de foire qui se pince pour se faire hurler ... Même à cette heure, malgré cette renommée artificielle ... qu'une certaine école s'efforce de faire à Baudelaire, beaucoup d'hommes de talent et de goût, la grande majorité des écrivains sérieux [ne l'aiment pas: mais ils ont peur des "fanatiques" de Baudelaire] ... Je trouve pour ma part que si, pour avoir droit à une statue, il faut avoir fait preuve de génie, cette statue, élevée à Baudelaire, est un défi au bon sens [parce que Baudelaire, que Claveau a rencontré une fois et qui lui a paru un "farceur", était aussi un mystificateur.] ... *Les Fleurs du mal* avaient toujours produit sur moi l'impression

d'un livre raté. Je viens de les relire avec soin ... et je déclare, sur mon âme et conscience, que cette soi-disant poésie est très inférieure à celle de M. Maurice Rollinat ... Des idées neuves, originales, j'en cherche en vain chez Baudelaire. Je ne vois rien dans son recueil que des *fleurs du mal*, des visions malsaines, des rêveries dites sataniques mais ... puériles, et ... une certaine couleur ou odeur de pessimisme ... un matérialisme nauséabond ... Baudelaire aime—ou feint d'aimer— l'ordure, la corruption, la décomposition physique et morale [par exemple, "Une Charogne"] ... Dans *les Fleurs du mal*, on ne me citera pas une seule pièce—vous m'entendez bien, une seule —dont l'exécution ne soit d'une désespérante faiblesse. Incertitude de la pensée, mollesse de la composition, monotonie du rythme, impropriété du style, pauvreté de la rime ... voilà pour la forme ... Nul poète n'a jamais été moins sûr de son vers, moins maître de sa forme que Baudelaire ... Cela crève les yeux.

(72) 1892, 21 octobre, Paul Girard, "Chronique du jour", *le Charivari*.
[Girard critique la Société des gens de lettres qui a voté de l'argent pour des monuments à Cladel, Baudelaire et Anatole de la Forge.]

(73) 1892, 27 octobre, Anonyme, "Faux billets", *le Charivari*.
[Lettre ironique d'un "académicien", qui s'excuse auprès de Brunetière de lui avoir conseillé d'attaquer Baudelaire pour être élu à l'Académie française:]
Il fallait, quand on s'attaquait à une mémoire, être le plus fort. Si l'on ne tue pas le mort, c'est lui que vous tue. Ainsi il est advenu, mon ami ... vous n'avez plus aucune chance d'être élu. Feu Baudelaire vous a tombé.

(74) 1892, 1er novembre, Anonyme, "Echos littéraires", *La Marseillaise*.
M. Brunetière, ayant émis le ridicule jugement que M. Zola devait, pour nuire à la candidature académique dudit pédant, diriger *la campagne de presse en faveur de Baudelaire*, l'auteur de *la Débâcle* écrit au directeur de *la Plume* [cite la lettre de Zola, *supra*, n° 70.]

(75) 1892, 1ᵉʳ novembre, Léon Cladel, "Cladel et Baudelaire", *La Plume.*
[Compte rendu ému de la première rencontre de Cladel avec Baudelaire. Pour Cladel, Baudelaire était "l'artiste généreux", le "moniteur" qui l'aidait de ses conseils.]

(76) 1892, 1ᵉʳ novembre, Léon Deschamps, "La Quinzaine", *La Plume.*
Incontestablement, Charles Baudelaire est le père intellectuel de la littérature présente. Son spiritualisme un peu maladif, son mysticisme consolateur, son constant souci de la forme, du mot rare et précis, de la musique des phrases se retrouvent avec plus de sincérité dans l'expression des sentiments éprouvés chez les poètes de ces dix dernières années. Verlaine . . . rompit nettement avec la forme parnassienne . . . pour se rallier au . . . baudelairisme . . . Les sentiments généraux disparurent pour faire place à la sensation particulière, synthétique d'un état d'âme . . . L'influence de Baudelaire a donc été féconde . . . elle orienta les esprits vers des vergers inexplorés . . . Aujourd'hui ces vergers ont donné tout ce dont ils étaient capables . . . Il faut chercher ailleurs le Beau . . . Il est temps d'accorder au poète des *Fleurs du mal* un hommage qui affirme aux générations futures combien nous lui avons dû . . . Nous regrettons que nos aînés nous aient laissé ce devoir . . . Car, n'en déplaise à M. Brunetière . . . à l'heure actuelle, l'influence de Baudelaire est moindre et ne pourrait d'ailleurs être qu'inféconde: il y a autre chose à faire qu'à pasticher un genre qui, si parfait soit-il, n'en est pas moins archi-usé.

(77) 1892, novembre, Georges Bonnamour, "La Fin d'un règne", *la Revue indépendante.*
Que Baudelaire ait donc [un buste au cimetière] puisque aussi bien c'en est fini de son influence qui fut féconde et néfaste en même temps.

(78) 1892, 8 novembre, Anonyme, "Echos artistiques", *La Marseillaise.*
Les absurdes commentaires qu'ont soulevés dans la presse réactionnaire et anti-littéraire le projet du monument Baudelaire et le succès de la souscription, loin de décourager le comité,

ont inspiré à Léon Deschamps les plus généreuses idées. [Citation du n° 76, *supra.*]

(79) 1892, 15 novembre, Adolphe Retté, "Chronique. Poésie", *L'Ermitage.*
[La statue. Retté respecte la franchise de Brunetière mais s'étonne de voir "le stupéfiant M. Delpit" [*supra*, n° 18] défendre Baudelaire. A l'époque où Baudelaire fut poursuivi pour *les Fleurs du Mal*, Delpit l'aurait certainement attaqué.]

(80) 1892, J. Leclercq, *Les Sept sages et la jeunesse contemporaine* (A. L. Charles, 1892).
[Volume de 48 pages; effort (dit l'auteur) à réagir contre le pessimisme des écrivains nés entre 1860 et 1870:] Partout où passe l'un d'eux, prêchant en souriant sa doctrine mauvaise, son influence ne tarde pas à se manifester ... Nous avons remarqué partout le même scepticisme ou le même cynisme ... Etre "fin de siècle" ... telle est l'ambition pour le quart d'heure, de tous les dégénérés du monde et surtout du faux-monde ... Les jeunes universitaires ... ont le chancre au cœur. La littérature est la grande coupable ... il monte de notre époque une engourdissante odeur d'asphyxie (13-15) [Leclercq attend le salut de la nouvelle génération.] De tous les écrivains considérables que nous avons cités, Baudelaire est celui dont l'influence a été surtout néfaste ... Dans sa gloire récente, Baudelaire effaçait tous les autres. On n'écoutait qu'une voix, la sienne, voix vertigineuse. De l'avis unanime, Lamartine et Vigny étaient des poètes endormants, et la *vulgarité* de ses sentiments rendait Musset illisible; Hugo bafouillait ... Baudelaire apportait une conception de vie dangereuse, plus fantaisiste qu'humaine dans son expression. Ainsi que tout vrai poète, il détenait la vérité, mais les apparences de sa poésie ont plus séduit que l'essence même de cette poésie de damné, qui fait du monde un enfer dantesque où chacun expie ses fautes en les recommençant jusqu'à la satiété. L'auteur des *Fleurs du mal* a engendré Maurice Rollinat, c'est-à-dire l'étrange, le maladif, l'absurde: les *Névroses*. Le goût de l'artificiel, les amours macabres et dénaturées, les frissons rares, les extases factices, tout cela ... on le doit à Charles Baudelaire. Le grotesque Des Esseintes ... est l'admirateur-type de

ce grand poète qu'il ne faut pas aimer sans prudence et sans connaissance. (45-46)

(81) 1893, 25 février, Henri de Régnier, "Charles Baudelaire", *Entretiens politiques et littéraires*, VI.

Cet esprit fut... riche d'un mélange de sagacité sympathique et d'instransigeance réfléchie qui s'amalgamaient en un exclusif amour du Beau. Ce qui était chez lui une passion primitive... fut aussi un goût qu'il raisonna. Il avait, en même temps que le sentiment divinatoire de la Beauté, le souci d'en scruter la nature et d'en soupeser les éléments... Cette double tournure d'esprit, passionné et logique, méticuleux et primesautier, inventif et dissertatif, dosé de lyrisme et de didactisme, réglementa toute l'œuvre de Baudelaire... Cette double préoccupation se marque aussi... par cette phrase... de "Mon Cœur mis à nu"... "Trouver la frénésie journalière..." Nul homme ne s'acharna sur soi-même plus que Baudelaire. Il exigea de son intelligence ce qu'elle recélait de plus secret et de plus ingénieux, et il stimula même son imagination d'hygiènes excitatrices et de dangereuses ruses... Si la manière dont il aima l'art affecta parfois quelque manie, elle cacha un héroïsme intérieur... Aussi son Destin, dédié au despotisme intime du respect de soi et des scrupules du Beau, est-il de ceux qui nous émeuvent... La grandeur certes que le poète a pris dans la mort déconcerterait ses contemporains que sa vie étonna tant. Au rebours de ce qui a lieu d'ordinaire où la légende est une efflorescence posthume d'une mémoire ce fut vivant qu'il eut la sienne et c'est maintenant seulement que sa grande et mélancolique figure se dénude et se décharne... Il apparaît ... ce qu'il doit être... *Les Fleurs du mal*, ce livre unique, livre peccamineux de délectation morose, magnifique rêverie sur soi-même et sur les possibilités mauvaises de l'être, miroir magique où celui qui s'y mire se voit jusques au fond et y consulte ces fantômes intérieurs, portrait mystérieux, c'est tout Baudelaire qui s'y est songé! Mais si ce livre est autobiographique... il est aussi dramatique. L'auteur dit lui-même qu'il y a façonné son âme à diverses attitudes voulues... Le poète ... y est en même temps l'acteur et l'auditeur. C'est à lui que tout aboutit, mais ce n'est pas de lui que tout provient... L'artifice entrait pour une part dans l'idée que Baudelaire avait de l'Art, mais l'artifice n'était pour lui qu'un moyen d'utiliser les ressources internes de sa sincérité... *Les Fleurs du mal* sont donc, si on veut, un livre artificiel... et, outre leur valeur poétique, elles ont une intention déterminée... Le mérite poétique des *Fleurs du mal* est considérable. Le vers y est charnu et d'une ossature élégante et forte, d'une convenance et d'une ingéniosité verbales équivalentes à la complication et à la gravité de la pensée. Les poèmes, outre des surfaces coloriées de riches tons, ont des sonorités profondes brèves ou redondantes, et leurs échos coïncident avec nos plus internes frémissements. Ils sont ouvragés... avec patience et hardiesse, et leur contournement ou leur carrure les fait blocs ou arabesques, d'une dure matière de cristal et d'ébène, d'un pur dessin de tristesse ou de sérénité... *Les Fleurs du mal* ont une situation en littérature. Venu au déclin du romantisme, Baudelaire y participa et y contredit... Son œuvre... s'affilie à la littérature de 1830 et engendre une partie de celle d'aujourd'hui... Non seulement Baudelaire fut un poète original et admirable, égal aux plus grands, avec je ne sais quoi d'une saveur capiteuse et d'un tour magnifique, un linguiste excellent, mais encore un esprit qui eut, si l'on peut dire, de l'architecture. Les parties s'en correspondent, et, outre que les assises en sont solides, l'édifice est parachevé par une ornementation délicate et imprévue qui l'enjolive et le parfait... Baudelaire eut des idées abondantes, coordonnées et systématiques... Le poète, semble-t-il dire, ne doit non plus ignorer rien de la nature du Beau et de la façon de le reproduire, que de la manière dont il s'est produit à travers les temps dans les œuvres les plus diverses qui l'ont toutes pour principe... De là chez Baudelaire un sens critique expert... et une haute curiosité intellectuelle qu'il appliquait simultanément à l'Art et à la Vie... Sur la peinture ses lucides travaux restent à lire et telles pages sur Delacroix demeurent en leur invariable justesse, de même que ce qu'il écrivit sur Tannhauser montre la plus définitive et la plus péremptoire perspicacité... La vie même l'intéressait dans la mesure des éléments de Beauté qu'elle détient en ses alliages passagers... Il en extirpait ce rythme qui est dans tout, et il jugeait un visage comme un tableau, une foule comme un paysage... Car de la critique des formes il était induit à celle des sentiments; il y a en lui un moraliste et un idéologue... "Mon Cœur mis à nu", qui est comme le testament quotidien de ses idées, le montre dans cette attitude, celle d'un moraliste esthéticien: *Etre un héros et un saint pour soi-même.* C'est ainsi qu'il nous apparaît, taciturne et concentré, en ses douloureux portraits des dernières années, face lacérée de larges rides, front aux longues mèches blanchies, jeune encore et vénérable, lèvres au sourire sans joie. C'est le Baudelaire de la nouvelle légende, en sa tristesse scrutatrice en qui survit l'indestructible instinct du Beau qu'il recherche plus spéculatif que physique, plus en soi que dans les choses, face savante et déçue de tout et de soi-même.

(82) 1893, 12 août, Tausserat-Radel, "Baudelaire intime, d'après des documents inédits", *Le Figaro*.
... Un artiste sincère et ému... [*Les Fleurs du mal* sont] cette œuvre merveilleuse à laquelle le temps a donné sa définitive consécration.

(83) 1893, Robert du Pontavice de Heussey, *Villiers de l'Isle-Adam, l'écrivain, l'homme.* (Savine, 1893.)
Villiers aimait à revenir sur les heureuses premières années de son séjour à Paris, sur ses relations... avec Charles Baudelaire dont le souvenir le poursuivait comme une obsession. La connaissance s'était faite dans les bureaux de la "Revue fantaisiste" où l'auteur des *Fleurs du mal* apportait de temps en temps quelques-uns de ces petits poèmes en prose d'une ciselure si délicate et si originale. (154-155)

(84) 1894, 1er juin, Georges Rodenbach, "Le Tombeau de Baudelaire", *la Revue de Paris*.
Il est surprenant de penser qu'à l'étranger... [Baudelaire] soit tenu pour un maître illustre dans la poésie française de ce siècle, alors qu'ici on le tient... pour un poète étrange, malsain, stérile... Pourtant, en Angleterre, en Italie, en Allemagne, c'est lui qu'on traduit, qu'on imite. C'est de lui que les nouveaux écrivains s'alimentent, s'imprègnent, s'inspirent... Qu'on y prenne garde: l'opinion de l'étranger en matière littéraire est souvent grave et concluante. Il s'opère, par le fait de la distance, l'éloignement indispensable pour juger les œuvres. Et ainsi s'accomplit déjà le triage, la sélection que l'on croyait

n'appartenir qu'à l'avenir. L'avis de l'étranger ... pourrait bien
être ... l'avis de la postérité ... Aujourd'hui cette œuvre commence à paraître comme une cathédrale catholique qu'elle est
vraiment ... [Les premiers critiques de Baudelaire—Brunetière,
Huysmans, Bourget, Gautier—n'ont pas soupçonné le catholicisme fondamental du poète parce que] l'ouvrage posthume
de M. Crépet n'avait point paru encore, contenant ... "Mon
Cœur mis à nu" et "Fusées", qui nous permettent maintenant
d'aller jusqu'à l'âme du poète, d'élucider toute son âme ...
Baudelaire surgit dès lors un peu différent de ce qu'on l'a vu
d'ordinaire. Il apparaît ce qu'il est essentiellement: *un poète
catholique*. Certes, un homme de décadence toujours, au seuil
de la vieillesse du monde, au seuil de ce qu'il appelle lui-même
"l'automne des idées". Mais ... tout imprégné de l'Eglise. Parmi
les vices modernes et la corruption effrénée dont il subit la
contagion, il continue à être le dépositaire du dogme, le dé-
nonciateur du péché ... [Il avait] un vocabulaire tout enrichi
de liturgie ... Il croit au ciel ... pur et simple des fidèles, au
naïf paradis de la ballade de Villon ... à l'enfer, aux flammes
réelles, au dam, aux brûlures éternelles ... au dogme intégral
de l'Eglise ... Il répudie la théorie du pardon des offenses, de
l'oubli des injures, de l'abdication des valeurs devant la masse
sous prétexte d'égalité, toute cette religion humanitaire et molle
... Ainsi éclate sa nature dogmatique, sa religion d'inquisiteur.
Car c'est bien un Catholicisme politique du XVIe siècle, le
sien, d'après lequel il faut s'imposer de force au peuple, puisque
celui-ci est incapable de se gouverner et ne comprend que les
coups ... Baudelaire est un poète catholique. Son œuvre n'est
que la mise en scène du drame originel de la Genèse. Elle
raconte la grande chute, l'éternelle lutte qui est le fond de la
religion entre Dieu, l'homme, le Tentateur, et la Femme, ici
aussi l'alliée du Tentateur ... En cette société âgée et décadente, [Satan] a multiplié et perfectionné ses ingéniosités ...
Les péchés modernes? Ce sont précisément les "Fleurs du
Mal". Baudelaire en a dressé la liste. Il les énumère avec une
liberté que seul les mal clairvoyants ont pu juger licencieuse,
à la façon dont Moïse énumère, dans le Lévitique, certaines
abominations. Son œuvre est un examen de conscience de l'humanité présente ... Lui-même ... est un pécheur; il le confesse,
et avec componction ... Car son livre ... est subjectif aussi;

et c'est ce qui le rend si pathétique: le poète confondu avec
cette foule... en proie au péché, apparaissant tout couvert de
son péché... Partout la théorie catholique de la perversité
originelle. Mais partout aussi la détestation des vices. Il les
poursuit, il les dénonce à travers l'énorme capitale, ce fiévreux
Paris qui est l'atmosphère chaude à merveille pour leur pullu-
lement... Ainsi, occasionnellement, il apparaît un poète parisien
... Il ausculte les passants, déchire leurs linges d'hypocrisie,
découvre en eux des ulcères mentaux, des résidus de méchan-
ceté, et aussi une flore de vices nouveaux et tout le vin antique
des purs sentiments... aigri, tourné en vinaigre et en eau avec
un tatouage de moisissure dans les âmes... Sa pitié est sans
nulle complaisance pour le vice... partout on sent la détestation du mal, l'horreur des coupables ivresses... [il traite les
lesbiennes] avec la menace indignée d'un prophète biblique...
[C'est par sa conception de la femme] que Baudelaire se prouve
plus clairement encore un poète catholique... Son opinion est
conforme aux séculaires préjugés de la littérature sacrée,
puisque les Saints Pères estiment que la femme est un vase
plein de péché... Baudelaire pense de même... [Si, malgré
cela, il ne cesse pas de pécher, c'est parce que] le péché est
un moyen d'oubli... de sortir de soi-même et de la vie!
Précieux oubli pour Baudelaire, et les natures d'élite qui souf-
frent avec lui, exilées dans l'imparfait et qui voudraient entrer
dès ici bas dans l'Idéal... C'est donc pour oublier que l'homme
accueille avec ivresse la femme... [Autres moyens d'oubli:
le vin, le sommeil, le voyage, les stupéfiants:] Baudelaire a
consacré [aux stupéfiants] les deux notices qu'on connaît et qui
sont parmi le plus profond et le plus neuf de son œuvre...
Toute cette œuvre de Baudelaire est construite avec la logique,
l'harmonie, les proportions, la hiérarchie de l'architecture, car
on peut dire surtout de lui qu'il fut un cérébral, *un génie de la
volonté.* La plupart s'étonneront de cet accouplement de mots,
imaginant le génie plutôt inné, inconscient, un don, un jaillissement inlassable, une puissance verbale allant jusqu'à être
comme le vent, la mer, le feu... Baudelaire fut, en poésie, le
chimiste de l'Infini... [Son dandysme, ses mystifications,
viennent de son] mépris de l'humanité... par lequel il se
vengeait d'aller incompris et seul dans la vie. Il faut dire, à sa
décharge, que presque tous les écrivains de sa génération

eurent comme lui cet amour du mensonge . . . Baudelaire dut
y trouver un moyen de se mettre en garde contre la bêtise qui
aurait pu rire de lui, ne le comprenant pas . . . Ce fut une
sorte de légitime défense . . . Comme il s'est trouvé en exil dans
la vie! Il a marché vraiment parmi des étrangers . . . C'est qu'il
a considéré la vie au point de vue de l'éternité. Il n'a pas été
pareil aux autres; il n'a pas été conforme, ce qui est le grand
crime . . . De là son destin maudit, son génie insoupçonné, sa
vie lamentable . . . [Il n'a pas, comme Hugo et Lamartine,
"épousé la foule", ne s'est pas intéressé à "la politique, la patrie,
l'amour, tous les grands lieux communs de l'humanité"; il est]
exceptionnel; il représente l'élite en face du nombre; en regard
des faits, il est la foi; il conçoit l'ordre de l'Univers et méprise
le désordre des événements . . . Il est unique . . . Il est le grand
célibataire . . . Dieu est celui qui est seul. Et l'on pourrait dire
la même chose de l'homme de génie.

(85) 1894, 1er août, Edmond Pilon, "Leconte de Lisle", *La Plume*.
Leconte de Lisle nous fut étranger tandis que Baudelaire et
Villiers furent en quelque sorte nos pères spirituels, des précurseurs des temps présents et les annonciateurs des temps à
venir.

(86) 1894, 12 août, Emile Verhaeren, "Leconte de Lisle, le vers
prosodique et le vers libre", *L'Art moderne*. (Repris dans *Impressions, 3e série,* Mercure de France, 1928.)
En Belgique, comme en France, le vers libre, en jeune dieu,
monte à l'horizon. Des poètes nombreux l'ont adopté. Récem-
ment Albert Mockel . . . exprimait ce sentiment d'une vision
nouvelle des choses, ce besoin d'expansion en d'autres formes
que celles usitées, qui tourmentait même Baudelaire, venu, il
est vrai, trop tôt pour discerner la révolution qui allait se faire.

(87) 1894, Henry Bordeaux, *Ames modernes* (Perrin et Cie, 1917).
Pour tous ceux dont la vie fut moins changeante et diverse, le
monde a gardé l'attirance de l'Inconnu. "L'Invitation au
voyage" de Charles Baudelaire a caressé tous les souffrants de
l'existence uniforme, et fut leur consolation aux heures de lassitude et d'étrange désir . . . De là vient l'étrange langueur [de
Pierre Loti], maladive comme celle de Baudelaire dont elle

émane, mais plus sensitive et moins intellectuelle. (75-76) [Paul
Bourget a] le goût des maladies singulières de l'esprit, de celles
qui trahissent une époque malsaine et faisandée: il se plaît
dans les décadentes mélancolies de Baudelaire. (272)

(88)   1894, Ferdinand Brunetière, *L'Evolution de la poésie lyrique
en France* (Hachette, 1894), Tome II, 231-243.
[A propos de Baudelaire:]
Depuis une quinzaine d'années, son influence n'a fait que
croître; presque tous nos jeunes gens l'ont plus ou moins subie;
et peu s'en est fallu que les suites n'en fussent désastreuses...
C'était un poète, auquel d'ailleurs il a manqué plus d'une partie
de son art, et notamment... le don de penser directement en
vers. Baudelaire pensait d'abord, il imaginait, il décrivait en
prose, et ensuite il mettait des rimes à sa prose. Mais c'était
un poète; et je conviens que, pour traduire, pour transcrire
certains états de l'âme contemporaine, il a trouvé des vers
inimitables, d'une intensité de vibration, d'une volupté d'in-
sinuation, d'une puissance de séduction également singulières
et perverses. Je conviens encore que ces "affinités"... ces
"correspondances"... nul peut-être ne les a mieux senties, ni
pour les exprimer n'a trouvé de mots plus heureux... Ce qu'il
faut regretter, c'est qu'il ait employé son talent à préparer le
triomphe de deux théories dont on ne saurait décider laquelle
est la plus fausse ou la plus dangereuse: la théorie... de l'art
pour l'artificiel; et la théorie de la décadence... On peut aller
loin, quand on commence par poser de semblables principes!
... Entendez-moi bien, je ne parle pas ici de morale, encore
une fois; je ne parle que d'art! Mais, de toutes les manières
qu'il y ait d'entendre la doctrine de l'art pour l'art... certainement il n'y en a pas de plus funeste, n'y en ayant pas, si je ne
me trompe, qui sépare plus profondément l'art d'avec la nature
et d'avec la vie, ou plutôt d'avec la Vérité... La théorie de la
décadence n'était pas moins dangereuse... La "verdeur marbrée des décompositions" ou la "phosphorescence de la pourriture" ne peuvent intéresser... que des imaginations corrompues... Si l'on a des goûts honteux, on les cache ou l'on
se fait soigner. On ne les étale point aux vitrines des libraires...
Si nos plaisirs sont malpropres, le courage qu'il faut plutôt
avoir, ce n'est pas d'en faire parade, c'est de nous les re-

trancher. [Conclusion: la parenté de Baudelaire avec Wagner, les romanciers russes, les préraphéalites anglais: tous, par leur "religion de la souffrance humaine", ont quelque chose de "morbide".]

(89) 1894, William Chapman, *Le Lauréat: Critique des Œuvres de M. Louis Fréchette* (Québec, Brousseau, 1894).
Que dites-vous, mes amis, de M. Fréchette qui propose Charles Baudelaire, le fondateur de l'école décadente, comme modèle aux écrivains canadiens! Ça, c'est du propre, par exemple. (23-24.)

(90) 1894, Augustin Filon, *Mérimée et ses amis* (Hachette, 1894).
Quelqu'un, qui voulait l'agacer, lui prêta un volume de Baudelaire; il pensa en devenir enragé. (309)

(91) 1894, Gustave Lanson, *Histoire illustrée de la littérature française* (Hachette, 1894), Tome II, 346.
Le talent de Baudelaire est assez étroit et en même temps assez complexe. Il représente à merveille ... le bas romantisme, prétentieusement brutal, macabre, immoral, artificiel, pour ahurir le bon bourgeois. Dans cet étalage de choses répugnantes, dans cette volonté d'être et de paraître "malsain", dans ce "caïnisme" et ce "satanisme", je sens beaucoup de "pose" ... La sensibilité est nulle chez Baudelaire, sauf une exception. L'intelligence est plus forte, médiocre encore; sauf une exception. La puissance de la sensation est limitée: le sens de la vue est ordinaire. Baudelaire n'est pas peintre, et ses "Tableaux parisiens" sont de la peinture inutile. Mais, il a deux sens excités, exaspérés: le toucher et l'odorat ... L'idée unique de Baudelaire est l'idée de la mort: le sentiment unique de Baudelaire est le sentiment de la mort. Il y pense partout et toujours, il la voit partout, il la désire toujours; et par là il sort du romantisme. Son dégoût d'être ne paraît pas un produit de mésaventures biographiques: il se présente comme une conception générale, supérieure à l'esprit qui se l'applique. Obsédé et assoiffé de la mort, Baudelaire, sans être chrétien, nous rappelle le Christianisme angoissé du XVe siècle ... Une originale mixture d'idéalisme ardent et de fétide sensualité se fait en cette poésie ... L'artiste est puissant. Laborieux, raffiné, parfois prosaïque, souvent pré-

tentieux, il vise à la perfection et il y atteint plus d'une fois. Il aime les formes sobres, pleines, solides, le vers large, signifiant, résonnant. Sa forme préférée est le poème symbolique, court et concentré; parfois, de la plus banale idée, il fait un poème saisissant par la nouveauté hardie du symbole... Par sa bizarrerie voulue et provocante, mais aussi par sa facture magistrale, Baudelaire a exercé une influence considérable; ne lui reprochons pas les sots imitateurs qu'il a faits; c'est le sort de tous les maîtres.

(92)   1894, Henri Mazel, *Portraits du prochain siècle* (Girard, 1894). [Baudelaire est parmi les *précurseurs* du nouveau siècle:] Dans le scintillant collier des poètes, Baudelaire est l'opale.

(93)   1895, 1er janvier, Stéphane Mallarmé, "Le Tombeau de Charles Baudelaire" (sonnet), *La Plume*.

(94)   1895, 5 janvier, Jules Levallois, "Au Pays de Bohême", *la Revue bleue*. [Article du 21 mars 1887; voir *supra*, Chapitre Premier, n° 88.]

(95)   1895, 1er mars, Adolphe Retté, "Chronique des livres", *La Plume*. Les novateurs admirent Banville, Nerval et Vigny, mais pas du tout le Parnasse... Bien que méprisant les écoles, ils saluent Baudelaire, Lamartine, Musset et Victor Hugo.

(96)   1895, 15 mars, René Doumic, "Les Décadents du Christianisme", *la Revue des Deux Mondes*. La meilleure part d'originalité [de Baudelaire] consiste à avoir exprimé le mysticisme de la chair.

(97)   1895, 15 mai, Jean Dornis, "Leconte de Lisle intime", *la Revue des Deux Mondes*. [Jugement sur Baudelaire trouvé dans les papiers de Leconte de Lisle après sa mort en 1894:] Très intelligent et original, mais d'une imagination restreinte, manquant de souffle. D'un art trop souvent maladroit.

(98)   1895, 26 mai, Robert de Souza, "Picorée, le Coq Rouge", *Gil Blas*.

Nul avant Verhaeren n'avait su rendre sans déchéance le spectacle coutumier de nos villes. Baudelaire peut-être en des pages rares.

(99) 1895, 15 juin, Adolphe Retté, "Chronique des livres", *La Plume*. Ah, Baudelaire, grand réprouvé qu'il faudrait lapider avec des diamants.

(100) 1895, septembre, Arnold Goffin, "Charles Baudelaire", *la Jeune Belgique*.
Rien n'outrepasse le vertigineux ravissement, la torpeur grisée dont se sent transporté et engourdi le méditatif et un peu mélancolique adolescent, prédestiné aux affres de l'art et de la poésie, à sa première rencontre avec Baudelaire.

(101) 1895, 15 octobre, Georges Docquois, "Le Congrès des poètes", *La Plume*. Enquête: Quel poète vivant doit remplacer Leconte de Lisle, qui vient de mourir?

(102) 1895, 15 octobre, Edmond Pilon, "Réponse à l'enquête de G. Docquois", *La Plume*.
Villiers de l'Isle-Adam et le divin Baudelaire avaient depuis longtemps absorbé toute l'admiration des "jeunes"; aussi en prodiguèrent-ils peu à Leconte de Lisle, quelque digne qu'il fût d'en avoir sa part.

(103) 1895, Jules Lemaître, *Impression de théâtre, 8ᵉ série* (Boivin, 1895).
Rodenbach... procède directement de Baudelaire; mais c'est un baudelairien chaste et sans perversité; il n'a emprunté au poète des *Fleurs du mal* que sa piété—et l'art d'établir des échanges entre les divers ordres de sensations. (257)

(104) 1896, juin, Maurice Barrès, "Méditation spirituelle sur Charles Baudelaire", *L'Aube*.
[Passages supprimés d'*Un Homme libre*.]
Nous méditâmes sur les *Lettres*... sur les deux *Journaux intimes*, et sur ces détails familiers que publia M. Crépet... Nous y connûmes le vrai caractère de Baudelaire, homme qui eut plus qu'aucun le don de spiritualité... Baudelaire atteint à

toucher Dieu par le seul effet de sa sensibilité... Cela parut
admirable... Ceux qui liront son journal intime... discerneront aisément... la parfaite beauté de son cœur; ils y retrou-
veront l'angoisse du malheureux que son mal condamne à
l'impuissance, et qui pourtant s'acharne pour satisfaire à ses
obligations. Préoccupé de ses devoirs, délicat et doux avec ses
amis de choix, scrupuleux dans les petites démarches de la
vie... il nous paraît encore d'une bienveillance exquise,
presque bonhomme, dans ses lettres authentiques, qui valent
bien... pour révéler le caractère de l'homme, trente-six plaisanteries saugrenues et truculentes dont il se plut à mystifier
la plupart de ses contemporains. Cette funambulie... était la
ressource singulière d'un esprit singulier qui, avec un goût
naturel pour étonner, voulait de plus se distinguer... Il allait
toujours se perfectionnant et sur le tard il atteignit à s'isoler...
Plus jeune il se fit auprès des hommes un tort infini par les
excès de sa verve hystérique... Sa forte intelligence, si or-
donnée, si lucide, ne fut jamais que l'esclave raisonneuse de
ses nerfs surmenés... Baudelaire fut la victime de son effort
à se connaître et à rejeter toute l'ignominie que la nature a mise
dans les plus nobles de nous... Son génie douloureux et ardent
fut empreint d'une gravité singulière... O cher esprit excessif,
le plus merveilleux intercesseur que nous ayons trouvé jusqu'ici
entre nous et notre confus idéal, quand tu mourus ayant épuisé
les angoisses... tu dédaignas enfin de donner aucune image
de toi-même aux autres, et sur ton journal est indiqué ce but
suprême du haut dilettantisme: "Avant tout, être un grand
homme et un saint pour soi-même"... Pour soi-même!...
Dernier mot de la vraie sincérité, formule anoblie de la culture du moi.

(105) 1896, 15 juillet, Prince A. Ourousof, "Iconographie baudelairienne", *La Plume*.
[Description de huit portraits de Baudelaire, faits entre 1844
et 1865. A propos de celui qui orne le volume de Crépet:]
Le visage a une expression sublime d'enthousiasme défiant le
sort. Un reflet de l'Immortalité qui s'avance luit dans l'œil du
voyant... Loin de l'enlaidir, l'âge a idéalisé le masque du
poète, en y gravant sa destinée amère et son avenir lumineux.

(106)   1896, Abbé Victor Charbonnel, *Les Mystiques dans la littérature présente, première série* (Mercure de France, 1897).
Voilà bien l'être paradoxal, contradictoire que fut ce premier pontife du mysticisme: un assemblage d'épicurienne sensualité et de christianisme ascétique, de volupté charnelle et de piété mystique, de débauche et de prière. Ses ancêtres... avaient tous été des idiots ou des maniaques... Une effroyable hérédité pesait sur lui... L'âme pourtant vivait en lui... et... toujours les impressions et les images de son premier catholicisme revinrent au poète des *Fleurs du mal*... Pour se sentir vivre parmi les lassitudes de la chair... il voulait avoir peur. Le cauchemar catholique du démon et de l'enfer lui était un indispensable excitant... Mais... quelle profonde perversion du sens mystique! (59-63)

(107)   1896, René Doumic, *Les Jeunes* (Perrin, 1896).
[Critique des romans de Gabriele d'Annunzio.]
Le baudelairisme.—On entend par là cette perversion qui consiste à mêler le catholicisme avec la débauche, et à raviver la sensualité par le ragoût de l'émotion religieuse. Cette tendance est l'une des plus désobligeantes qui soient. Elle est commune à la plupart de nos jeunes poètes. On la retrouve en plus d'un passage des livres d'Annunzio. (248)

(108)   1896, Delphine Duval, *Petite histoire de la littérature française* (Boston, Heath, 1896).
Baudelaire... esprit subtil, raffiné, paradoxal, il s'est complu à étonner, à mystifier, et à peindre l'horrible, mais il a un talent immense et une connaissance absolue de la langue et des lois de la versification. En prose nous lui devons une excellente traduction des œuvres d'Edgar Poe. (311)

(109)   1896, Remy de Gourmont, *Le Livre des Masques* (Mercure de France, 1896).
Toute la littérature actuelle et surtout celle que l'on appelle symboliste, est baudelairienne, non sans doute par la technique extérieure, mais par la technique interne et spirituelle, par le sens du mystère, par le souci d'écouter ce que disent les choses, par le désir de correspondre, d'âme à âme, avec l'obscure pensée répandue dans la nuit du monde, selon ces vers si sou-

vent dits et redits [les quatrains de "Correspondances"]. (53)

(110)   1896, Maurice Le Blond, *Essai sur le Naturisme* (Mercure de France, 1896).
Baudelaire, impuissant et névropathe, non inconscient d'ailleurs, fut bien un néfaste ancêtre des Littérateurs artificiels . . .
Il fut un merveilleux critique d'art, un analyste passionné des sentiments compliqués, mais il n'entendit rien à la nature.

(111)   1896, Jules Levallois, *Milieu de siècle, mémoires d'un critique* (Librairie illustrée, 1896).
Nul aujourd'hui ne s'avisera, je pense, de contester l'influence exercée par l'auteur des *Fleurs du mal*; qu'on s'en réjouisse ou qu'on s'en irrite, le fait est là et il faut bien l'accepter. (xvi)

(112)   1896, Camille Mauclair, "Picorée, le Coq rouge", 1896-1897, *Gil Blas.*
Baudelaire, en vrai et complet poète, attachait à la forme de de l'œuvre littéraire une importance très grande; mais il appréciait plus encore le goût de l'âme qui chantait pour lui, et l'accent de la voix. [Citation de l'article de Baudelaire sur Pierre Dupont, "la puérile utopie . . ."].

(113)   1896, *Le Tombeau de Charles Baudelaire* (La Plume, 1896).
Le volume contient les réponses reçues des écrivains contemporains à propos du projet d'une statue (voir *supra*, n° 1), et y ajoute des vers écrits à l'honneur de Baudelaire par la plupart des poètes de l'époque. On y remarque le célèbre sonnet de Mallarmé (*supra*, n° 93); une "Guirlande d'or" par Abadie; "Nigra sed formosa" où Blémont évoque Jeanne Duval; "Maane-Tungsind", une traduction danoise des "Tristesses de la lune" par Sophus Claussen, et une traduction allemande de "Un Fantôme" par Stefan George; un poème de Coppée, un autre de Léon Dierx, qui salue le dualisme de Baudelaire:

> L'archange intérieur qui tout bas l'encourage,
> Le démon qui parfois transparaît dans ses yeux,
> Au secret des rameaux dormant pareils entre eux,
> Ont dans son œuvre ensemble admiré leur ouvrage.

Gustave Kahn parle de la nostalgie d'un au-delà exotique qui tourmentait Baudelaire; Pierre Louys le représente environné

du Mal, tenant dans la main un bouquet empoisonné, et tenté
par les figures monstrueuses de la Joie et de la Douleur, double
Muse de son œuvre:

> Mais lui, dieu de lui-même et maître d'ignorer,
> Il songe à la Beauté . . .
> Déesse qui descend dans le lac des péchés
> Et . . .
> Parmi tous les iris cueille la rouge vulve.

Pour Edmond Picard, Baudelaire est un "alchimiste cruel, amer
et dédaigneux, satanique et vainqueur"; Henri de Régnier
évoque Mme Sabatier:

> La Dame étrange et docte à qui tu murmurais . . .
> La douleur et l'orgueil de ton soin solitaire . . .

Richepin, à l'imitation de "Franciscae meae laudes", donne
quelques vers latins, "In Honorem Baldelarii novempedalis
prosa", où il salue la gloire nouvelle du poète:

> Et tamen hanc stimus horam
> Quae novi saeculi in coram
> Albiscentem dabit auroram.

Georges Rodenbach compare les autres poètes aux carillons de
Flandre, faibles et indécis, tandis que Baudelaire est la "cloche
de génie" dont la musique puissante absorbe toute autre cla-
meur. Armand Silvestre voit surtout le côté malsain de Baudelaire, un "jardinier des *Fleurs du mal*". Pour Emile Verhaeren
c'est le poète qui a détrôné Victor Hugo et a créé une poésie
nouvelle et qui, Dante à rebours, est allé chercher Dieu au
fond des enfers. Francis Viélé-Griffin souligne la misère de la
vie de Baudelaire:

> Est-il un pèlerin des antres sans réponses
> Qui, se penchant pour épeler ton nom si las,
> Répète: Baudelaire!—et ne s'attriste pas?

Emmanuel Signoret trouve que les Symbolistes ont dépassé
Baudelaire: profitant de ses tentatives un peu timides, ils ont
réussi à créer la poésie qu'il était incapable de créér lui-même:

> La terre merveilleuse où ta proue aspira . . .
> Ton verbe la créait, mais tu ne croyais pas
> A la réalité splendide de ton verbe . . .

Malgré cela, les Symbolistes ("enfants élus de la Victoire") sont
prêts à reconnaître Baudelaire comme leur prédécesseur et leur
maître:

Ton ombre égarée...

Nous conduit au chant clair de ses pâles clairons...

La plupart de ces contributions sont malheureusement fort médiocres.—Le volume se termine (91) sur une lettre de Jules Claretie, datée du 5 novembre 1893, où il dit que parmi les écrivains modernes, Baudelaire est celui "que la nouvelle génération salue et honore aujourd'hui".

(114)   1897, avril, Emile Levif, "La Rose Croix", *Le Thyrse*.

Le tableau de M. Mideller, *Les Fleurs du mal*, n'est pas moins symbolique... Une femme fraîche et séduisante, qui fait contraste avec les couleurs qui l'entourent, tend négligemment le contenu d'une coupe à une multitude de femmes qui s'en abreuvent... Au milieu de cet amas de chair, un énorme rocher prend la forme du Crucifié. Au fond, une image symbolique de la vie moderne: des gens ivres, des suicidés, des criminels, puis enfin dans une fumée de malheur, noirâtre et lugubre, la silhouette terrifiante de Paris.

(115)   1897, 15 avril, Emile Verhaeren, "Paul Verlaine", *la Revue blanche*. (Repris dans *Impressions, 3ᵉ série*, Mercure de France, 1928).

Y a-t-il chez Baudelaire, chez ce noir et lumineux jardinier des fleurs perverses, un poème où le dégoût de vivre, où le bâillement et l'affolement soient plus impérissablement montrés que dans le sonnet "Langueur"?

(116)   1897, 1ᵉʳ novembre, Marius Le Blond, "Documents sur la poésie contemporaine", *La Plume*.

Baudelaire défigura la sensibilité poétique des symbolistes... *Les Fleurs du mal* furent le prosaïque bréviaire des luxures intellectuelles... On prit pour la délicatesse l'impuissance et la débilité d'un poète. De ce livre date le goût des débauches cérébrales et des voluptés artificielles. [Le grand poète du jour et de l'avenir, à qui ce numéro spécial de *La Plume* est dédié —Saint-Georges de Bouhélier.]

(117)   1897, Ferdinand Brunetière, *Manuel de l'histoire de la littérature française* (Hachette, 1897).

Baudelaire... a réalisé cette poésie morbide... dont le principe est l'orgueil d'avoir quelque maladie plus rare ou plus monstrueuse... Il a découvert ainsi et exprimé quelques rapports,—dont le caractère maladif est relevé par l'acuité des sensations qu'ils procurent;—et aussi par la brutalité même des mots dont on a besoin pour les exprimer... En s'attachant à l'expression de ces rapports,—il a inauguré le symbolisme contemporain;—si ce symbolisme consiste essentiellement dans le mélange confus du mysticisme et de la sensualité... La question qui se pose sur ces "innovations"—est de savoir jusqu'à quel point l'auteur en fut sincère—et si toute une école n'a pas été la dupe d'un dangereux mystificateur. (516-17)

(118) 1898, 15 avril, J. Crépet, "Charles Baudelaire et Jeanne Duval", *La Plume.*
[Compte rendu des relations de Baudelaire avec Jeanne Duval. Crépet proteste contre la légende:] Nul, plus que lui... ne fut plus sincère vis-à-vis de soi-même, nul ne souffrit davantage de la subtile analyse de ses sentiments.

(119) 1898, 18 septembre, Clément Vautel, *La Presse.*
Il ne faut pas que le sport, qui est, sans éloquence, la réhabilitation de la chair, s'adresse lui aussi au cochon que Baudelaire plaçait au fond de tout cœur humain.

(120) 1898, Maurice Barrès, *Amori et dolori sacrum* (Juven, 1902).
[Barrès a lu Baudelaire pour la première fois en 1878, et] après tant d'années, je ne me suis pas soustrait au prestige de ces pages, sur lesquelles se cristallisa soudain toute une sensibilité que je ne me connaissais pas. (123)

(121) 1898, Firmin Van Den Bosch, *Les Fantômes de la jeunesse* (Durendal, 1898).
[Roman, dont l'un des personnages recommande *les Fleurs du mal* à un jeune homme; le livre] le promena tour à tour à travers les jardins élyséens du plaisir, les mornes landes de l'inquiétude, les temples sereins et grandioses de l'Idée; à certains moments sa piété s'alarmait, sa piété s'offensait et il allait rejeter le livre, quand au bout d'une strophe Baudelaire l'entraînait vers les plus pures régions de la spiritualité.

(122) 1899, février-mars, Jacques Nanteuil, "Poètes contemporains: Baudelaire", *Mercure Poitevin* (Niort).

Il est difficile de ne pas reconnaître chez Baudelaire une prédilection monstrueuse et morbide pour toutes les pourritures ...
Peut-être avons-nous le droit de douter un peu de son pessimisme ... [L'idée de la puissance évocatrice des parfums] est
la plus originale de toutes celles de Baudelaire [et la source de
la poésie symboliste]. Poète énigmatique, dont on ne saurait
dire s'il fut un mystificateur ou une victime ... Sans grande
profondeur, inégal et de souffle court, mais vigoureux et ex-
pressif, il a apporté quelque chose de neuf en littérature ...
Cette œuvre d'une sincérité douteuse nous paraît dangereuse
... parce qu'elle a dévoyé la poésie ... [et] en a fait une pure
spéculation intellectuelle.

(123)   1899, 15 août, Pierre Caume, "Causeries sur Baudelaire: Décadence et modernité", *La Nouvelle Revue.*
[Influence de l'étude de Paul Bourget (1881) qui a contribué
beaucoup à attacher l'étiquette de décadent à Baudelaire.
D'après Caume, Bourget avait tort:] Dans la littérature de
Baudelaire, l'âme seule est véritablement décadente ... La
langue de Baudelaire, imagée mais puissante, originale mais
claire et solide [est plutôt classique] ... Nous reconnaissons
donc la décomposition morbide qui ronge sa pensée; mais en
vain nous essayons de sentir la putréfaction de son style. La
forme de son vers est classique, académique ... Il est parfait
dans le choix de ses mots; sa précision est merveilleuse, son
idée reste claire, sa phrase est immuablement correcte. [C'était
surtout un "moderniste", à l'encontre des Romantiques, qui
préféraient presque tous un exotisme plus ou moins exagéré.]
... Baudelaire aimait passionnément son temps ... Fils d'un
siècle au sang appauvri, il appréciait le charme des choses maladives. Son âme s'abîmait délicieusement dans les mélancolies
de notre civilisation décrépite ... Plus l'humanité vieillira, plus
il se formera des hommes désabusés qui rechercheront leur
consolation non point dans l'imitation de Jésus Christ ... mais
dans les livres de ceux qui après avoir connu la souffrance et
la lassitude du plaisir ... ont su dire leur rancœur. Ils honore-
ront de leur estime ... les poètes et les philosophes qui ... par
leur génie, ont su dévoiler à nos yeux la grandeur et même la
beauté de notre misère. [Voilà ce que Baudelaire a su faire, et
de là vient sa popularité.]

(124) 1899, 15 décembre, Edmond Pilon, "Essai de critique comparée", *La Vogue*.

[Cite des jugements contradictoires sur Baudelaire et demande:] Qui nous donnera la solution moyenne?... Il suffira à Laforgue de cinq mots... pour avoir ce poète complet: "Baudelaire chat, hindou, yankee, épiscopal, alchimiste".

(125) 1899, Henri Chantavoine, "Les Poètes de 1850 à 1900", *Histoire de la langue et de la littérature françaises publiée sous la direction de L. Petit de Julleville* (Colin), tome VIII.

Charles Baudelaire est un poète original, mais étrange, et d'une étrangeté inquiétante. Elle est à la fois maladive et volontaire, naturelle et concertée: c'est... une manière d'être, de sentir et de souffrir qui lui est propre; c'est aussi, par moments, un rôle, une attitude, et un jeu bizarre, pour ne pas dire, trop brutalement, une comédie... Il affecta... de se singulariser, en s'isolant... La singularité en art est un bon moyen de succès... [Les poèmes de Baudelaire] peuvent être curieux en nous révélant une âme hantée par des songes tristes ou des visions malsaines; ils peuvent être intéressants par le détail et le souci de l'expression raffinée; ils sont contraires... à l'essence de la pure et belle poésie, puisque nous passons du royaume de la beauté dans celui, volontairement préféré par le poète, de la bizarrerie et de la laideur. L'auteur nous soumet... au régime de ses poisons, nous invite à respirer avec lui des odeurs mauvaises... La singularité n'est pas... la preuve du talent, du grand talent... La fantaisie de Baudelaire, victime des influences pernicieuses d'Edgar Poe, de l'opium, du haschish, et de ses propres hallucinations, est une fantaisie noire et triste... L'éclat des poèmes de Baudelaire a pour le goût superstitieux, quelque chose de ces lueurs des marais et des cimetières, que les âmes simples croient maudites et réprouvées. (30-31)

(126) 1900, mai, M. Le Blond, "Un Apôtre du panthéisme, Camille Lemonnier", *la Revue naturiste*.

Un fort méchant poète, qui nous a laissé pourtant d'excellentes critiques—Charles Baudelaire—a dit en parlant de Rubens que son œuvre coulait comme un fleuve de chair. Rien de plus exacte que cette image visionnaire.

(127) 1900, 5 juillet, Remy de Gourmont, "Marginalia sur Baudelaire et Poe", *Flegrea* (Naples).
Baudelaire: Vous êtes un homme heureux. Je vous plains, moi,
d'être si facilement heureux... Poe n'eût pas écrit cela...
Autre aphorisme qui eût indigné Edgar Poe: "L'amour, c'est le
goût de la prostitution..." Baudelaire est mauvais, démoniaque, le sait, en jouit, a peur de lui-même. Poe, faible, triste
et malade, a horreur de lui-même, mais il en a aussi pitié. Poe
est un Américain bien plus représentatif de l'Amérique
qu'Emerson ou Walt Whitman. Son esprit a des côtés pra-
tiques. Dénué de littérature, il eût été un étonnant homme
d'affaires, un "lanceur" de premier ordre... Baudelaire... a
dissimulé avec soin cette partie de son caractère... Baudelaire
a sur la versification des théories qui ressemblent fort à celles
de Poe; elles sont bien à lui; mais la lecture de la Philosophie
de la composition et du Rationnel du Vers les influença plus
tard... Un grand esprit critique: Cela conviendrait peut-être
aussi très bien pour Baudelaire... Baudelaire améliora à la
fois et troubla, par son goût oratoire, la prose un peu sèche
d'Edgar Poe... Baudelaire, l'un des cinq ou six grands poètes
du dix-neuvième siècle, est peut-être supérieur encore comme
prosateur. Bien plus que Gautier, il fut l'impeccable; la fierté
froide de son style hautain et sûr est unique dans la littérature
française. Il est le maître par excellence de tous les esprits qui
ne se sont pas laissé contaminer par le sentimentalisme.

(128) 1900, Georges Beaujou, *L'Ecole symboliste. Contribution à
l'histoire de la poésie lyrique française contemporaine* (Bâle,
Bürgen, 1900; Bericht der Realschule zu Basel, 1899-1900).
Cette âme inquiète, bourrelée de luxure et de mysticité, cet
écrivain, dédaigneux des sentiments simples, est un véritable
décadent. Son œuvre, mélange de réalisme outré, d'idéalisme,
d'analyse aiguë, de névroses, a quelque chose d'exceptionnel:
c'est une poésie maladive, énervée, troublante, toute frémissante de la nostalgie des beaux rêves de jeunesse et d'infinie
pureté. (9)

(129) 1900, René Doumic, *Histoire de la littérature française* (Perrin,
1900).
[Baudelaire] est aujourd'hui placé beaucoup trop haut par

quelques thuriféraires ... [Il y a dans son œuvre] une inspiration qui émane des régions malsaines du romantisme, un
étalage morbide de la perversité, le goût du bizarre et la recherche du macabre ... Baudelaire a fait entrer dans la poésie
des sensations d'ordre inférieur: celles de l'odorat, du toucher
et du goût ... L'idée de la mort le hante, comme jadis elle
obsède Villon ... Mais il s'est trop complu aux descriptions
brutales du cadavre ... La forme de cette poésie, qui affecte
l'étrangeté et le raffinement poussé à l'excès, est, en certains
poèmes, d'une netteté et d'une plénitude qui rappellent la
manière classique ... On a surtout retenu de Baudelaire certains vers d'une harmonie insistante et obsédante qui lui est
particulière, comme dans "Chant d'automne", "Harmonie du
soir", ou dans "L'invitation au voyage" ... L'art de Baudelaire,
qui a son point de départ dans le romantisme, suggère plus
qu'il ne peint, et rapproche la poésie de la musique. C'est ainsi
qu'il annonce le symbolisme. (590-591). [La "Table chronolo-
gique des principaux auteurs et des principales œuvres de la
littérature française", 645-665, n'indique ni la naissance de
Baudelaire, ni la publication des *Fleurs du mal*, ni la mort du
poète, bien que ces renseignements s'y trouvent sur Ponsard,
Casimir Delavigne, Béranger, etc..]

(130) 1901, septembre, M. Laffont (docteur), "Causerie du bibliophile", *L'Œuvre et l'image*.
Chez cet étonnant poète [Baudelaire] la conception a été
d'abord mûrie, réfléchie; on a le sentiment qu'elle a été définitive avant même d'avoir revêtu une forme. Mais ... je crois
que Baudelaire, s'il avait pu surveiller une troisième ou quatrième édition de ses *Fleurs du mal*, aurait encore trouvé à
changer un point ou une virgule, à remplacer un terme par un
autre, à remanier un agencement de mots, tant il avait horreur
du conventionnel, du déjà lu, de l'expression banale. C'est que
la forme pour lui est l'idéal du génie poétique. C'est bien là le
grand artiste dont Sainte-Beuve a dit qu'il ... s'était établi seul
à la pointe la plus avancée ... dans un kiosque isolé. C'est là
que méditant longuement, avec une lucidité d'esprit étonnante,
un tact exquis, un intellect supérieur, il enfantait ses merveilleux poèmes, d'un sentiment aussi poétique qu'étrange, que sa
maîtrise incomparable transcrivait ensuite sous une forme habi-

lement appropriée, forme que son esprit paradoxal lui faisait prendre pour l'essence même de la poésie. [Corrections opérées par Baudelaire dans certains poèmes des *Fleurs du mal*: ces corrections] nous montrent que Baudelaire ... a tendu sans cesse à la perfection de la forme ... Il y est arrivé le plus souvent.

(131)   1901, 4 septembre, Jules Claretie, "Le Monument de Baudelaire", *Le Journal*.
Aujourd'hui toutes ces excentricités [de Baudelaire] sont oubliées et depuis longtemps ... Charles Baudelaire est salué comme un souverain des lettres, un précurseur, l'inventeur de ce "frisson nouveau" ... Et si l'on ouvre une souscription pour le monument de Baudelaire, nul doute que, sur la liste, ne figurent les noms des jeunes maîtres ... Au fond, c'était un tendre; il avait jadis beaucoup souffert et puis, né d'un vieillard, il sentait se tordre en lui des hérédités douloureuses. [Claretie avait connu Baudelaire et l'avait souvent vu au "Casino Cadet", un bal public de la rue Cadet:] C'était dans ce palais du cancan que le poète ... venait promener ses rêves ... Il passait, le visage grave et l'allure hautaine, parmi ces valseuses. Il étouffait sous les hurlements de ces cuivres, la songerie intérieure et morbide qu'il traînait à travers la vie. Il était comme un paradoxe vivant dans ce milieu de bacchanale ... Assis tout seul devant quelque table ronde, dans un coin ... il regardait passer, au son de quelque valse de Métra ou de quelque quadrille d'Offenbach, le défilé macabre des viveurs ... et des jolies filles. [Comparaison entre Baudelaire et Dante.]

(132)   1901, Henri Baillière, *La rue Hautefeuille. Son histoire et ses habitants (propriétaires et locataires), 1252-1901* (Baillière, 1901).
[L'hôtel d'Alègre, rue Hautefeuille n° 13, où Baudelaire est né. Histoire de la maison. Baudelaire a-t-il "corrompu la notion même de l'art"?—Le "magistral article" de F. Brunetière sur la statue de Baudelaire.]

(133)   1902, 22 janvier, Edmond Lepelletier, "Un Maître", *L'Echo de Paris*.
[A propos de la statue:] Baudelaire a été un précurseur, il est resté un maître.

(134) 1902, février, "Quel est votre poète?", *L'Ermitage*, Revue mensuelle de littérature.

[*L'Ermitage* a prié deux cents poètes de répondre à cette question, et a reçu cent vingt-cinq réponses. L'ordre des préférences: Hugo, De Vigny, Verlaine, Baudelaire, Lamartine, Musset, Leconte de Lisle, Mallarmé, Samain. Parmi les réponses, dont celle d'André Gide est la plus célèbre:]

Alcanter de Brahm: La Poésie n'exclut pas la vérité de ses attributs; et un seul volume parfait rend plus de services à l'humanité qu'une édition nationale illustrée en soixante-douze tomes. Voilà pourquoi *Baudelaire* est mon poète.

Raymond Bouyer: Permettez-moi de nommer celui chez qui Victor Hugo lui-même a découvert "un frisson nouveau", celui qui dans sa prose d'artiste a deviné la suggestion d'Eugène Delacroix, la suprématie de Richard Wagner: ce critique-là sera *mon* poète; et sans remords, je tiens à voter pour *Baudelaire.* P.S. — Qu'est devenu le projet de souscription pour le monument de Baudelaire?

Charles Chanvin: Par la *qualité* et par tout ce qui est le contraire d'Hugo, *Baudelaire.* Je le retrouve toujours *nouveau,* toujours *savant,* toujours *moderne,* jamais anachronique et jamais épuisé.

F. Fagus: ... le profond, multiforme et magnifique *Baudelaire* en qui précisément tout son siècle se résume et qui ouvre un siècle nouveau (car tous ceux qui sont venus après lui et ceux qui viennent encore, datent de lui et "l'ont dans le sang") ...

André Gide: Hugo,—hélas!

Charles-Henry Hirsch: L'œuvre de Victor Hugo est un musée où l'on pénètre toujours avec une émotion religieuse ... mais le merveilleux charme cesse avec le contact. L'enseignement de Baudelaire persiste, par une continuelle répercussion de sa pensée et la puissance de la forme stricte qui l'impose aux méditations.

Jean Lorrain: ... Mon poète est *Baudelaire,* mais il m'est bien pénible de préférer ici publiquement Baudelaire à Verlaine ou à Vigny.

Ernest Raynaud: Je salue la noble figure du poète *Ecouchard Lebrun* qui fut le maître et l'inspirateur d'André Chénier et qui vécut assez pour conduire les Muses grecques à la cour de Bonaparte ... Victor Hugo ... résumerait à peu près son siècle s'il n'avait laissé de côté ... l'émotion de Lamartine, l'ironie de Musset, la fierté hautaine de Vigny, la joie païenne de Banville, la sensualité mystique de Baudelaire. Sa mise en œuvre exclusive des idées de la Révolution dont la banqueroute est prochaine, son manque de sensibilité, son optimisme têtu l'éloignent de plus en plus des jeunes esprits que travaillent les inquiétudes de l'heure présente et qui se montrent davantage hospitaliers aux poèmes d'un Laforgue, d'un Verlaine, d'un Corbière, d'un Rimbaud dont la blague fiévreuse ou l'apaisement triste, par leur outrance délicieuse, ont préparé les voies à une renaissance classique.

Jehan Rictus: Selon moi, Baudelaire a écrit les plus beaux vers de la langue française et je le préfère à Victor Hugo.

Léon Riotor: Mon poète ... parle à mon cœur, il vibre à l'unisson de mes douloureuses pensées. C'est une lyre lointaine et triste, parfois amère. Elle me vient des confins du monde pour émouvoir mes solitaires songeries ... L'harmonie de nos deux âmes évoque toute l'harmonie. Celui-là, c'est *Charles Baudelaire.*

(135)   1902, 15 mars, Michaut (docteur), "Comment est mort Baudelaire", *La Chronique médicale.*

[Baudelaire est mort] *aphasique*, avec une *hémiplégie droite* [et non pas à cause d'alcool, ni de stupéfiants, ni de débauches sexuelles:] Jamais homme de lettres ne fut plus sobre et moins porté aux excès sexuels ... Tout ceci prouve jusqu'à quel point la réputation de "débauché" est mal justifiée quand on continue à l'appliquer à la mémoire bafouée du grand poète des *Fleurs du mal*, que M. Brunetière a été jusqu'à traduire en prose, et quelle prose, pour démontrer combien elle contenait peu de poésie! Travail aussi puéril que malveillant. Non, ni tabac, ni femmes, ni haschisch ... Laissons cette légende à ceux qui n'ont d'autre satisfaction que celle de chercher des tares morales dans l'existence de nos grands écrivains.

(136)   1902, 15 avril, L. Perrette, "Le Théâtre de Baudelaire", *Revue d'art dramatique.*

[Compte rendu des projets de théâtre trouvés parmi les papiers de Baudelaire; excellence de son article sur Wagner. Conclusion:] En dépit d'un buste sur sa tombe, Baudelaire restera bien le dieu hautain et mystérieux du culte rare de quelques piétés jalouses.

(137) 1902, mai, Adolphe Piat, "Baudelaire, l'Académie française et le cercle d'Anvers", *L'Art*.

[Baudelaire est un "littérateur très surfait", et son portrait au crayon de Jeanne Duval est] un pauvre dessin dû à cet écrivain qui se prit pour un critique d'art dans la patrie de Thoré et de Pelloquet... [S'il avait fait à Bruxelles une conférence sur Delacroix] Delacroix... ne l'eût pas pardonnée. L'emphase, qui tient toujours du cabotinage, lui était odieuse. Baudelaire se faisait de violentes illusions vaniteuses, lorsqu'il se disait *aimé* de ce illustre maître.

(138) 1902, 16 mai, Ernest Vaughan, "Pierre Dupont", *L'Aurore*.

Les Fleurs du mal, dont tant de mes concitoyens font, ou font semblant de faire, leur livre de chevet, ne me paraissent pas valoir mieux [que les poésies de Dupont], et il ne faudrait pas me presser beaucoup pour me faire avouer qu'elles me semblent plutôt valoir moins. Et là-dessus, prenez ma tête. Je suis, néanmoins, très partisan de Baudelaire. Mais une des causes secrètes de ma sympathie est qu'il fut presque le seul des critiques contemporains à parler de Pierre Dupont en termes congrus.

(139) 1902, 25 mai, Charles Maurras, "Entre Dupont et Baudelaire", *la Gazette de France*.

[Compte rendu du précédent.]

Il faut louer [Vaughan] d'un choix qui témoigne d'un esprit sain... [Baudelaire est un poète] savant et pervers, corrompu et laborieux... [Comparaison de "Avant que tes beaux yeux soient clos" de Dupont au "Jet d'eau" de Baudelaire:] Je ne crois pas qu'il soit possible de résister à l'appel large et puissant du dernier huitain. Nous tous, qui fûmes Baudelairiens dans l'adolescence, de tels vers nous poursuivent quelquefois comme des regrets... Et cependant... je suis tenté de me retourner vers Pierre Dupont, comme vers un ami beaucoup plus simple mais aussi beaucoup plus sûr... Entre un habile artiste de décadence et son contemporain qui, moins adroit fut préservé par l'ignorance même de certains défauts essentiels, notre hésitation est bien instructive!

(140) 1902, 1er juillet, Jean Vaudon, "Baudelaire et les Baudelairiens", *La Quinzaine*.

Ce titre [*les Fleurs du mal*] déclare bien ce que l'auteur veut faire entendre. C'est en effet toute une flore que cet ouvrage, la flore des marais empestés. L'air est plein de sucs violents, pénétrants, d'âcres arômes, qui montent à la tête et donnent la fièvre et le vertige. Sur les eaux croupissantes s'étendent, çà et là, des écumes verdâtres, des lies violâtres parmi lesquelles on voit des bêtes grouiller et d'autres qui sont mortes, flotter... La réalité brutale se mêle dans ce livre au rêve et à la chimère. La sensualité païenne et de mauvais lieu s'y combine avec une sorte de mysticité d'église... La plupart des visions ne sont pas seulement étranges, ou bizarres, ou baroques, elles sont dépravées... Rien de bien profond ni de durable... Il n'y a point d'amour dans ces pages, attendu qu'il n'y a point de cœur. Ce que Baudelaire appelle l'amour est quelque chose d'innommable qui fait penser à Tibère et à Caprée. D'ailleurs, les répugnantes images, où se mêle le sang, abondent... Tout cela est-il bien sincère? Nous ne le croyons pas. Il se peut qu'à la longue le mystificateur se soit mystifié lui-même... On plaint cette machine nerveuse, compliquée, tourmentée... ce maniaque en proie à une idée fixe et affolante, l'idée de trouver et d'éprouver des sensations rares, des jouissances neuves... de nouvelles manières d'anémier son cerveau, d'atrophier son cœur, de souiller son âme, de déshonorer sa vie. Il y a réussi effroyablement... Baudelaire... est un manœuvre, un ouvrier de réflexion, de combinaison, de volonté et de système... Ce livre... est la conception glacée d'un esprit qui se travaille et se ronge... Ces vers sont des chinoiseries, du placage, ou... du maquillage... Et ce masque—cette rhétorique—recouvre trop souvent... des banalités, des puérilités, des platitudes, des obscurités... Il y a des qualités dans ce style... la concision en est savante... le vers est dur, roide, et sec, coupant, mais résistant aussi et net, habituellement exact et plein. Baudelaire n'a guère qu'une corde... mais il la fait vibrer... "Bénédiction" est... un beau cantique et d'une harmonie grave... On pourrait découvrir, à force de patience... quelques vers naturels et purs, quelques strophes assez fraîches... [La mauvaise influence du poète: il a apporté à la littérature contemporaine] une sensibilité affinée... irritée... exaspérée... qui jette d'abord son malade en dehors de la réalité et le plonge ensuite dans les cauchemars... dans l'irréel et l'impossible...

[Pour rendre] les émois, les troubles indécis, imprécis, pour saisir des formes subtiles et graves, des complexités vaporeuses et fuyantes... pour exprimer... l'inexprimable, il faut une langue d'espèce particulière, teintée, nuancée... tout en reflets, avec des ombres... [un style] bariolé, maniéré, artificiel... *décadent* [comme le style de Pétrone et d'Apulée]... Artifice et décadence tel est le second apport de Baudelaire à la poésie moderne... [et c'est le style d'une époque de décadence:] Les déviations, les dépravations, les perversités du monde moderne, un monde épuisé, blasé, encore bien qu'irrassasié et toujours en quête de sensations inéprouvées, voilà le fond ordinaire de l'inspiration baudelairienne... ["Correspondances" est la source du symbolisme contemporain; Baudelaire tombe trop souvent dans] le faux, dans l'étrange... dans le ridicule et dans l'immoral... [Citation de la "Notice" de Gautier sur le style de décadence: de telles théories, d'après Vaudon, ne peuvent aboutir qu'à l'obscurité. Conclusion:] Ainsi, recherche en littérature du *nouveau*, fût-il étrange, bizarre, baroque,—fût-il morbide, surtout s'il est morbide et même monstrueux; culte non pas précisément de l'art pour l'art, mais de l'art pour le factice et l'artificiel; furieux amour du faisandé, de l'avarié, du décadent; en un mot, pour le fond et pour la forme, de tout ce qui est "hors nature"... voilà le baudelairisme, de sorte qu'on peut se demander si le cas du "maître" ne relève pas moins de la critique littéraire que de la pathologie cérébrale... Cet impulsif, déséquilibré, maniaque, malade, a exercé... une influence... non pas seulement funeste, mais désastreuse. Les disciples sont venus, extra-nerveux eux-mêmes et détraqués, et ils ont encore raffiné sur le maître.

(141) 1902, octobre, Octave Uzanne, "Baudelaire", *Le Tréteau des lettres*.

[A propos du monument à Baudelaire au cimetière du Montparnasse:] Le poète qui impressionna le plus profondément l'âme moderne... le grand aristocrate de notre littérature contemporaine. [Louange de la statue de José de Charmoy, qui] se serait complu à l'harmonie des lignes, à la simplicité décorative, à la mélancolie des gouffres éternels [qui se dégagent de l'œuvre de Baudelaire. L'article se termine en souhaitant un bon travail biographique sur le poète.]

(142) 1902, 22 octobre, Henry Lapauze, "Les Paradoxes de Baudelaire", *Le Gaulois*.
Si la foule continue à l'ignorer, son œuvre du moins ne fut
jamais aussi familière qu'aujourd'hui aux lettrés. Baudelaire
aura exercé une influence considérable sur la littérature actuelle, et tous les poètes depuis un quart de siècle sont tribu-
taires de la forte concision de sa forme et de sa pensée.

(143) 1902, 25 octobre, Jean Carrère, "Baudelaire", *la Revue Hebdomadaire*. (Repris dans *Les Mauvais maîtres*, Plon, 1922.)
Je n'ai jamais cessé d'aimer Baudelaire... Il y en a et il y aura
... de plus grands poètes, surtout de plus vivifiants et de plus
élevés; il n'y en a jamais eu de plus attachant, de plus sincère
et de plus profond. Quand on l'a lu, on ne peut l'oublier...
Par la vigueur, la concision et le sobre éclat de sa forme, il est
le plus classique de tout le XIXe siècle; par la hardiesse des
métaphores, l'imprévu des images, l'audace des ellipses et le
sursaut du lyrisme, il est le plus novateur des romantiques.
Littérairement, il est complet; et dans un siècle où les poètes
se laissèrent aller au décousu de l'inspiration et du sentiment,
il donna... l'exemple d'une œuvre sévère, unifiée et synthétique. Et quel charme de mots! Quel don miraculeux d'évoquer
des mondes au son des syllabes et des rimes! Quelle magie de
musique et de couleurs!... ["La Chevelure" est] une éblouis-
sante vision... ["Le Vin des Chiffonniers"] des strophes ro-
bustes et parfaites... ["Les Phares"] un élan sublime... ["Le
Voyage"] l'un des plus émouvants poèmes de toutes les littératures... Et cependant... ce magicien est, malgré tout, un
"mauvais maître"; et personne peut-être n'a eu, sur les générations qui l'ont suivi, une influence plus trouble, plus douloureuse et plus décourageante... Baudelaire n'a pas été immoral
comme l'ont entendu des critiques à courte vue; mais il a été
"démoralisateur"... Il a été un dissolvant d'énergie. Il a brisé
... le ressort de toute action et de toute force. Son mal s'appelle: *la peur d'agir,* et il se dissimule sous cette apparence
enjôleuse, *l'amour du rêve*... deux expressions d'une même
faiblesse: *la lâcheté devant la vie*... [Par conséquent, son
œuvre est] la fleur suprême du mal... Les amis de Baudelaire... ont été tellement séduits par son génie captivant, qu'ils
ont cru voir en lui l'expression suprême d'une civilisation. On

en a fait un apôtre du pessimisme et un prophète de décadence. C'est chercher bien loin... l'explication d'un mal... qui est de tous les temps et de tous les pays... [Comme Alfred de Musset, Baudelaire était] un propagateur de lâcheté morale...

(144) 1902, 20 octobre, Charles Maurras, "La Maladie de Baudelaire", *la Gazette de France.*
[Compte rendu du précédent.]
M. Carrère distingue avec beaucoup de netteté ce qu'il y a de malsain, d'artificiel, de pervers dans la matière de cette poésie, dans les évocations de cet art... Mais la racine générale de toutes ces perversités, leur mensonge fondamental, ou... l'erreur de pensée qui vicie, corrompt, affaiblit et dénature non seulement la morale de Baudelaire, mais sa poétique et son optique même, non seulement ses idées et ses images, ses sentiments et ses impressions, mais la force, le rythme... Carrère ne semble pas y prendre garde... [Maurras, lui aussi, aimait beaucoup Baudelaire autrefois, à vingt ans; et même maintenant] j'avouerai... qu'il m'arrive plus d'une fois de retomber sous le joug du prestige ancien [surtout en lisant de tels poèmes qu'"Amour du mensonge"]... Tout le sang de notre jeunesse a couru dans ces strophes où l'artifice et la *manière* nous semblaient compensés par je ne sais quoi de fiévreux, de poignant et de vrai... Il ne faut pas compulser longtemps les études critiques de Baudelaire pour discerner que cette exaltation et culture de l'hystérie était œuvre de réflexion et de volonté... Ce fut en des nerfs affinés, subtilisés et épuisés par l'excitation et la maladie que Baudelaire conseille aux jeunes poètes de chercher leur inspiration... Il invite l'artiste à mettre sa force et sa gloire... dans le choix de quelque matière qui nous soit un peu rare... Il fut assez écouté pour causer une extrême dépravation esthétique... Son tort particulier ou... son mérite et... l'un des plus grands secrets de sa force, consiste en ce qu'il a appliqué patiemment à l'art romantique les procédés les plus sévères de la versification classique... [C'est] un "Boileau hystérique"... Comme Boileau il a l'haleine courte. Il fait très bien les vers, il manque la strophe, il ne vient pas à bout du poème. Il abonde en lourdes transitions sans grâce. Il fourmille de prosaïsme. Il n'est poétique que par accès. Mais il est oratoire et périodique avec méthode, quoique sans feu...

C'est un effronté chevilleur, mais un raboteur et un polisseur
de premier ordre... [Et pourtant] sa poésie attire l'œil, le
retient, l'amuse et le charme par je ne sais quoi de profond
dans le superficiel, de sérieux... de touchant dans l'absurdité
... Ce prestige... sera peut-être un jour une grande curiosité
pour l'historien des lettres. On aura peine à s'expliquer la fidélité de notre souvenir aux vers de ce poète.

(145) 1902, 2 octobre, Jules Bois, "L'Influence de Baudelaire", *Le
Gaulois.*
[A propos de l'inauguration du monument, le 27 octobre 1902.]
Par la nouveauté de ses rythmes, par la profondeur des sentiments et des pensées, par l'atmosphère spirituelle qu'il a laissée
après lui, Baudelaire est entré dans la renommée définitive et
incontestée. Les critiques vigoureuses de M. Brunetière furent
la dernière manifestation de la résistance académique... Nul
ne nie plus aujourd'hui que Baudelaire n'ait été original écrivain et rare poète; mais les bienfaits de son influence restent
discutables... Baudelaire est... un des visages de notre âme,
le plus lointain, le plus véridique, peut-être, le plus secret à
coup sûr, celui qu'ont marqué nos convoitises et nos tristesses!
Baudelaire c'est la face mélancolique de nos remords... Une
des tares de Baudelaire fut la haine du naturel, le goût de
l'artificiel et du mensonge... Il avait horreur de la jeunesse,
de la simplicité, de la spontanéité... Il y avait quelque chose
de gâté dans cette âme parfois sublime. Sa responsabilité morale est lourde. Il a pu faire croire longtemps à une jeunesse
fascinée... qu'une certaine perversité était inséparable de la
Beauté... Il a mis à la mode une littérature de vampire, de
possédé, de revenant, de danse macabre et de maison de jeu.
Il a minutieusement décrit les poisons de l'imagination, comme
le haschisch et l'opium; il a savamment distillé les poisons de
l'âme. Il a entraîné vers la chimère, le songe malfaisant, le
dédain de la lutte, la stérilité, le goût du néant, des générations
déjà lasses et chez qui le ressort d'agir commençait à être
atteint. Enfin, pour rendre plus alliciants tous ces toxiques, il
y a mêlé le parfum d'une noble tristesse, les mirages de l'exotisme, le prestige d'un mysticisme qui ne donne à l'âme des
ailes que pour mieux la précipiter. En somme, il a engendré la
neurasthénie moderne, il est le père de la pire des décadences,

celle du cœur et de la volonté... Il serait injuste de ne voir en Baudelaire que le "poète maudit"... Ce grand malfaisant avait heureusement gardé du catholicisme une empreinte ineffaçable... Il est bien... le poète du remords... Il fut comme le Janus de la pensée et de l'art contemporains. Si le visage pervers... a inspiré à tant de jeunes hommes l'amour des sensations troubles... le visage idéaliste que quelques uns ... ont entrevu, a suggéré déjà une renaissance chrétienne dans la littérature [Barbey d'Aurevilly, Villiers de l'Isle-Adam, Huysmans]... et réconfortera à travers les âges les jeunes gens plus forts et plus sains que nous attendons.

(146) 1902, 26 octobre, Jules Claretie et Henri de Régnier, "Baudelaire: L'Homme, le Poète", *Annales politiques et littéraires*. [Jules Claretie analyse l'homme; il discute les poses et les mystifications de Baudelaire qui n'étaient, selon lui, que des moyens pour cacher un cœur trop sensible. Régnier discute le poète, "juste, subtil et puissant", et reproduit son article du 25 février 1893–*supra*, n° 81.]

(147) 1902, 26 octobre, Georges Grappe, "Baudelaire", *le Journal des débats*.
[Dans l'œuvre de Baudelaire] la force et la beauté se trouvent concentrées... On demeure étonné du prestige qu'entraînent avec eux ces trois ou quatre livres qui contiennent toute une esthétique et la réalisation de cette esthétique. Et l'on s'attarde à son étonnement lorsqu'on se dit qu'aucun autre poète, même Hugo, n'a autant parfumé que lui-même l'œuvre des écoles poétiques depuis trente ans... Comme il avait une culture classique très forte... un sens remarquable des grandes idées philosophiques... cet artiste très intelligent devint le grand poète de quelques émotions profondes, de quelques visions nouvelles qui suffisent sans doute à lui assurer l'immortalité.

(148) 1902, 28 octobre, Gaston Jollivet, "Notes parisiennes", *Le Gaulois*.
Oui, certes, Fernand Desnoyers a eu raison: "Il est des morts qu'il faut qu'on tue", et Baudelaire est un de ces défunts qu'il convient de porter définitivement en terre. D'abord, parce que, dussé-je sembler légèrement "pompier", ce poète me paraît avoir eu la plus pernicieuse influence sur... les étudiants de

1865 à 1870. Leurs prédécesseurs avaient tenu surtout Baudelaire pour un excentrique peut-être parce qu'ils l'ont connu en
chair et en os... Baudelaire fut surtout ce qu'on appelle à
présent un "épateur de bourgeois"... S'il s'était offert moins
d'effets de cravates et de sujets truculents... l'Etat, ainsi que
la Ville de Paris, aurait tardé à doter son ombre macabre d'un
emplacement aujourd'hui encore mesuré à Musset, refusé à
Gautier.

(149)   1902, 29 octobre, Gaston Jollivet, "Les Poètes et la politique",
L'Eclair.
En songeant à tout ce qui s'est dépensé d'éloquence vaine
autour des inaugurations Verlaine et Baudelaire, l'opinion
publique applaudirait à la création d'un syndicat qui... dé-
boulonnerait toutes les terres glaises destinées aux poètes morts,
tant que la France n'aura pas solennellement fêté les monuments dus à Musset et à Gautier.

(150)   1902, 31 octobre, Eugène Veuillot, "Ça et là: Charles Baudelaire", *L'Univers.*
Jamais les poètes... n'ont été plus délaissés qu'aujourd'hui...
En revanche, quiconque a rimé avec un peu de talent ou
beaucoup d'excentricité a chance d'arriver, de quinze à trente
ans après sa mort, au monument... Le jour de gloire est arrivé.
Il dure deux ou trois heures... Puis l'oubli... reprend partout
et pour toujours. C'est ce qui vient d'échoir à Baudelaire. Il
avait du talent, beaucoup de talent... et il en fit de parti pris
le plus mauvais usage possible. Cet homme d'esprit... était
corrompu de pose. Il posait pour l'homme qui aime et qui
méprise le vice, qui le cherche et voudrait le fuir, qui en
souffre et en jouit. Quelque temps après la juste condamnation
des *Fleurs du mal*... Baudelaire vint voir Louis Veuillot. Il
lui parla de l'état de son âme et de son corps, lui dit qu'il était
catholique de cœur et d'esprit, mais qu'il ne pouvait ni ne
voulait conformer sa vie aux enseignements chrétiens. Louis
Veuillot fut touché par cette confession et pressa Baudelaire
de la porter à un prêtre; il lui conseilla un capucin. Baudelaire
promit d'y songer. Des relations un peu décousues suivirent ce
premier entretien... Quand Baudelaire devint à peu près ou
tout à fait impotent, L. Veuillot alla le voir et contribua à faire

entrer près du malade un prêtre. Celui-ci fut bien reçu...
Louis Veuillot se rendit aux obsèques de Baudelaire, non...
pour rendre hommage au grand talent du poète, mais pour
[prier] Dieu de le pardonner...

(151)   1902, 2 novembre, Catulle Mendès, "Baudelaire, une nuit", *Le
Figaro.*
... Le sobre et le correct, l'élégant et le méthodique, le précieux... Baudelaire, rare honneur de l'art français... celui en
qui se leva le jour orageux et blême de la mélancolie moderne
... [Mendès a rencontré Baudelaire un soir vers 1865: le poète
était sans argent et Mendès l'a logé. Pendant la nuit, Baudelaire lui a dit que dans toute sa carrière d'homme de lettres il
n'avait gagné que 15.892 francs 60 centimes; il a parlé ensuite
de Gérard de Nerval, au suicide de qui il ne voulait pas croire.]

(152)   1902, 5 novembre, Jules Legendre, "Charles Baudelaire", *Revue
libérale internationale.*
[Baudelaire jouit aujourd'hui] d'une gloire pure mais que l'on
aimerait à croire plus populaire. Car Baudelaire, dont les vers
parlent à l'âme, serait aimé du peuple si le peuple le connaissait.

(153)   1902, 8 novembre, Raymond Bouyer, "Baudelaire critique
d'art", *la Revue Bleue.*
Le parfait poète des *Fleurs du mal* est toujours le poète
maudit que de rares fidèles osent vanter dans un cimetière
désert... A d'autres plus lettrés de remettre à son plan, qui
fut le premier, cette hautaine figure solitaire, ce miroir profond; de venger ce soi-disant "décadent" de 1857, qui demeure,
au contraire, le plus chrétien des poètes... Mais le critique
d'art qu'il était non moins éminemment et discrètement nous
suffit... Si l'artiste... sursaute maintes fois dans le poète...
il n'est pas défendu de retrouver à chaque page... dans le
critique d'art, le poète, le plus *romantique* des poètes. Ce romantisme de Charles Baudelaire, poète et prosateur, dont toute
l'œuvre et toute la vie ne furent qu'un hymne tragique à la
Beauté disparue... ce n'est pas dans l'histoire ou dans la rue,
mais en soi qu'on le trouve... Quelle est l'idéale patrie de ce
romantisme? Le pays pluvieux, où l'absente Beauté n'est plus

que la réminiscence d'une vie intérieure... un froid royaume
dont le rêve intérieur est le roi... Ainsi, dès 1846, le jeune
salonnier spiritualisait la théorie des climats; et son intuition
devinait Vallgren, Rodin, Bartholomé... D'instinct, Baudelaire
a la vision *rembranesque*; il sera donc un moderniste. Il risque
le mot de modernité... et modernité doit être envisagée
comme un corollaire de romantisme... Mais... ce soi-disant
réaliste a détesté le réalisme. Hamlet bourgeois... il est trop
aristocrate pour frayer familièrement avec les fossoyeurs...
Il veut demeurer seul à l'écart, et, comme disait Sainte-Beuve
qui l'a merveilleusement compris, "à la pointe extrême du
Kamtchatka romantique"... Le réalisme... le Parnasse, c'est
"l'univers dans l'homme"... sans l'âme... c'est l'art *objectif*,
et la poésie est évidemment *subjective*: c'est l'art de celui pour
qui le monde *intérieur* existe... Baudelaire critique d'art ne
cesse pas un instant d'être poète... Il reste isolé dans son
"kiosque"... d'où il poétise en la regardant, cette modernité...
En se posant sur la vie, son regard d'artiste la sublimise et la
transpose... Le "vrai peintre"... de la vie moderne qu'il
souhaite... c'est lui-même, en ses prestigieux chapitres, beaucoup plus que ce Guys qu'il désigne... [Ses jugements sur la
peinture sont presque toujours infaillibles: Daumier, Ingres,
Delacroix, Wagner:] Delacroix fut l'initiateur de Baudelaire; il
fut, avec Hoffman et Poe, son vrai maître... Spiritualité, philosophie, ce sont les dons innés de notre analyste: et provi-
dentiellement, Richard Wagner viendra donc lui révéler la
musique de son désir... Sa divination fait de Baudelaire le
premier Wagnérien français et son extase est la préface de
notre éducation musicale... Le poète est trop philosophe pour
ne point chercher le "pourquoi" de son vertige... Il veut
"transformer sa volupté en connaissance"; et l'analyse la plus
lucide devient le prolongement logique de la sensation. En
cela, le critique d'art est parent de l'artiste; la faculté qui l'in-
spire, c'est l'imagination... "Elle crée un monde nouveau..."
Baudelaire est le roi de ce nouveau monde. Dans le sensuel,
un mystique s'est formulé. La *spiritualité* de ce mystique enfante mystérieusement la *correspondance*... qui rapproche
deux génies éloignés, deux arts différents... C'est la *spiritualité*
qui fait la *correspondance*, provoquant un rapport... Ainsi le
dictionnaire de la nature devient... un dictionnaire de syno-

nymes. Ainsi se forme un langage nouveau ... Baudelaire a
complété Delacroix ... Ce qui, chez Wagner, était seulement
coïncidence des arts, et, chez Delacroix, instinct des *complé-
mentaires*, est devenu, dans l'âme baudelairienne, sentiment des
analogies réelles et d'une *fusion* possible ... La *correspondance*
décisive à nos yeux, c'est le voisinage de Wagner avec Delacroix ... ce double hommage aux deux "représentants les plus
vrais de la nature moderne". Critique d'art intuitif, supérieure à
nombre d'artistes, et dont *l'instinct* sympathisait avec les lois
éternelles, Baudelaire était marqué pour les défendre ... Il ...
nous prouve que tout critique d'art n'est pas nécessairement
un fruit sec, mais qu'un reflet génial colore encore l'automne
des âmes et de notre art,—nos tourments d'unité.

(154)   1902, 8 novembre, Lazarille, "Echos de Partout", *la Semaine
littéraire*.
[A propos du monument au cimetière du Montparnasse.]
Charles Baudelaire, ancêtre des modernes poètes maudits ...
est, encore aujourd'hui, discuté presque aussi passionnément
[qu'en 1857] ... Laissons dormir paisiblement, en terre sainte,
le prestigieux ouvrier, le maître qui a accompli son douloureux
destin; son sourire sarcastique est éteint; son culte ... sera
gardé ... par ceux qu'il nommait les amoureux fervents et les
savants austères ... Nous devons nous associer à ces paroles
filiales de M. Ernest La Jeunesse, en hommage au "magnifique
et classique poète de l'inquiétude moderne".

(155)   1902, 9 novembre, Jules Bois, "Baudelaire à l'Académie", *la
Semaine française*.
[Les déboires du "probe et noble poète", du "grand et douloureux poète", à l'occasion de sa candidature à l'Académie
française en 1862.]

(156)   1902, 15 novembre, Gustave Kahn, "Le Baudelairisme", *la
Nouvelle revue*.
[Baudelaire a réagi contre les poncifs du romantisme:] le placage d'exotisme et la vibration du sentiment personnel. [C'était]
un observateur exact et sachant regarder la vie ... un poète et
aussi un critique ... se rattachant au XVIIIᵉ siècle ... Il ne
veut étudier que l'Esprit et ses aventures personnelles ... Chez
les Symbolistes, pendant que chez les Néo-Parnassiens l'in-

fluence de Baudelaire continue à dicter des imitations pâles et littérales de certaines pièces, l'influence de Baudelaire est puissante.

(157) 1902, 16 novembre, Jean Vaudon, "Baudelaire et les Baude-lairiens", *La Quinzaine.*
[Quelques disciples contemporains de Baudelaire: Rollinat, Richepin, Mme Ackermann, Verhaeren, Rodenbach, Guaita, Bourget, Sully Prudhomme, Heredia, Coppée—Vaudon les condamne tous à cause de leur "baudelairisme":] Pas plus dans *Les Névroses* [de Rollinat] que dans *les Fleurs du mal,* ne cherchez Dieu, le vrai, le père, ni l'âme, ni la patrie, ni la famille, rien de céleste et rien d'humain... [La plupart des disciples de Baudelaire sont] des blasphémateurs, des sacri-léges, des nihilistes, des démoniaques... et plus encore des fous.

(158) 1902, 15 décembre, M. Laffont (docteur), "Poème inédit de C. Baudelaire", *la Renaissance latine.*
[Première publication de "Noble femme au bras fort":] Les strophes de Charles Baudelaire me paraissent un fragment d'une poésie beaucoup plus importante qui n'a pas vu le jour et se trouve sans doute soigneusement cachée dans l'album d'auto-graphes d'un bibliophile jaloux... Quel plaisir peut avoir un amateur à conserver, sans les communiquer, des fragments inédits d'un grand esprit?

(159) 1902, 20 décembre, Jules Legendre, "Edgar Poe et Baude-laire", *la Revue libérale internationale.*
Il est impossible de rencontrer deux natures aussi semblables.

(160) 1902, Fernand Calmettes, *Leconte de Lisle et ses amis* (Librai-ries-Imprimeries Réunies, s.d. [1902]).
Baudelaire... qui ne se sentait pas en rapport de famille avec les imaginatifs de haut vol, s'efforçait de racheter par la maî-trise de son art, son manque de supériorité dans l'inspiration... Avec la froide énergie... il se fit dompteur de mots... châtieur intraitable de la phrase... Il contribua fortement à propager le mépris voué... à la façon d'écrire qui... redonde et sura-bonde de termes louches dans l'application de la syntaxe... C'était entre Leconte de Lisle et lui le sujet d'interminables

entretiens... Pour notre génération morbide, appauvrie de chlorose et qui se nourrit d'impressions effacées, sans contours, c'est devenu la mode de proclamer la suprématie de la musique sur tous les autres arts... Seule la littérature a la force de tout exprimer en termes rigoureux... Sur cette souveraineté de la littérature, Leconte de Lisle était certain de se rencontrer en communion de doctrine avec Baudelaire. (94-96)

(161) 1902, Adolphe Lacuzon, *Eternité* (Lemerre, 1902).
L'influence [de Baudelaire], si tant elle existe vraiment, sur la génération qui nous occupe, viendrait moins de son œuvre proprement dite que des centaines de pages de glose romantique dont reste prisonnière l'édition actuelle des *Fleurs du mal*. Baudelaire, dont l'individualité paradoxale fit si souvent dévier en propos anecdotiques les jugements portés sur son talent, avait plutôt la nostalgie de la force que le culte de son hystérie.

(162) 1902, Gustave Kahn, *Symbolistes et décadents* (Vanier, 1902).
La caractéristique spéciale de Baudelaire serait une vue très lasse de la vie, et des antinomies profondes qui ne permettent le bonheur qu'en quelques minutes d'excitation où l'on peut s'élever par l'extase intellectuelle... Il pense que l'être, qui pourrait aller vers le clair et le sain, se sent comme attiré vers l'obscur et le putride, et s'enlise. C'est ce qu'il faut voir à travers les mots religieux de péché, de Satan, et les apostrophes à Dieu; Baudelaire n'a rien d'un croyant, il était au contraire plein d'amour, et l'amour dut se taire devant les voix indifférentes ou mauvaises des choses... Ses premières admirations positives vont à Gautier; son art est l'ennemi de la conception Hugolâtre: autant son devancier s'épand, verbalise, entasse le vocable sur le terme... autant Baudelaire est froid, retenu; autant son devancier joue de tous les tams-tams politiques et anecdotiques, autant il se les refuse sérieusement. Son âme recherche les grands synthétiques. Poe ou Quincey... Il va vers l'âme humaine au lieu d'aller à la prédication... Le métier de Baudelaire... est solide, serré; toute son œuvre porte un caractère de protestation du nouveau maître contre l'ancien... [Chez Poe et chez Baudelaire] on trouve ce que Baudelaire appelait les minutes heureuses, les minutes d'altitude de con-

science, de la conscience en elle-même, écho des phénomènes passionnels, de la conscience acceptant l'influence des phénomènes de paysage et les adaptant à sa couleur d'âme momentanée, empreinte de douleur puisque tel est ce temps et ces circonstances qui réduisent la littérature digne de ce nom à n'être que de la pathologie passionnelle; on y trouve un art savant... il n'y a ni enseignement, ni bric-à-brac, ni remploi des désuétudes; les poèmes de Poe arrivent à être des poèmes purs... La forme du poème en prose, souple, fluide... le rayonnement d'une intelligence large comme celle d'un Diderot, analytique comme celle d'un Constant, intuitive à la façon d'un Michelet, une intelligence sagace à découvrir Poe, claire à serrer en trente pages les mirages de l'ivresse, lucide à comprendre à la fois Delacroix et Guys, clairvoyante à se méfier déjà d'une technique poétique pourtant si améliorée par lui-même, tels étaient les titres de gloire de Baudelaire... [Il est le maître de Rimbaud, de Verlaine, de Mallarmé, de Villiers de l'Isle-Adam, qui continuent son œuvre; c'était surtout un novateur:] Avec Baudelaire quelque chose de nouveau... se lève... Il pense que l'instrument romantique est trop lâche, que le fonds des idées romantiques est banal. Baudelaire n'étiquette pas sa recherche... Il est romantique à la façon de Delacroix, et non selon Hugo... Son art procède de lui-même. Avec plus de couleur et de rythme que les romantiques, avec plus de sonorité intime, d'un verbe plus nourri de latinité, il reprend leur préoccupation de poésie personnelle, et au lieu de la cantonner dans le paysage agreste et l'amour, il écoute les songes, les cauchemars et les spleens. Il se rattache à Sainte-Beuve par un souci de connaissance exacte et reprend l'œuvre oubliée de Bertrand... Il veut trouver à côté du vers... un instrument intermédiaire, une forme *plus musicale*—second mouvement de lassitude contre la stricte monotonie du vers français classique insuffisamment libéré par le romantisme.

(163)   1902, Charles Ricault d'Héricault, *Souvenirs et portraits* (Téqui, 1902).

Le personnage était d'ordre composite. Ce qu'il voulait était compliqué. Il était hautain et insolent. Ce mélange constituait le fond de son être, et... tout le fond de son talent: il jetait son agressif orgueil à la tête du public. Cela suffisait pour

attirer l'attention, non pour la garder. Sur la trame que lui
fournissaient ces deux qualités, exploitées habilement, il des-
sinait avec un soin exquis des arabesques contorsionnées, en
fil gros et solide, colorié de tons vifs et crus. Cela encore était
plus tapageur que sympathique. Ainsi altier et artiste, il était
également sincère et comédien: sincère en son orgueil, comédien pour tout le reste... La plupart de nos camarades ou de
nos visiteurs étaient souples, jeunes... ouverts et clairs...
Lui, personnage désarticulé, avec les arabesques de son talent,
comme de son âme, me promettait des observations curieuses
... Baudelaire était irritant et intéressant... Ce qu'il voulait,
c'était l'ébahissement... En résumé, Baudelaire avait fait de
son âme une solitude sacrée, un sanctum sanctorum où il était
le dieu, l'idole, où seul il entrait et où, prêtre aussi bien que
dieu, il suffisait à tous les besoins du culte... Autour de ce
temple, il voulait une foule ébahie... [*Les Fleurs du mal* sont
marquées d'une] dépravation cherchée et sombre, avec quelques reflets d'azur. (272-275)

(164) 1903, 1er février, F. Albert, "L'Œuvre de Baudelaire à l'occasion de son monument", *La Revue*.
Il n'a exprimé aucune grande passion... n'a rien aimé sur la
terre: il est dès maintenant probable que sa chapelle ne sera
jamais visitée par de nombreux fidèles. Il n'a pas aimé l'humanité... Baudelaire n'a pas davantage aimé l'amour... Rien ne
le séduit plus... L'Ennui l'envahit... La mort sera donc le
seul remède à ses maux... [Son amour de l'Art n'était qu'une]
hautaine manifestation de son esprit d'orgueil...Voilà pourquoi
Baudelaire nous apparaît en somme comme le poète de
l'égoïsme. Sa vie s'est passée à la recherche des plaisirs sen-
suels les plus intenses. Il a banni de la poésie les grandes idées;
le besoin de penser à la mort n'est pour lui qu'une obsession
née de la fatigue et du dégoût; il ne se rattache à nulle conception générale de la nature et de la vie. Les reniements et
les anathèmes de "Révolte" sentent la rhétorique... Il a proclamé à plusieurs reprises que la vraie poésie ne doit pas être
une poésie d'idées; que toute intention morale ou didactique
en doit être écartée soigneusement... La seule vraie matière
poétique [selon lui] c'est la sensation... violente et rare...
L'expression de toutes ces sensations rares peut provoquer la

curiosité et parfois aussi une admiration sincère, mais non pas l'enthousiasme durable qui fait vivre les grands poètes... Le cœur est un peu trop absent de tous ces relents d'alcôve... Un peu d'émotion intime et profonde nous retiendrait davantage ... ["Le Flacon" est un des rares poèmes où] le mélange est parfait de sensations très personnelles et d'un sentiment assez tendre... [Comme tel, le poème] est presque unique en son genre. Le reste de l'œuvre, où éclate un constant effort vers la singularité, nous laisse froids. La sympathie... ne s'établit qu'à de rares instants entre le poète et son lecteur... L'œuvre macabre, étrange et glacée de Baudelaire n'est pas assez *humaine* pour demeurer vivante.

CHAPITRE IV

1902–1916, Les *Lettres* de Baudelaire

Féli Gautier, en publiant la correspondance de Baudelaire, se proposait à peu près le même but qu'Eugène Crépet quinze ans plus tôt: dégager le poète de sa légende, "qui obscurcissait l'immortelle beauté de son œuvre" (n° 2). Somme toute il a réussi: les *Lettres*, jointes aux *Œuvres posthumes,* ont fait beaucoup pour la réputation de Baudelaire. "Douloureuse, certes, mais fortifiante lecture," dit Henri de Régnier (n° 29). Baudelaire, poursuivi par "le guignon" pendant sa vie, a cependant eu de la chance après sa mort: ses œuvres posthumes ne contiennent ni ébauches sans valeur ni œuvres de jeunesse sèches et ennuyeuses. Ses journaux, ses lettres, ses projets de théâtre et ses poésies à l'état de brouillon datent de sa meilleure époque et sont parfois d'une réelle valeur littéraire. Tous ont joué un rôle décisif dans la réhabilitation de sa mémoire: on commence dès 1887 et dès 1902 à citer les *Journaux intimes* et les *Lettres* lorsqu'on fait un article sur lui. Autrement dit, on le cherche de plus en plus dans ses propres écrits.

Il est vrai que même après la publication des lettres—auxquelles il faut ajouter une édition augmentée du volume de Crépet (n° 31)—certains critiques s'avouent toujours sceptiques. Jacques Crépet, comme il le dit dans la préface au livre de son père, espérait dissiper enfin cette "peur d'être dupe" de tant de lecteurs à l'égard de Baudelaire—ce qui n'empêche pas Georges Pellissier (n° 41) d'éprouver toujours la même peur. Singulière obsession, en effet, que cette méfiance, comme si Baudelaire était une espèce d'escroc qu'on n'osait fréquenter sans tenir son portefeuille bien serré au fond de sa poche. —Le ton général de la critique, pourtant, s'est beaucoup adouci.. Emile Faguet, le pontife universitaire de l'heure, tout en n'aimant pas Baudelaire, le trouve quand même "un bon poète de second ordre" (n° 59), ce qui est modéré par comparaison aux dénonciations de Brunetière. Ces mêmes dénonciations, du reste, commencent à porter fruit —à rebours. Nous constatons les débuts d'un règlement de comptes: les baudelairiens scrutent le passé, notent que Sainte-Beuve n'a pas fait d'article sur Baudelaire et que Scherer et Brunetière l'ont attaqué. L'article de Faguet a provoqué des réponses assez violentes: la revanche de Baudelaire est proche.

Déjà on parle beaucoup moins de sa "décadence". Sans doute la légende du "jardinier du mal" et du poète satanique était-elle trop forte et surtout trop alléchante pour mourir d'un jour à l'autre; son œuvre continue à inspirer des interprétations psychopathologiques dont quelques-unes—celles de Gilbert Maire (nᵒˢ 36, 54, 55) et de Léon Daudet (nᵒ 103), par exemple—sont singulièrement confuses et indigestes. Mais on n'accepte plus sans réserve la "Notice". Le poète classique et surtout le poète chrétien commencent à l'emporter de plus en plus sur le chanteur faisandé prôné par Gautier, Bourget et Huysmans. André Gide—encore un "jeune" qui admire Baudelaire (signalons aussi Mauriac et Claudel, nᵒˢ 77, 87)—fait remarquer que si le poète était décadent vers 1880, il offre bien autre chose aux lecteurs de 1910 (nᵒ 61).

Enfin—et c'est peut-être le fait le plus curieux de ces quatorze années—nous remarquons, le 4 avril 1910, la rue Charles Baudelaire, Paris XIIᵉ.[1] "Avoir sa rue" à Paris sous la Troisième République, c'était la gloire officielle; l'apothéose n'était pas loin.

---

[1] Commençant rue de Prague, finissant faubourg saint-Antoine.

EXTRAITS CRITIQUES
1902–1916

(1) 1902, 27 décembre, 3, 10, 17 janvier 1903, Féli Gautier, "La Vie douloureuse du poète", *la Revue bleue.*
[Lettres inédites de Baudelaire.]

(2) 1903, 1er janvier, Féli Gautier, "La Vie amoureuse de Baudelaire", *Mercure de France.*
[Article daté du 26 octobre 1902. Gautier proteste contre la "légende" qui, dit-il] obscurcit l'immortelle Beauté de son œuvre... Baudelaire, un amoureux, un passionné, j'irai jusqu'au Détraque, à l'Inverti sentimental: certainement, [mais ni] un cynique ni un érotomane.

(3) 1903, 18 janvier, R. Bouyer, "Baudelaire musicien", *Ménestral.*
S'il ne fut pas exécutant, nul ne fut mieux que lui mélomane...
Il aima si fort la reine des Muses qu'il entendit son langage ineffable mieux que tous les croque-notes de profession.

(4) 1903, 31 janvier, Jacques Bainville, "La Vie Privée de Baudelaire", *la Gazette de France.*
[L'auteur trouve que les *Lettres* ont complètement détruit les racontars de Jules Levallois (5 janvier 1895), d'après qui Baudelaire était un homme riche dont la pauvreté n'était qu'une pose de plus; il croit aussi que même l'article de Jules Lemaître (4 juillet 1887) était injuste.] Le plus insensible n'a jamais lu [*les Fleurs du mal*], je crois, sans se sentir les nerfs profondément émus... [Pourtant:] Je crois bien que personne ne pourra reprendre la lecture des *Fleurs du mal* qui sera mêlée désormais à d'aussi angoissants souvenirs sans y trouver des impressions plus violentes et plus énervantes que jamais. Connaissant la terrible détresse intellectuelle, morale et physique que couvrent ces poèmes, il semble que nulle considération, même d'art, ne devra déterminer à s'attarder beaucoup avec Baudelaire tous ceux qui tiennent à l'équilibre de leur esprit comme à la vie et à la santé.

(5) 1903, 1er février, Louis Guays, "L'Œuvre de Baudelaire [*sic, passim*] et la critique", *Revue Angevine.*

L'hommage rendu à Beaudelaire ne m'a jamais paru entièrement compréhensif... C'est qu'on ne comprend pas quelle
sensualité appliquait l'âme voluptueuse de Beaudelaire à tout
aspect bizarre, à tout détail précieux ou intime, et gantait la
réalité troublante d'une expression qui dessine son masque
comme un moule immortellement exact, mais incomplet pourtant... Beaudelaire avait l'instinct profond de toutes ces sensations un peu hors de la pure sensibilité physique... Il a fait
des strophes d'une incomparable violence de désir... Et c'est
du poison que l'on respire avec délices... Mais il y a d'inoubliables marbres dans ce jardin de fleurs mortelles...
["Harmonie du soir", par exemple]... On ne peut nier le don
prodigieux de cette âme chantante, qui vibrait à toute lumière,
à toute musique, à toutes les tendresses... [et à toutes] les
cruautés de l'amour. Et la vibration était si douce et si personnelle et la forme si ensorcelante qu'on est complice un peu de
cette féerie des joies et des blessures roses... [Baudelaire est]
un magnifique et somptueux écrivain, un poète unique, dont
l'œuvre est un miracle d'unité et de génial enchaînement.
Chaque pierre de l'écrin est à sa place... Il est impie de
trouver perverse l'œuvre pareille à un ciel tourmenté, où de si
éclatantes et consolantes étoiles ont lui.

(6) 1903, 1ᵉʳ mars–1ᵉʳ juin, Féli Gautier, "Charles Baudelaire", *La
Plume*.
[Baudelaire était] un enfant de vieillesse... Voici la source
de ces étranges rêveries qui vont accentuer son génie et inspirer son œuvre, toute, sans lumière, sans gaieté... [Il]
s'étendit sur la dalle de marbre noir, et il enfonça franchement
le scalpel dans son propre cœur... [Il était d'un tempérament]
moitié nerveux, moitié bilieux [et dans "l'homme sensible moderne" des *Paradis* artificiels il a donné son propre portrait.
Son inspiration était essentiellement chrétienne, comme nous
voyons] par son acceptation de la vie quelque peu fataliste,
par sa vie régulière, lumineusement partagée entre l'amour et
le travail, et par hérédité, élégance.

(7) 1903, avril, J. Renouard, "Portraits contemporains", *Le Carnet*.
[Citations: Sainte-Beuve, le "kiosque"; Th. Gautier sur les
manières de Baudelaire. Baudelaire] a, jardinier méticuleux

et solitaire, cultivé dans une serre-chaude ... des plantes dis-
proportionnées, aux courtes tiges, aux larges feuilles curieusement dentelées, aux teintes mauves, pourprées et verdâtres; des
fleurs couleur de chair, dégageant d'âcres et pénétrants arômes
qui attirent, embaument et empoisonnent, toute une végétation
splendide et étriquée, rare et vulgaire, qui miroite au soleil et
dont les racines plongent dans quelque mare empestée ...
Venu au moment où les civilisations vieillissantes ont épelé
tout l'alphabet des passions, où tout a été dit, écrit et chanté,
où les voix se sont cassées à articuler sans cesse les mêmes
sons, où l'humanité, lasse d'être toujours bercée par les mêmes
refrains, passait, indifférente aux chansons, Baudelaire la se-
coua brusquement et lui donna ce qu'inconsciemment elle
cherchait, un "frisson nouveau" ... [Il habilla le "corps rachi-
tique" de l'humanité de son époque "d'étoffes chatoyantes", le
farda, le para de bijoux, et l'amena à travers les bas-fonds de
Paris vers le mysticisme:] De cet incessant mélange de mysticisme et de réalisme, de ces accouplements de mots évoquant
des images si différentes, de cet emploi de termes religieux
pour glorifier l'amour ... Baudelaire tire de grandioses effets
... [Il n'était pas poseur; au fond il était tout à fait sincère:]
Baudelaire, grand poète incomplet, suit sa Muse, aux chairs
magnifiques mais déjà mures, parfumée d'ambre ...

(8) 1903, octobre, André Mary, "Méditation sur Charles Baudelaire", *l'Ermitage*.
Un nouveau Dante emmuré dans un enfer volontaire ... Le
premier poète qui ait eu le sens de la modernité ... Il n'y a
pas jusqu'à Victor Hugo lui-même qui n'avait pas subi son
influence.

(9) 1903, Georges Dumesnil, *L'Ame et l'évolution de la littérature
des origines à nos jours* (Société Française d'imprimerie et de
Librairie, 1903), tome II, 157-163.
Le trait dominant de ce singulier homme, c'est une haine innée
pour la nature telle qu'elle se présente à nous d'emblée et
quotidiennement, pour ce qu'on a appelé le train du monde ...
pour les états d'esprit normaux et réguliers dont la vie à l'ordinaire est faite ... [Cette haine le menait aux drogues et au
satanisme] états de pensée obtenus artificiellement ... Mais il

est vrai que *les Fleurs du mal* manifestent la force d'entendement de l'auteur, que dans la première partie, Spleen et Idéal
... il y en a cinquante [poèmes] peut-être qui contiennent des
plus beaux et curieux vers de notre langue, que personne
avant lui n'a eu le même don d'écrire d'exceptionnels états
d'âme par des images concrètes, qu'il a des élévations qui
s'envolent haut au-dessus des choses, et qu'il poursuit avec une
subtile âcreté l'analyse des ravages du poison pessimiste.
L'énergie de la sensation s'accompagne de l'énergie de l'expression, et celle-ci est parfois bien voisine de la véritable
énergie de la pensée. C'est ce qu'on voit ailleurs encore que
dans ses vers et plus aisément peut-être dans la prose de ses
œuvres posthumes, en maints passages où sa critique se montre
immédiatement pénétrante. Une idée qui prend chez lui une
force singulière, c'est que, quoi qu'on fasse, on demeure solitaire; il approfondit donc en la reprenant la pensée de Vigny,
que tout grand homme est paria; et par un effet de sa tendance
déductive, il en tire une théorie curieuse sur celui qu'il appelle
le héros et parfois bizarrement, le "dandy", sorte de héros par
rapport à la société mondaine et dont il a essayé le rôle. C'est
ainsi que, par un tour qui lui est propre, il introduit une âme
de tristesse et de douleur jusque dans les doctrines d'Emerson
et de Carlyle. Le souci passionné d'être un grand homme se
tournait à la fin de sa vie en velléités de volonté et de sainteté,
efforts émouvants auxquels il mêle, par l'habitude invétérée
du tempérament, des formules de droguerie et de magiques
incantations à l'adresse d'intercesseurs étranges. En ce puissant
et infirme génie se montre la dernière impasse où succombe la
sensibilité débridée, dont le pessimisme pourri est le fruit.

(10) 1903, Judith Gautier, *Le Second rang du collier* (La Rennais-
sance du Livre, 1909).
[Anecdotes sur Baudelaire, 38, 60, 177, souvent fort intéressantes et qui ont le mérite d'être prises sur le vif et non pas
empruntées à la chronique scandaleuse de Paris. Portrait
charmant de Madame Sabatier, 180-184, qui donnait des leçons
de dessin à Judith Gautier:] Elle était bien toujours "la très
belle, la très bonne, la très chère", celle à qui l'auteur des
Fleurs du mal avait voué un si secret et immatériel amour,
celle qui revit dans ses vers immortels et se survivra par cette

gloire d'avoir été, quelque temps, l'idéal d'un grand poète.

(11) 1903, Catulle Mendès, *Le Mouvement poétique français de 1867 à 1900* (Imprimerie nationale, Fasquelle, 1903).
Il est certain qu'il y a dans son œuvre une part d'affectation, de fait exprès... de "pose". Par un naturel dandysme... il était hanté du besoin d'étonner et même de terrifier les gens; quoiqu'il palliât ce goût un peu puéril... par une belle grâce de gentilhomme... et bien que... il le rachetât, dans l'art, par la netteté de la pensée, la justesse de l'image et la perfection pour ainsi dire classique de la forme, on ne peut s'empêcher de reconnaître en lui quelque chose comme une manie d'étrangeté: son génie... est taré de tics, qui furent d'abord volontaires... Cela est si vrai, qu'à l'heure actuelle les jeunes hommes qui n'ont pu frayer avec ce poète s'expliquent mal, dans ses plus parfaits poèmes, des tournures de phrase, des expressions qui ne valaient—valeur médiocre, d'ailleurs, et même nulle—que par une bizarrerie tout actuelle, que par l'accent pince-sans-rire dont il les fallait proférer. Ou bien ils leur attribuent une portée infiniment lointaine, une intention de subtil et presque insaisissable symbole; ce en quoi ils ont parfaitement tort... Charles Baudelaire... a toujours prétendu à l'expression totale et précise de soi-même... Il fut, je le crois, entre les poètes de son heure, le plus violent des révoltés, le plus acharné des hypocrites, le plus torturé des repentants, le plus lamentable des vaincus. Gardez-vous... de vous attarder au paradoxe involontaire ou voulu de sa personne instinctive ou de son mensonge; il y a en lui, avec l'orgueil et l'humilité du péché, la haine éternelle et l'éternelle plainte. C'est Satan élégiaque... Si furieuses que soient les infatuations de ses révoltes, si hautainement qu'exulte et que menace la superbe de son péché, ces fureurs et cette superbe s'agenouillent vite et se macèrent en des humilités qu'il se plaît à humilier encore, en un besoin à peine artificiel de rites rares, par des confessions publiques... Inquisiteur, tantôt comme un ermite mangeur de racines et d'excréments, mais toujours hanté... par toutes les Proserpines de la luxure et de la vanité. Plût à Dieu, pour l'apaisement de son intelligence... qu'il eût été athée! Mais il ne l'était point... De là une incomparable damnation enragée, par toutes les curiosités du langage, par toutes

les raretés ingénieuses, intimes, lointaines et exotiques aussi, de l'image, par toutes les manières enlaçantes de l'art le plus subtil, le plus reptilien... Ce Catholique... eût été consolé s'il avait consolé; il n'a été que terrible et triste. Comment eût-il pu se faire qu'en cet abominable état d'esprit il ne se raccrochât point aux délices défendues... qu'offrent goutte à goutte les drogues, rosée... des ciels artificiels? A coup sûr... il n'usa jamais que théoriquement du Chanvre, du Pavot... mais... il usa des éréthisants dans le domaine de l'irréalité; il fut l'ivrogne d'un idéal sous-humain, et surhumain... Il fut, prodigieusement, un chercheur du compliqué dans le rare ou le pire, un trouveur... de rapports jamais surpris, jamais guettés encore, un manieur du verbe et un artisan du vers, auquel, en notre âge romantique, aucun ne saurait être préféré. On demeure mystérieusement et douloureusement charmé d'une œuvre tentatrice, cruelle et parfaite, qui n'avait pas eu d'exemple, n'aura point de similaire; et quiconque a souci de la justice doit vouer au génie, à l'Art de Baudelaire, une admiration sans réserve, (admiration qui, d'âge en âge, se perpétuera en s'agrandissant), et en même temps accorder à sa Personne, désorientée, troublée, désolée, veule, atroce, pusillanime et blasphématrice, parmi toutes les angoisses du cauchemar, une pitié qu'il n'a eue, hélas! ni pour soi, ni pour les autres, la pitié grâce à laquelle, s'il en avait été doué, son livre de mélancolie, de volupté et d'orgueil, de ferveur aussi, n'eût pas été l'IMITATION DE N. S. LE DIABLE. (103-105)

(12)   1903, Léon Levrault, *La poésie lyrique* (Delaplane).
Ne respirez pas trop, en effet, *les Fleurs du mal*. Elles troublent l'âme. Décadence physique ou morale, odeurs d'hôpital ou de ruisseau, travail fardant. La tradition de Baudelaire ne fut-elle pas entretenue par un bataillon de fidèles, à la tête duquel cavalcade M. Jean Richepin?

(13)   1903, Louis Fière, *Charles Baudelaire* (Valence, Céas et fils, 1903).
[Baudelaire est] le grand poète de la mort... M. Edmond Scherer est mort et les chardons pousseront sur sa tombe, que la gloire de Baudelaire, impérissable, retentira encore dans les siècles futurs. [Influence de Baudelaire sur Rossetti, Swin-

burne, Wilde, Richepin, Rollinat, Verlaine, Laforgue, Barrès, Louys, Huysmans, Bloy:] C'est encore lui qui demeure le plus original ... [Il porte vivante en lui] toute l'âme des civilisations finissantes ... [Sa poésie s'explique par] son ascendance paternelle marquée de signes morbides ... [Elle est] d'intention symboliste et parfaitement classique de forme ... Baudelaire fait quelque chose de plus que Dante. Il ajoute son âme à son œuvre. C'est l'Enfer de la vie moderne avec ses déchets de race, l'Enfer intérieur né de l'excès de la vie civilisée et de tous nos vices. (5-22)

(14) 1905, 15 janvier–1er février, Féli Gautier, "Documents sur Baulaire: Lettres", *Mercure de France*.

(15) 1905, 1er juin, Jean de Gourmont, "Littérature", *Mercure de France*.
Si Baudelaire a si bien traduit les *Histoires extraordinaires,* c'est que, malade lucide lui-même, il s'est en outre placé dans l'état de rêve artificiel où elles furent composées.

(16) 1905, 1er juillet, Remy de Gourmont, "Baudelaire et le Songe d'Athalie", *Mercure de France*.
On sait que Baudelaire affectait d'admirer les poètes du grand siècle, et même Boileau ... Ce goût pour Boileau, pour Racine, n'était pas, chez Baudelaire, une affectation, et il le prouva bien en écrivant ses poèmes dont la forme, très peu romantique, ne fut pas sans donner à Victor Hugo quelques inquiétudes. Il y avait autre chose dans *les Fleurs du mal* qu'un "frisson nouveau", il y avait un retour au vers français traditionnel. Après les caprices orientaux, on revoyait des cavaliers bien assis sur un cheval solide, sûrs d'eux-mêmes et de leur monture, prêts à tous les exercices utiles ou esthétiques, nullement disposés à la vaine parade. Jusque dans le malaise nerveux, Baudelaire garde quelque chose de sain ... Il y a équilibre. Ses poèmes sont composés. Il veut dire quelque chose et il le dit. Ses métaphores sont cohérentes; surtout, elles sont visibles et donnent des visions logiques ... Habitué des poètes raisonneurs du XVIIe siècle, il l'était aussi des théologiens et des moralistes catholiques. Cet homme, que les magistrats condamnaient tel qu'un monstre d'impiété et de luxure, s'agenouil-

lait très sincèrement après une belle débauche, pour demander
pardon, et il acceptait le châtiment... Attribuer cette attitude
à quelque besoin paradoxal de contradiction, ce serait avouer
que l'on connaît bien mal Baudelaire... On n'a qu'à lire
"Fusées" et "Mon Cœur mis à nu"... La religiosité qu'il y
avoue, pour lui seul... a même... quelque chose de pénible.
Mais n'est-ce point déjà sensible dans *les Fleurs du mal?* Il y
abuse vraiment de la morale chrétienne. Presque toujours,
quand il a dit quelque chose d'un peu fort, il éprouve le besoin
de s'en excuser par une conclusion morale... Le poème de
Baudelaire ["les Métamorphose de vampire"] est en parallél-
isme parfait avec le poème de Racine [résultat des sympathies
profondes de Baudelaire pour le classicisme et, sans doute, d'un
souvenir de lecture au collège.]

(17)   1905, septembre-octobre, Jean Moréas, "Paysages et sentiments"
dans *Esquisses et souvenirs* (Mercure de France).
Baudelaire était un fervent de l'arrière-saison. Avec lui, l'Automne entre dans les vieux appartements pleins de moisissure
... L'automne de Baudelaire se mêle aux intrigues et aux
artifices du cœur... il met du hard... Relisez le Sonnet
d'Automne. Le goût y est rehaussé par les plus rares épices
de la psychologie et si ces substances se sont éventées un
peu, avec le temps, songez qu'elles commencèrent par être
fort piquantes et d'un arôme très irritant... J'ai beaucoup
aimé *les Fleurs du mal* pendant mon adolescence et ma toute
première jeunesse. J'admire toujours Baudelaire et ne le relis
jamais. Ses préoccupations comme ses épithètes me gênent à
présent jusqu'à l'angoisse: une angoisse physique. Certes, Baudelaire est un vrai artiste, comme nous l'entendons aujourd'hui,
ou plutôt comme on l'entendait il y a quelques années. Allons,
c'est un grand artiste tout simplement, c'est même un grand
poète... *Ce n'est pas un pur poète.* Verlaine était plus naturellement poète que Baudelaire. [Suit une liste des poètes français
du XIXᵉ siècle par ordre de mérite: Lamartine, Hugo, Musset,
Vigny, Baudelaire, Leconte de Lisle, Verlaine.] (82-86)... Je
ne rouvrirai point les livres de Mallarmé. Qu'ils dorment dans
la poussière et dans mon amour avec *les Destinées,* avec *les
Fleurs du mal,* avec *les Poèmes barbares,* avec tout Verlaine.
(186)

(18) 1905, Léon Bloy, *Belluaires et porchers* (Stock, 1905).
Baudelaire seul fut incontestablement catholique au plus profond de sa pensée. Mais il fut catholique à rebours. (167-168)

(19) 1905, Charles Maurras, *L'Avenir de l'Intelligence* (Fontemoing,
1905).
Le génie parcimonieux de Baudelaire... se reconnaît dans la
manière de compter et de distiller le mot propre... Je ne parle
pas seulement des molles inflexions, des promptes transitions...
dont on sait que Baudelaire fut de beaucoup plus incapable
que Despréaux lui-même. [La poésie de Baudelaire est inférieure à celle de Renée Vivien.] (173)

(20) 1905, Philibert Audebrand, *Derniers jours de la Bohême, souvenirs de la vie littéraire* (Calmann-Lévy, s.d. [1905]).
[Baudelaire était] le fils d'un prêtre défroqué, émacié, très
pâle. (145)

(21) 1905, Camille Lemonnier, *la Vie belge* (Charpentier, 1905).
[Lemonnier dit qu'il a lu "Une Martyre" lorsqu'il était encore
adolescent, et qu'il était tout de suite frappé par] la cruauté
algide et brûlante, la passionnalité morbide de cette extraordinaire poésie... comme une fleur de sang sensuelle et vénéneuse (60). [Il y a trouvé] une poésie et une humanité nouvelles (62)... [Baudelaire, plus que Barbey d'Aurevilly et que
Rops] dégageait l'impression physionomique du Satanisme...
De ces trois hommes qui étaient presque également beaux,
avec des séductions où se réflétait un des aspects du Réprouvé,
Baudelaire semblait porter le front le plus dévasté (63)... [Il
cultivait] un goût de mystification funèbre et grotesque, nourri
chez Poe... [c'était] la pudeur de sa sensibilité (64-67)...
[Compte rendu, 68-73, de la conférence de Baudelaire sur
Gautier à Bruxelles. Baudelaire était] le magicien du Verbe...
le Père de l'Eglise littéraire. (72-73)

(22) 1905, Edouard Herriot, *Précis de l'histoire des lettres françaises*
(Cornely et Cie., s.d. [1905]).
Baudelaire... a trop sacrifié sans doute au désir d'étonner le
vulgaire; et à la recherche de l'étrange. On ne peut lui refuser
de la vigueur, un sens artistique très pur... Il abuse du macabre

mais il a aussi des touches d'une délicatesse charmante... Il
paraît même comme un poète classique par son souci des
belles ordonnances, des compositions fortes et la franchise de
son expression. (934-935)

(23)   1906, 1ᵉʳ janvier, Georges de Lauris, "Baudelaire et Verlaine",
la Nouvelle Revue.
... Le travail et la volonté de l'art poétique de Baudelaire...
C'est un chrétien de la décadence, sa sensibilité seule a gardé
la foi, et, pour lui, le monde est tentation et dégoût... Une
œuvre d'art est belle, qui est née d'une impression sincère et
forte dont les éléments se sont ordonnés et représentés. Tous
les reflets qu'une époque de décadence jette dans un cerveau
compliqué, toutes les correspondances établies entre des sens
subtils peuvent y trouver place harmonieusement. La poésie
de Baudelaire n'est-elle pas un exemple?

(24)   1906, 1ᵉʳ mars, Féli Gautier, "Documents sur Baudelaire",
Mercure de France.

(25)   1906, 15 mars, 1ᵉʳ avril, Féli Gautier, "Nouveaux documents
sur Baudelaire", *Mercure de France.*

(26)   1906, 21-22 avril, A. Séché et J. Bertaut, "Les sonnets d'amour.
A propos du centenaire d'Arvers", *Le Gaulois.*
Baudelaire est, en quelque sorte, le plus pur élève de Th.
Gautier... Les sonnets qu'il a écrits sont de la plus grande
et de la plus absolue beauté... et méritent de prendre rang
parmi les plus somptueux, sinon les plus purs joyaux de la
poésie française.

(27)   1906, septembre, Charles Morice, "Notations", *Vers et prose.*
Il y a des strophes de Hugo qui ramènent l'ombre, des vers de
Baudelaire où deux paupières en se fermant font le bruit de
la foudre.

(28)   1906, Charles Baudelaire: *Lettres* (édition Féli Gautier, ano-
nymement, Mercure de France, 1906).

(29)   1906, 28 décembre, Henri de Régnier, "Lettres de poète", *le
Gaulois.* (Compte rendu du précédent.)

[Baudelaire était] un écrivain dont le souci constant et principal fut de donner à ses idées la forme et l'expression la plus parfaite possible... Ces lettres sont d'une langue toujours correcte et élégante, nette et claire... M. Féli Gauier a donc bien fait d'en former l'épais et précieux volume où il nous les présente. Cette curieuse publication intéressera au moins tous les admirateurs du singulier et grand poète... Douloureuse, certes, mais fortifiante lecture! Ne sont-elles point, de telles vies, la rançon de l'indépendance du caractère et de l'originalité de l'esprit?... N'admirons-nous pas Baudelaire plus encore à penser que les transes et les tracas d'une existence souvent difficile et parfois atroce ne l'empêchèrent point d'exiger de son intelligence ce qu'elle recelait de plus profond et de plus ingénieux? N'apprenons-nous pas aussi à le mieux connaître? S'il affecta parfois quelques bizarreries d'attitude, souvenons-nous qu'elles ne servaient peut-être qu'à cacher aux yeux du vulgaire le plus noble des héroïsmes... Au rebours de ce qui a lieu d'ordinaire, où la légende est l'efflorescence posthume d'une mémoire, ce fut de son vivant que Baudelaire eut la sienne, et c'est maintenant seulement que sa grande et mélancolique figure se dénude et se décharne et prend son véritable aspect. [Grâce au livre de Crépet et aux *Lettres*, on est à même de passer] du Baudelaire légendaire au Baudelaire réel... Baudelaire avoue que [dans *les Fleurs du mal*] il a façonné son âme à diverses attitudes voulues... L'artifice entrait pour une grande part dans l'idée que Baudelaire se faisait de l'art, et *les Fleurs du mal* sont jusqu'à un certain point une œuvre *artificielle*, qui contient autant d'invention que de sincérité... [Il y avait du Parnassianisme chez Baudelaire:] Bien souvent j'ai entendu l'auteur des *Trophées* lire à haute voix "le Balcon" ou "Don Juan aux enfers", ou tels poèmes dont il admirait éloquemment la concision hardie ou la subtile souplesse. Il aimait le vers baudelairien pour son ossature élégante et forte. Il en vantait la convenance et l'ingéniosité verbales, toujours en rapport avec la complication ou la gravité des pensées; il en prisait la riche coloration, les sonorités profondes, le contournement ou la carrure, le bloc solide ou l'arabesque délicate, l'art magicien, la sorcellerie, car il y eut de l'alchimiste dans ce poète—le plus inventif et le plus scrupuleux des poètes—qui maniait les idées... en ses alambics spirituels avant d'en en-

fermer le résidu... en ses fioles ouvragées et en ses flacons
parfaits!... Non seulement Baudelaire fut-il un poète original
à l'égal des plus grands... mais aussi un esprit vaste qui eut...
de l'architecture. Les parties s'en correspondent... Baudelaire
... eut des idées abondantes, coordonnées et systématiques...
Le poète, pensait-il ne doit rien ignorer de la nature du Beau
... De là, un sens critique, expert et suraigu et cette curiosité
intellectuelle qu'il appliquait simultanément à l'art et à la vie.
La vie l'intéressait... Rien ne lui était indifférent... La connaissance des formes l'induisait à celle des sentiments. Il y a
en lui surtout un poète, dont l'œuvre originale et hautaine
forme un tout organisé, qu'on peut admirer ou détester, mais
dont on ne peut nier l'importance, tant elle porte la marque
d'un génie personnel et autoritaire.

(30)   1906, Albert Cassagne, *Versification et métrique de Ch. Baudelaire: Thèse présentée à la faculté des lettres de l'université
de Paris* (Hachette, 1906).
Baudelaire rimait péniblement, faute d'être suffisamment doué
sous le rapport de l'invention verbale. Son vocabulaire est
restreint. Dans toute son œuvre poétique, je ne vois qu'un seul
mot rare... *calenture*... Il ne semble pas qu'il ait tiré de la
fréquentation des dictionnaires toutes les ressources qu'en tirè-
rent ses amis Th. Gautier et Th. de Banville... Il avait le
travail et particulièrement la composition poétique, difficile.
Il était de ceux que la rime fuit et qui la poursuivent partout,
comme Boileau... Il souffre d'une véritable indigence verbale
... Baudelaire... est un exemple du prix qu'un vrai poète (car
il est cependant un vrai poète) doit payer la richesse des
rimes... Aux prix d'efforts constants, il a obtenu la richesse de
la rime... mais... aux dépens de la variété... La difficulté
de concilier ces deux éléments contraires, pauvreté d'invention
verbale et richesse de rimes, pèse lourdement sur le style poétique de Baudelaire. Il est impossible de n'être pas frappé du
très grand nombre des inversions qui se rencontrent dans ses
vers, et souvent aussi de leur gaucherie. C'est un trait d'autant
plus saillant qu'il contraste de la façon la plus singulière avec
l'extrême modernisme de l'inspiration... Cet abus de l'inversion paraît s'expliquer chez lui surtout par la mauvaise influence de la rime. (23-26)... [Il suit le plus souvent les règles

classiques sur l'hiatus, l'alexandrin, la césure; sur 167 pièces, il a employé l'alexandrin 131 fois. (30)] ... Le plus souvent son vers est fortement et classiquement rythmé: "Remarquez, dit M. Anatole France, comme le vers de Baudelaire est classique et traditionnel". Rien n'est plus vrai ... Le vers classique, binaire ou quaternaire, fait le fond du style poétique de Baudelaire. Il en constitue la trame ordinaire. (34) ... Il rêvait de formes métriques plus flexibles, susceptibles de réaliser un accord plus parfait entre le rythme et les nuances infinies de l'idée et du sentiment ... De là la tentative significative des poèmes en prose (42) ... Baudelaire cherchait ... une forme poétique plus libre, plus souple, moins régulière, surtout moins symétrique, moins dominée par la loi de l'alexandrin binaire (43) ... Baudelaire est un des poètes modernes qui présentent relativement le plus de vers assonancés ou allitérés, et ... c'est là sans doute une source importante du charme original et pénétrant que dégage sa poésie ... On sait quelle influence considérable exerça sur lui [Poe] ... Pour la qualité et le développement des sentiments, pour la tournure d'esprit, pour la méthode, la recherche à tout prix de l'originalité et de l'étrangeté, il lui dut infiniment. Il lui dut beaucoup de même pour la forme poétique, surtout ... en ce qui concerne les effets de répétition ... d'assonance et d'allitération ... [De l'influence de Poe et de Sainte-Beuve] résultait chez Baudelaire un effort pour introduire dans la poésie essentiellement plastique de son temps un élément d'expression musicale par l'assonance et l'allitération, effort parfaitement réfléchi et conscient (57-60) ... Baudelaire ... est un poète qui se soumet à des règles trop rigides pour lui, mais en gardant au cœur un désir persistant d'émancipation ... Ce qui le caractérise, ce qui le rend intéressant comme versificateur, c'est justement cette aspiration vers une facture plus libérée ... c'est aussi une tendance à adoucir, avant Verlaine, la dure plastique parnassienne en la pénétrant d'éléments musicaux par l'allitération (ii) ... Tous ces essais, très divers, sont inégalement heureux ... Ils pouvaient ouvrir une voie, des voies nouvelles ... Les effets que Baudelaire avait pressentis, d'autres les ont repris, et souvent avec un tour de main plus habile, sinon avec autant d'originalité ... Foncièrement c'était un indépendant, un indocile, et aussi un infatigable, un maladif chercheur de nouveauté. (115-119) ...

Baudelaire, bien qu'artiste supérieur, n'est pourtant pas le créateur d'une métrique nouvelle. L'eût-il trouvée, qu'il lui eût manqué pour l'imposer beaucoup de choses, entre autres la puissance, la fécondité, l'ampleur, même la dextérité et le tour de main; mais il a eu d'intéressantes intuitions, des pressentiments, des conceptions qui ont pu suggérer des tentatives originales et qui pourront en suggérer encore. (121-122)... [Sa poésie est] un instrument qui n'était pas parfait, mais qui fut original, comme le fut l'œuvre à laquelle il servit. (iii)

(31)   1906, Jacques et Eugène Crépet, *Charles Baudelaire, étude biographique d'Eugène Crépet, revue et complétée par Jacques Crépet, suivie des Baudelairiana d'Asselineau et de nombreuses lettres adressées à Charles Baudelaire* (Messein, 1906).
[Jacques Crépet, dans la Préface:]
Compte-t-on pour rien la légende baudelairienne? A quel point elle fut préjudiciable à son infortuné héros, on ne le dira, on ne le prouvera jamais assez. Il lui dut, pendant sa vie, de n'être pas "pris au sérieux"... et l'homme mort, elle est cause que des doutes subsistent sur la sincérité du poète. Oui, chez beaucoup, "la peur d'être dupe de ce grand dédaigneux empêche la pleine admiration"... On ne saurait mieux rapporter ni mieux résumer le sentiment général... Il n'y a point de considération qui doive prévaloir contre l'urgence de détruire... cette légende meurtrière. Le plus grand service dont les Baudelairiens puissent obliger la mémoire de leur poète, c'est donc d'arracher à la vérité jusqu'au dernier haillon dont elle se voile. L'heure est propice, puisque, assagi, le symbolisme a ramené la faveur et la curiosité du public vers le grand ancêtre... L'important, c'est qu'allant rejoindre définitivement tant d'accessoires funambulesques du romantisme... les fables des cheveux verts ou de la cervelle de petit enfant, cessent de faire tort aux *Fleurs du mal*; le capital, c'est qu'on puisse décider... s'il faut continuer d'avoir "peur d'être dupe", ou si Baudelaire fut l'homme des son livre, si *les Fleurs du mal* sont une œuvre sincère. Voilà où réside la vraie question baudelairienne... qui ne sera entièrement résolue qu'à l'heure où la vie et le caractère de Baudelaire nous seront entièrement familiers. J'ai fait ici ce qu'il était en mon pouvoir pour aider à son éclaircissement.

(32) 1906, Henry Céard, *Terrains à vendre au bord de la mer*
(édition définitive, Charpentier, 1918).
[Le docteur Laguépie, qui étudie l'hystérie héréditaire de la
Bretagne, s'exprime ainsi à un ami:]
—Ah! les rapports de la littérature et de la science vous tour-
mentent, vous aussi... Dans le temps, frappé par le mot
prophétique de Baudelaire: "Toute littérature qui ne s'ap-
puiera pas sur la science est une littérature désormais condamnée", profitant de mes relations avec les écrivains, j'avais
essayé de leur persuader que le style dont ils se flattent à bon
droit n'est, au demeurant, qu'un moyen d'expression, et ne les
dispense pas de savoir de quelle manière se meuvent, physiologiquement, les personnages qu'ils mettent en scène, dans
leurs livres. (54)

(33) 1907, janvier, R. Bonnet, "Bibliographie", *l'Amateur d'auto-
graphes* XL.
[Compte rendu du n° 28.]
Baudelaire manquait d'indulgence, mais de sa correspondance
il semble ressortir qu'il fut sincère, clairvoyant, indépendant,
amoureux passionné de l'art et de la vérité.

(34) 1907, 13 janvier, René Bazin, "La Correspondance de Baude-
delaire", *le Journal des débats.*
[Compte rendu du n° 28.]
Le souci d'art est partout [dans les *Lettres*], le juste orgueil de
l'ouvrier qui sait son métier, qui l'aime, qui le défend contre le
philistin... Baudelaire met son art au-dessus de son succès.
On sent... l'inquiétude de la forme, la probité qui ne veut
rien laisser passer d'imparfait... Il écrit sous le reflet insaisissable de la perfection. Voilà la belle et rare leçon de ces Lettres.

(35) 1907, 15 janvier, Gustave Lanson, "Bibliographie. Littérature
française", *Revue universitaire.*
[Compte rendu du n° 28.]
Un complément nécessaire de son œuvre... Le pauvre Baudelaire fut toute sa vie en proie au manque d'argent... Les
jugements littéraires abondent.

(36) 1907, 15 janvier, Gilbert Maire, "Un Essai de classification des
'Fleurs du mal' et son utilité pour la critique", *Mercure de
France.*

[*Les Fleurs du mal*] présentent tour à tour des poésies assez pures ... et des perversités susceptibles de troubler même des audacieux ... "les Phares" et les "Femmes damnées" ... [Mais il n'y a pas de véritable contradiction entre les deux genres:] Si nous comparions entre elles les poésies ... nous en trouverions vite d'analogues que nous rapprocherions de façon que le volume se transformât peu à peu en série ... [Donc:] Nous reconnaîtrons ... comme caractère constamment présent, le sentiment qu'elles expriment, leur sujet ... Nous classerons ensuite les pièces d'après leur contenu ... avec ... autant de scrupule scientifique qu'un botaniste ou un zoologiste ... [Les catégories: poésies exprimant des émotions provoquées par des objets extérieurs; impressions vénériennes et analogues; sentiments et idées. Toutes ces catégories forment une unité; et nulle catégorie n'est purement descriptive:] Pas de description, mais une association d'idées ... un rapport établi entre deux objets dissemblables, avec ces correspondances mystérieuses comme Baudelaire se plaît tant à en imaginer ... Transformation des objets extérieurs en symbole, voilà le travail du génie de Baudelaire devant la réalité ... [Travail, du reste, qui résultait des névroses du poète:] Si Baudelaire ne souffrait pas de cette sensibilité morbide qui déforme la réalité ... il n'en viendrait pas à cet anthropomorphisme qui consiste à donner à tous les êtres vivants et même à la matière brute, la sensation, le sentiment, et la pensée, et à croire que les éléments de l'univers communiquent sans cesse dans une inexplicable télépathie ... La vue d'un chat ne se serait pas transformée en symbole chez Baudelaire s'il n'avait eu d'abord une sensibilité malade; les névropathies sont ... innées, vu qu'elles doivent beaucoup à l'hérédité ... La série des sentiments poétiques est précisément à la sensibilité générale ce que les phases embryonnaires sont à l'évolution de l'espèce et en vertu du même principe qui fait que l'on retrouve par l'embryogénie les transformations ancestrales, il est probable que, dans les sentiments poétiques ainsi ordonnés, nous pouvons retrouver toutes les phases de la formation intellectuelle de Baudelaire. [L'article est partout farci de noms de pathologistes: Perrier, Sebileau, Ch. Richet, Geoffroy St-Hilaire, Houssay, Serres, E. Perrier, etc.]

(37) 1907, 9-16 février, J. Ernest-Charles, "Baudelaire d'après sa correspondance", *Le Censeur*.
[Compte rendu du n° 28.]
La fameuse et vulgaire légende baudelairienne est toute détruite pas ces *Lettres* où se découvre un homme, l'homme tel qu'il était... Baudelaire est qu'on le veuille ou qu'on ne le veuille pas, l'un des poètes les plus *importants* de notre littérature au XIXe siècle.

(38) 1907, mars, Jean Bonclère, "La Correspondance de Baudelaire", *Larousse mensuel*.
[Compte rendu du n° 28.]
L'impression totale qui résulte de la lecture [des *Lettres*] est triste... Dans l'ensemble, le ton est amer... C'est bien ainsi qu'on pouvait se figurer la correspondance de l'auteur des *Fleurs du mal*.

(39) 1907, 15 avril, Jean de Gourmont, compte rendu des n°s 28 et 31, *Mercure de France*.
[La légende est de plus en plus affaiblie. Les Baudelairiana "révèlent le véritable caractère de Baudelaire". Crépet avait raison d'imprimer les lettres adressées à Baudelaire. Le poète "ne s'est jamais trompé dans ses admirations ni dans ses mépris". La thèse de Cassagne est un "consciencieux travail".]

(40) 1907, 1er mai, Alphonse Millot, "La Vie de Baudelaire, d'après sa correspondance", *la Revue des Lettres*.
[Compte rendu du n° 28.]
Pauvre, gagnant peu, endetté, malade, neurasthénique, d'esprit sombre: voilà le vrai, le *continuel* Baudelaire. L'autre, celui de l'hôtel Pimodan, c'est le Baudelaire de la légende... où il y avait une petite part de vérité et une grosse part des illusions, volontaires ou non, de Th. Gautier... Le livre publié par le Mercure est à refaire... par un écrivain qui sera un chercheur intelligent, un érudit de bon goût et, en même temps, un admirateur de Charles Baudelaire.

(41) 1907, 15 mai, Georges Pellissier, "Baudelaire", *La Revue*.
[Compte rendu des n°s 28, 30 et 31.]
[D'abord, trois questions:] "A quels poètes, ses prédécesseurs

ou ses contemporains, lui-même se rattache-t-il?"—"Quelle est son originalité propre?"—"Dans quel sens peut-il être considéré comme l'inspirateur de ce qu'on appelle le symbolisme?" [Première réponse: il devait quelque chose à Alfred de Vigny; tous les deux ont "un charme secret et capiteux"; mais ses vrais maîtres étaient Théophile Gautier et Sainte-Beuve: au premier il doit sa technique verbale et ses qualités macabres, au deuxième "son mysticisme sensuel ... son style sinueux, trouble et retors". Deuxième réponse:] Qu'y a-t-il de sincère dans son œuvre, et comment y faire le départ entre ce qui est vraiment senti et ce qui est factice?... On a toujours peur, avec lui, d'être dupe... Ce qui est certain, c'est que, presque partout, on sent chez lui l'artifice, et jusque dans les pièces où il se croyait peut-être sincère... Il érigea... en théorie la recherche de l'artifice. Car son esthétique peut se résumer entièrement dans ce principe, que la saine nature est mauvaise et laide. Il vante le fard, le cosmétique, le maquillage... En fait de parfums, il préfère ceux que distille un art savant; en fait de couleurs, les plus compliquées, les plus factices, et particulièrement si elles trahissent une décomposition intérieure. Quant à la poésie, rien ne lui plaît comme les produits des civilisations déclinantes, les œuvres raffinées et faisandées dans lesquelles l'art s'ingénie à dévier, à corrompre la nature. Il se glorifie d'être 'malsain', et la nature lui fait horreur... Sa théorie d'esthétique s'accorde... avec ce que sa veine a d'infertile et de difficultueux. Nul poète ne fut moins *inspiré*. Il commençait à écrire ses poèmes en prose, puis les versifiait à grand'peine... Ses rimes... sont des plus banales... Il a fréquemment recours à des inversions... Son œuvre abonde en impropriétés, en images fausses, en incohérences... Jusque dans ses pièces les moins étendues, se trahit la brièveté du souffle... [Troisième réponse:] Baudelaire... possédait *le don des correspondances*... Si Baudelaire sut... saisir et rendre les affinités latentes dans l'expression ou dans la suggestion desquelles les symbolistes font surtout consister la poésie, ceux-ci n'ont pas tort de le revendiquer par là du moins, comme un de leurs devanciers. [Mais] il n'y a chez Baudelaire... aucune trace du symbolisme... Le symbolisme... répudia les artifices dus à Baudelaire, sa rhétorique concentrée, tout ce qui, chez lui, "pèse" et "pose"... Un Parnassien décadent, tel est Baudelaire... Son livre mérite vraiment une place à part. Même si l'originalité nous en semble de mauvais aloi, il compte pourtant dans l'histoire de notre poésie, non seulement pour l'influence qu'il exerça, mais encore pour sa valeur propre... On trouve dans *les Fleurs du mal* certaines pièces, une douzaine au moins, dont la puissance d'évocation, la beauté mystérieuse et fascinante justifient le mot bien connu de Victor Hugo à Baudelaire; et c'est quelque chose que de créer un frisson nouveau.

(42) 1907, 29 juin, Jean des Cognets, "Baudelaire d'après ses lettres", *la Revue hebdomadaire*.
[Compte rendu du n° 28.]
La légende qui l'enveloppait peu à peu se dissipe... L'histrion qui, dans ce livre puissant et tout frémissant de vie [*les Fleurs du mal*], jouait au vif ce drame de l'Ennui et du Désespoir, c'était le cœur du poète... [Les lettres nous révèlent] combien le véritable caractère [du poète] fut différent de celui dont il fut affublé par une puérile légende.

(43) 1907, 10 septembre, Jacques Roussille, "Autour du procès de Baudelaire, 20 août 1857", *la Grande Revue*.
[A l'occasion du cinquantenaire du procès de Baudelaire, Roussille souhaite une étude sur le poète libre à la fois de "la tendresse fraternelle" d'Asselineau et de la] gloire romantique de Théophile Gautier, qui a tant fait pour fausser dans l'esprit des profanes le sens des *Fleurs du mal*... C'est d'un chapitre de cette indispensable monographie que l'on voudrait ici tenter l'esquisse en relatant les prodromes et les suites du procès de 1857. [Suit l'esquisse.]

(44) 1908, 15 janvier, Armand Praviel, "Charles Baudelaire et la poésie moderne", *Revue des Pyrenées*.
Le Romantisme dans ce qu'il avait de pire, cette existence étroite et bousculée, cette nostalgie de la Beauté et des natures vierges, cet écœurement de la vie moderne, cette recherche forcenée du plaisir et de l'oubli, tout cela explique cette œuvre incohérente qui se nomme *les Fleurs du mal* [Ces] "fleurs étranges"... sont, souvent, de très inoffensives fantaisies littéraires. Et, aujourd'hui, nous sentons tellement le procédé, le

truc, l'insincérité de ces machines-là, qu'elles nous laissent parfaitement froids. ["les Sept vieillards", "la Béatrice", sont "des inventions désordonnées et macabres"; les *Journaux intimes* "une suite de pensées d'une perversité volontaire et pénible"; quant à l'immoralité des poèmes] ce serait faire beaucoup d'honneur aux pauvres tendances philosophiques des *Fleurs du mal*... [C'est] un livre obscur, plein de contradictions et où sont exaltés parfois le normal, le naturel, la sérénité, le grandiose, l'amour pur; le personnage que s'est composé Baudelaire... l'être dépravé et dévié par principe, et créé peut-être un peu après coup par Gautier et Huysmans, ce personnage amoureux d'*artificiel* n'est pas celui qui a donné à ces poèmes un cachet d'immortalité... Baudelaire était homme, et rien d'humain ne lui était étranger. Il a fait siennes, avec une fougue et une amertume extraordinaires, les angoisses de l'humanité, et il les a exprimées comme peu de nos poètes les avaient exprimées avant lui... Ses pièces les plus parfaites... "Bénédiction", "Elévation", "la Charogne", "Recueillement", "la Mort des pauvres"... exhalent une soif éperdue d'idéalisme, un désir ardent d'un autre univers où régneront la Justice et la Beauté... [Le catholicisme de Baudelaire est "bien littéraire, bien chantourné"; sa grande originalité, c'est qu'il est vraiment l'initiateur de la poésie moderne: il] préparait en secret... cette chose compliquée, subtile et diverse qui se nomma la Poésie moderne. Ce rêveur meurtri sentit ce que nul n'avait senti avant lui: il exprima l'inexprimable... Baudelaire ... sortit de la banalité des sensations générales: il révéla les mystérieuses affinités de la nature et de l'âme; il fixa les impressions infiniment délicates qui le tuaient. Ses cinq sens, sous les coups répétés de la douleur, devinrent d'une acuité inouïe. Qui donc a prétendu qu'il n'usait que du toucher et de l'odorat? Baudelaire... voyait merveilleusement, saisissant jusqu'aux détails les plus infimes auxquels il donnait un sens inattendu et pourtant exact... Aucun romantique n'avait su encore tracer de pareils tableaux avec cette sûreté de touche... Nul n'a été plus sensible aux harmonies troublantes, aux rythmes étranges et suggestifs. Mais sa sensualité exacerbée se montra surtout par le goût, l'odorat, et le toucher. Ses poèmes d'amour... laissent bien loin derrière eux les inventions les plus raffinées de ses prédécesseurs. ["Correspondances":] La nouveauté est complète: ces sensations olfactives exprimées par des sensations *correspondantes* de toucher, de vue, d'ouïë, nous les rencontrons pour la première fois ... Voilà bien ce qui doit demeurer des *Fleurs du mal.* [Influence de Baudelaire sur les poètes modernes; il leur est supérieur; résultats de son influence:] On rompit avec la sécheresse du Parnasse et la brutalité du Naturalisme; on agrandit le cycle des méditations humaines; l'âme et les sens révélèrent leurs profondeurs ... On eut la conception d'un Art complet ... connaissant toutes les fibres, même les plus secrètes, répondant aux multiples aspirations des peuples âgés, dont les cerveaux complexes et les sens affinés réclament autre chose que des cantilènes banales ... Et le grand honneur de cette investigation revient à Baudelaire: on lui avait transmis un art factice, prétentieux et outrancier; il sut lui faire exprimer son âme, son âme de douleur, de dégoût et de passion; du bas Romantisme criard et répugnant, il a tiré la poésie adéquate à notre époque d'angoisses;—et c'est grâce à lui que notre littérature française, ayant définitivement retrouvé ses qualités traditionnelles, possède maintenant je ne sais quelle musique plus troublante, quelle émotion plus profonde, et quels plus graves accents de Vérité.

(45)   1908, 12 mai, L. N. Baragnon, "Baudelaire posthume", *le Soleil.* [Compte rendu du n° 31.]

... Les *Journaux intimes* nous font avancer dans l'intelligence de cet esprit pénible et difficultueux. Il se peut que nous en dégagions un Baudelaire moins mystificateur que celui de la légende ... [On y trouve] nombre d'idées justes, gâtées, çà et là, par l'outrance de l'expression ... [et si] le Baudelaire satanique en sort diminué, un Baudelaire humain et parfois ... un Baudelaire sensé le remplace ... Ce volume n'ajoute rien à la gloire de Baudelaire ... [Mais] il réhabilite son âme ... Il nous montre le poète beaucoup plus de son siècle et de son moment qu'il n'eût tenu à l'avouer. Enfin, il atteste, dès ses débuts, la qualité et la profondeur de son influence ... L'histoire de la renaissance romaine qui, ébauchée entre 1886 et 1892, nous a déjà donné au moins un grand poète [Moréas], est celle de la réaction nécessaire tout autant contre Baudelaire que contre Leconte de Lisle.

(46) 1908, Victor Orban, *Edgar A. Poe, traduction inédite des poèmes complets* (Louis Michaud, 1908).
[Dédicace:]
A la mémoire de Charles Baudelaire, le premier qui révéla en France le génie du grand poète américain.

(47) 1909, 1ᵉʳ février, M. D. Calvocoressi, "Edgar Poe, ses biographes, ses éditeurs, ses critiques", *Mercure de France.*
La critique française mérite d'être placée au premier rang pour la manière dont elle s'efforça toujours de faire rendre justice à Poe. Et ici, le premier nom qui vient à l'esprit est naturellement celui de Charles Baudelaire. [Son étude sur Poe écrite en 1852 montre] une fois de plus l'incomparable pénétration dont il fit preuve dans ses analyses, le degré auquel il poussa son étude de l'œuvre de Poe.

(48) 1909, 18 février, Maurice Barrès, "Réponse de M. Maurice Barrès directeur de l'Académie au discours de M. Jean Richepin prononcé dans la séance du 18 février 1909" (Typographie de Firmin-Didot, 1909).
Aujourd'hui encore, je suis bien loin d'avoir échappé à la prise de Baudelaire . . . Baudelaire, ce grand poète . . . a mêlé au plus beau sens du mystère un goût de la mystification. (37-38)

(49) 1909, 15 juin, Gaston Syffert, "Baudelaire", *Portraits d'hier.*
S'il est aisé de rencontrer, au cours du XIXᵉ siècle, des poètes plus illustres que Baudelaire, il est impossible, par contre, d'en trouver qui soit plus original, plus puissant, et dont l'influence se soit fait sentir avec autant de force et de persistance.

(50) 1909, octobre-décembre, Jean Marc Bernard, "A propos d'un sonnet de Baudelaire", *Revue d'histoire littéraire de la France.*
[Les idées exprimées dans "le Guignon"—Bernard en donne les sources, Gray et Longfellow—représentent] exactement la poésie de Baudelaire.

(51) 1909, Leo Claretie, *Histoire de la littérature française (900-1900)* (Société d'éditions littéraires et artistiques, Ollendorff, 1909), tome IV.
Un satanisme fait de perversité lugubre et de mysticisme ma-

cabre; des psaumes virulents, éructés par un enfant de chœur
de messe noire; des résidus expulsés par l'alambic des poisons
de l'âme; les rêveries d'une religiosité morbide: tel est le sub-
strat vénéneux où ont poussé *les Fleurs du mal*... [Mais
certains poèmes] montrent un homme sensible et bon, une
haute intelligence, une faculté rare de symbolisme, un musicien
de rythmes nets, un cœur vaillant, croyant et droit. (262)

(52)   1909, Gustave Kahn, "Préface" à *Mon Cœur mis à nu et Fusées*
(Blaizot, 1909).
[*Les Fleurs du mal* sont] des poèmes d'onyx et d'or... diaprés
d'émaux profonds et adoucis, visions selon Léonard, songes
selon Rembrandt; des poèmes où chatoyent toutes les nuances
de la grâce caressante; des poèmes qui sont des mélopées de
douleur sur une harmonie profonde et voilée jusqu'alors inen-
tendue; des pages de prose où le rythme dégagé des tyrannies
prosodiques arrive à une musique fluide de la phrase, presqu'à
la pure musique verbale; des études d'art nourries et clair-
voyantes... Baudelaire est grand pour avoir porté en soi
l'amour, dans toute sa beauté, toute sa force, l'amour inextinguible, un sens du beau... Sa méditation s'achève en amour
physique... C'est un poète amoureux, poète parce qu'amoureux. La force créatrice se confond en lui avec la force passionnelle et la force charnelle... Il sait que les images lui
arrivent par les sens, il sait que son développement sensitif est
une des conditions de sa poésie... Il n'est qu'à demi fécond...
La mise en train [de son inspiration] est difficile et lente...
Il ne sait pas forcer l'inspiration. Le pourrait-il? Une puissance
naturelle ne peut qu'être sollicitée! Parfois l'œuvre tournoie sur
elle-même; le long poème espéré s'arrête, se réduit à un sonnet.
Y perdons-nous? Peu de chose. Car procédant avec cette sureté
instinctive, l'inspiration de Baudelaire saisit de suite les clartés
principales de son sujet... Il arrive à saisir dans les lignes
générales comme les classiques... Le labeur d'élimination...
il le fait d'instinct... Aussi tout ce qu'il fait... est-il parfait;
tout ce qu'il voit est vu en toute vérité. Ce qui ne veut pas dire
que sa vision ait tout embrassé. Il est le contraire de l'homme
universel et son génie a des limites qui sont ses conséquences
et en quelque sorte ses rançons... Il a la continuité dans le
discontinu... *Les Fleurs du mal* ne sont point une réunion

quelconque de poèmes; il y a une unité dans la gamme... Son œuvre de poèmes et de proses brèves est d'allure volontaire et résolue. (1-7)... [Baudelaire s'était révolté contre le Romantisme, ce qui explique pourquoi il aimait certaines choses chez Th. Gautier—la perfection de la forme, par exemple; Poe—d'après Kahn—n'a pas exercé une très grande influence sur Baudelaire, mais par contre il a subi l'influence de Pascal (8-18). Quant aux *Journaux intimes*:] C'est la beauté suprême de ces deux recueils d'être en leur désordre la synthèse de sa fin de vie avec leur coudoiement pressé de boutades et d'idées fécondes et aussi de quelques pages d'esthétique définitives comme celle où Baudelaire... délimite son *Beau*... La grande beauté de l'œuvre de Baudelaire est non point tant dans les idées qu'il émet que dans la façon dont il parle... dans l'accent, dans cette sonorité intérieure, dans cette *vibratilité*... qu'il a trouvée. (31-32)

(53) 1909, André Gide, *La Porte étroite (Œuvres complètes d'André Gide*, N.R.F., tome V, 160).
[Avis d'Alissa Bucolin, héroïne du roman:]
Je donnerais tout Hugo pour quelques sonnets de Baudelaire. Le mot: *grand poète*, ne veut rien dire: c'est être un *pur poète*, qui importe.

(54) 1910, 16 janvier, Gilbert Maire, "La Personnalité de Baudelaire et la critique biologique des 'Fleurs du mal'", *Mercure de France.*
[Suite du nº 36, *supra.*]
[Références à Taine, Agassiz, Houssay, Cuvier, Jussieu, Sainte-Beuve, Brunetière, etc. à propos de l'évolution des genres, de l'histoire naturelle des esprits, de la race, du milieu et du moment, et ainsi de suite. En se servant de cette critique biologique on pourrait expliquer, selon Maire] par quel malentendu la critique n'a pas fait au poète la très grande place qu'il nous paraît mériter, par son talent moins encore que par son influence.

(55) 1910, 1ᵉʳ février, Gilbert Maire. [Suite du précédent.]
Le baudelairisme n'est plus qu'un genre de préciosité qui recouvre le vide ou la platitude de la pensée... *Les Fleurs du*

mal... ne sont qu'un thyrse dont sa biographie enlève le lierre et le strobile pour n'en laisser que le bâtonnet... L'usage de la biographie dans la critique de Baudelaire n'a servi qu'à le diminuer. Mais la critique biographique n'est qu'un prolongement de la critique biologique; l'une et l'autre d'ailleurs sont de semblables conséquences des habitudes analytiques acquises par l'esprit. Pour parvenir à se séparer de ces habitudes, une classification des poésies serait peut-être nécessaire... Par un groupement de cette sorte nous parviendrons à trouver dans chaque poésie l'expression d'une seule et même pensée: la pensée de Baudelaire... Un classement des *Fleurs du mal* peut rendre ce qui, dans une œuvre littéraire, n'est explicable ni par le milieu, ni par aucun genre de biographie... [Baudelaire] est-il aussi vénéneux qu'on l'a bien voulu dire? S'il est un dérivé du poison romantique. il en est en même temps une atténuation, car il est préservé de toute idéologie niaise. Victor Hugo, George Sand, Alfred de Vigny ont avarié bien des esprits, mais la virulence de Baudelaire est surtout une légende qui se rattache encore au fâcheux renom de sa vie. Biographie ou racontars ne serviront également qu'à l'aggraver... C'est de son œuvre qu'il faudra donc partir pour remonter vers sa vie... après avoir éloigné tous les postulats pseudo-scientifiques tirés de la biologie et nous être défiés de la passion documentaire.

(56) 1910, 1er mai, "Olivier Seytres" (Edmond Jaloux), "Nadar", *le Feu.*
[Nadar s'insurgeait contre la légende de Baudelaire, dont il avait été l'ami: "On l'a traité de poseur," disait-il, "mais il ne l'était pas! Il était différent des autres, voilà tout."]

(57) 1910, 1er septembre, Jacques Rivière, "Baudelaire", *la Nouvelle revue française.*
[Baudelaire] est au milieu de nous. Il ne se retire pas dans les solitudes pour en revenir poète et prophète. Il ne va pas demander à la nature de le rendre divin... Sur ces poèmes, le poète ne cesse d'exercer son empire. Il les mène, lents et suivis. Il fléchit à son gré leur intention... Une telle poésie ne peut pas être d'inspiration... Le jaillissement des phrases qui semblent les plus spontanées est toujours comme une subite so-

lution, comme un éclair préparé ... Le poète soudain tout près de nous: "Te rappelles-tu? Te rappelles-tu ce que je dis? Où le vîmes-nous ensemble, nous qui ne nous connaissions pas? Tu les as donc approchés, ces rivages; jusque vers eux ton voyage t'a donc égaré toi aussi." ... Cette poésie ne cherche que la confession. Baudelaire ... ne songe qu'à confier ses plus lourdes pensées, à les transmettre, à les donner aux autres comme une charge secrète et insupportable ... Ses passions sont si véritables, elles tiennent si fortement à son cœur qu'elles gagnent le nôtre et qu'il faut que nous les reconnaissions en nous ... C'est ainsi que je reçois, sans m'en pouvoir défendre, tous les sentiments qu'il plaît à cette grande âme de verser en moi ... [Le contenu des vers de Baudelaire est] un regret immense ... le mal de l'exil ... [le spleen, l'ennui, le désir de la perfection, la pitié ...] Il épouse toute misère, il est prêt à recevoir tout sentiment ... Peu à peu le poète sent s'agrandir sa douleur. Elle cesse de lui être personnelle. Toute la plainte du monde passe en son cœur ... C'est toute notre âme avec la violence insoupçonnée de ses amours diverses que Baudelaire nous a rendue à nous-mêmes sensible. Il est possible que le don soit lourd et qu'il faille du courage à le supporter. Cette poésie ne rassure pas; elle ne verse pas d'illusions. Mais elle s'adresse à ceux pour qui rien n'est plus beau que de connaître son cœur, que de le sentir peser en soi.

(58) 1910, Alphonse Séché et Jules Bertaut, *Charles Baudelaire* (La Vie anecdotique des grands écrivains. Louis Michaud, 1910). [La conclusion, 188-189:]
Nous venons d'écrire sa vie, sans taire quoi que ce soit de ses bizarreries, de ses travers, de ses excès, de ses excentricités de toute sorte ... Son génie ne fut-il pas formé de tout cela qui en fit un homme à part—vices et vertus confondus dans le même mortier?—Regretter telle ou telle de ses actions, ne serait-ce pas lui reprocher une partie de son œuvre, la plus belle peut-être? S'il n'avait connu cette existence tourmentée, sans ses vicissitudes physiques et matérielles, les défaillances et les reprises de sa volonté, sans ses plaies morales les plus secrètes, qui sait si Charles Baudelaire aurait été le grand poète que nous aimons, le poète le plus humain que nous ayons avec Vigny, et avec Verlaine, celui qui a exprimé le plus intensé-

ment, le plus douloureusement aussi, la navrance inguérissable
et la névrose déprimante de l'âme moderne.

(59)   1910, 1ᵉʳ septembre, Emile Faguet, "Baudelaire", *la Revue.*
[Compte rendu du précédent.]
Comme traducteur, tout le monde s'accorde à trouver qu'il est
de tout premier rang; comme faiseur d'articles ... il est simplement un homme qui écrit une très bonne langue. [Les quatre
premiers vers de "la Mort des amants" sont d'une "merveilleuse
mélodie"; " 'Recueillement' ... est incomparable"; "L'Homme
et la mer", le quatrième "Spleen" sont bien frappés, et "Don
Juan aux enfers", "comme tableau, est très remarquable"; "Une
Charogne" ... "a de la fermeté, du coloris, une grande image
et admirablement placée ... et du *mouvement,* un très beau
mouvement ... c'est peut-être la seule pièce de Baudelaire qui
soit en marche." Pour tout le reste, l'admiration de Faguet est
des plus tièdes:] Je suis son contemporain; je commençais à
lire les poètes nouveaux quand *les Fleurs du mal* n'avaient que
cinq ans d'existence; j'avais vingt ans quand il mourut. Or
pendant toute ma jeunesse, je me disais: "Il est parfaitement
digne d'occuper l'attention et d'éveiller l'intérêt; mais il ne
survivra pas; c'est l'affaire d'une génération." [Faguet—il
l'avoue lui-même—s'est donc "trompé dans son diagnostic";
pourtant, il n'a pas changé d'avis sur Baudelaire:] Je relis
Baudelaire et je suis encore surpris qu'il "en ait eu" pour plus
d'une génération; je le trouve, comme autrefois, un bon poète
de second ordre, très loin d'être négligeable, mais essentiellement de second ordre ... Il n'a quasi aucune imagination; il
a le souffle prodigieusement court ... Comme réaction contre
l'abondance et la surabondance des romantiques, cela pouvait
plaire, mais il n'est pas impossible que cette réserve soit de
l'indigence ... Note que ce novateur n'a aucune idée neuve.
*Il faut, de Vigny attendre jusqu'à Sully-Prudhomme, pour
trouver des idées nouvelles dans les poètes français* ... Jamais
Baudelaire ne traite que le lieu commun fripé jusqu'à la corde.
Il est le poète aride de la banalité ... "La Beauté": la beauté
rend les choses belles. "Confession": il n'y a rien en ce monde
à quoi l'on puisse se fier. "Les Phares": les artistes sont les
lumières de l'humanité ... Voilà les nouveautés que Baudelaire a répandues par le monde ... [Ses vers sont souvent]

bourrés de chevilles et de propos insignifiants ou niais ... [on
y trouve] platitude, chevilles, image d'une impropriété bles-
sante ... ["J'aime le souvenir de ces époques nues", par
exemple, est] du Boileau à ses mauvais moments ou d'un
médiocre élève de Boileau. On est comme étonné que des vers
pareils soient écrits vers 1855 ... Lamartine, Musset, Vigny ...
sont les poètes de la mélancolie, Baudelaire est le poète de la
neurasthénie, du *spleen* ... C'est une mince originalité mais
c'en est une ... Or la neurasthénie, depuis 1857, a peu diminué
chez nous et l'on pourrait peut-être avancer qu'elle a fait plutôt
quelques progrès ... C'est à Obermann ... que Baudelaire
ressemble le plus, sans avoir ... la finesse, la subtilité psychologique que Sénancour ne laisse pas quelquefois d'avoir.

(60) 1910, 1ᵉʳ octobre, Charles Henri Hirsch, "Baudelaire selon M.
Faguet", *Mercure de France*.
[Réponse à Faguet.]
Faguet se trompe rarement dans le détail; mais il est rare que
l'ensemble ne l'échappe ... La conclusion de son article ... est
si inférieure à son talent, qu'on pourrait le croire de M. René
Doumic, son minable collègue à l'Académie Française.

(61) 1910, 1ᵉʳ novembre, André Gide, "Baudelaire et M. Faguet",
la Nouvelle Revue Française.
[Réponse à Faguet.]
Ce qui devrait étonner M. Faguet plus encore que le nombre,
c'est la qualité de ces admirateurs, musiciens et poètes, que
Baudelaire recrute dans tous les pays cultivés à chaque génération nouvelle. On ne peut le nier, c'est l'élite ... Si peut-être
c'était avant tout un reflet de leurs "spleens", une approbation
à leurs mélancolies qu'ont cherché dans *les Fleurs du mal* les
condisciples de M. Bourget ... il ne me paraît pas que ce soit
aujourd'hui ce que demande à Baudelaire une génération ...
active, retrempée par l'Affaire, galvanisée ... et prenant au
contraire le déliquescent et le morbide en horreur. Si cette
génération nouvelle sait goûter toujours Baudelaire, c'est ap-
paremment que Baudelaire lui offre autre chose ... Ce qui fait
le premier succès n'est pas ce qui sert à la gloire ... La durée
n'est promise qu'à ceux des écrivains capables d'offrir aux suc-
cessives générations des nourritures renouvelées ... Une œuvre

ne survit que par des qualités profondes; ces qualités secrètes
sont ce qui fait paraître l'œuvre d'abord incertaine un peu...
mystérieuse... énigmatique... "malsaine"! Ce qui fit paraître
en son temps l'œuvre de Baudelaire inquiétante et malsaine est
précisément ce qui la maintient aujourd'hui si jeune et toujours
si urgente... La forme! Comment oserons-nous... proposer à
M. Faguet la seule explication plausible du mystère qui l'étonne
tant aujourd'hui: c'est à la perfection de sa forme que Baudelaire doit sa survie. L'artiste la doit-il jamais à rien d'autre?...
Perfection très différente... de celle des sonnets de Heredia...
C'est de cette perfection que s'est contenté trop souvent notre
langue; non point qu'on ne puisse découvrir de-ci de-là, dans
les vers de Racine principalement... une perfection plus
cachée... mais déjà comme à son insu—et je ne crois pas très
exagéré de dire qu'on vient seulement de s'en apercevoir.—
Baudelaire, le premier, d'une manière consciente et réfléchie,
a fait de cette perfection secrète le but et la raison de ses
poèmes; et c'est pourquoi... la poésie européenne, après *les
Fleurs du mal*, n'a plus pu se retrouver la même. Il y avait dans
ce petit livre bien autre chose et bien plus que l'apport d'une
"idée nouvelle"... La poésie désormais ne s'adressait plus aux
mêmes portes de l'intelligence, se proposait un autre objet...
[Demander, comme Faguet, du mouvement à Baudelaire, c'est
méconnaître la nature même de son art:] La plus grande nouveauté de son art, n'a-t-elle pas été précisément d'*immobiliser*
ses poèmes, de les développer en profondeur!... Le retour
périodique d'un même vers, de plusieurs vers, d'une strophe
entière... aurait dû... renseigner M. Faguet sur ce que cette
extraordinaire absence d'agitation, qu'il dénonce, gardait de
volontaire et de prémédité... [Trop traditionaliste pour comprendre la nouveauté de Baudelaire, Faguet choisit les poèmes
les plus faibles du recueil: "l'Homme et la mer", "Don Juan aux
enfers", "Une Charogne", etc. et ne parle pas des plus beaux qui
sont, d'après Gide, "le Balcon", "la Chevelure", "le Jet d'eau",
"Invitation au voyage", "le Crépuscule du matin", etc. Grâce à
la nouveauté de son style, Baudelaire a pu introduire une qualité musicale dans la poésie française:] Veuille ce mot... n'exprimer point seulement la caresse fluide ou le choc harmonieux
des sonorités verbales... mais aussi bien ce choix certain de
l'expression, dicté non plus seulement par la logique, et qui

échappe à la logique, par quoi le poète-musicien arrive à fixer
... l'émotion essentiellement indéfinissable ... Il est certain que
la poésie de Baudelaire, et c'est là précisément ce qui fait sa
puissance, sait quêter du lecteur une sorte de connivence,
qu'elle l'invite à la collaboration. L'apparente impropriété des
termes, qui irritera tant certains critiques, cette savante impré-
cision dont Racine déjà usait en maître, et dont Verlaine fera
une des conditions de la poésie ... cet espacement, ce laps
entre l'image et l'idée, entre le mot et la chose, est précisément
le lieu que l'émotion poétique va pouvoir venir habiter ... Impropriété? Comment expliquer dès lors que dans les bonnes
pièces de Baudelaire ... cherche-t-on à remplacer un seul mot,
l'harmonie tout entière du vers et de la strophe, le son du
poème entier, parfois, n'est plus que celui d'une belle cloche
fêlée? Baudelaire ne peut souffrir les locutions toutes faites, les
métaphores prévues ... préférant aristocratiquement l'étrange
au banal, il estimera qu'une association d'images et de mots est
parfaite ... quand elle ne peut servir qu'une fois ... [Quant à
son manque d'imagination:] Je n'ai garde de protester. Accor-
dons que mouvement et imagination lui manquent ... Peu
m'importe si le résultat poétique est le même. Il est permis ...
de se demander ... si c'est bien essentiellement l'imagination
qui fait le poète; ou ... s'il ne sied pas de saluer en Baudelaire
autre chose et plus qu'un poète: le premier artiste en poésie ...
"L'imagination imite; c'est l'esprit critique qui crée." Cet aphorisme d'Oscar Wilde ... éclaire une vérité profonde; il nous
explique, dans le cas particulier de Baudelaire, comment cette
pauvreté de l'imagination l'a servi, le contraignant à ne jamais
tenir quitte son intelligence ... son sens critique, d'une si scrupuleuse et tenace fidélité. Baudelaire était avec Stendhal la
plus admirable intelligence critique de son époque. Que vaut
le romantisme auprès de ces deux inventeurs? ... Baudelaire a
proprement créé la critique de l'art moderne ... C'est cet im-
manent sens critique, par quoi Baudelaire se sépare si nettement de l'école romantique, à son insu du reste, et, tout comme
Stendhal, croyant représenter le romantisme, s'y oppose ... En
en repoussant la rhétorique et l'utopisme convenu [il] n'en
garde plus que la frémissante conscience de sa *modernité* ...
A quel point faut-il avoir mal compris Baudelaire pour lui reprocher précisément rhétorique et déclamation! Si parfois, dans

les Fleurs du mal, on retrouve de l'une et de l'autre, l'époque en est responsable. Rien de plus étranger à Baudelaire... que l'amplification inutile du geste et que le gonflement de la voix. Certains... peuvent être choqués... par une emphase subite et rare; nous la louerons au contraire pour ceci: elle n'est pas sincère—et c'est ce qui permet... de l'être si profondément... A peu près seul de son époque, avec Stendhal, Baudelaire mérite de n'être point touché par ce vent de défaveur qui souffle aujourd'hui contre le romantisme. [Citation de Maurice Barrès: "C'est par *les Fleurs du mal*... que nous reviendrons à la grande tradition classique":] Je pense... que Barrès n'a jamais rien écrit de plus perspicace.

(62) 1910, 20 novembre, Jean Royère, "L'Erreur des 'classiques' sur Jean Racine", *la Phalange.*
[Article écrit à propos de la "renaissance classique" prônée par Carrère, Moréas, Charles Maurras, Paul Souday, etc. Selon Royère, les véritables restituteurs de Racine ne sont pas les néo-classiques contemporains, mais Baudelaire et Mallarmé.] Baudelaire et Mallarmé nous restituent un Racine vivant. En dehors d'une mode sans importance, si certains aujourd'hui sentent mieux le farouche Racine, qu'ils soient reconnaissants à Baudelaire et à Mallarmé. Ces deux purs génies de notre race, après les fresques romantiques... nous ont appris à frémir d'amour pour une poésie profonde, intense et ramassée, souple et chaude comme la chair, ardente et lumineuse. La joie qu'ils nous causent est physique, sensuelle noblement et aussi intellectuelle... Nous l'y retrouvons dans Racine.

(63) 1910, 16 décembre, Féli Gautier, "Pages de carnet de Baudelaire", *Mercure de France.*

(64) 1910, 29 décembre, Ardengo Soffici, "Baudelaire", *La Voce.*
[Réponse à Faguet.]
Cette fois les accusations tombaient d'une chaire si renommée, elles étaient d'une stupidité tellement fanfaronne, qu'il eût été non seulement lâche, mais impossible de n'y pas répondre...
E. Faguet a montré que, malgré l'intelligence que beaucoup lui reconnaissent, il n'est au fond qu'un philistin cultivé.

(65)   1910, Emile Haumant, *La Culture française en Russie (1700-1900)*, (Hachette, 1910).

De bonne heure ... nous voyons Baudelaire apparaître entre ces maîtres (symbolistes) de toute nationalité, et les éclipser du premier coup [citation de Balmont]. (96)

(66)   1910, E. de Rougemont, *Villiers de l'Isle-Adam* (Mercure de France, 1910).

Baudelaire ... initia Villiers à l'art mystérieux d'Edgar Poe. Les merveilleuses traductions du poète venaient de paraître et Villiers se délecta à cette lecture. (79-80) Quand le temps au pied boiteux aura mis chacun à sa place, un trio apparaîtra ... planant au-dessus de la littérature de la seconde moitié du siècle: Baudelaire, Villiers de l'Isle-Adam, Barbey d'Aurevilly. (337)

(67)   1911, mars, André Beaunier, "Charles Baudelaire et l'esthétique de la décadence", *Nineteenth Century*, XIX-XX.

Son art est la suprême réussite de l'opiniâtre effort qu'il fit pour n'être point naturel, mais artificiel, aussi artificiel qu'il le put ... L'art [pour Baudelaire] ... est plutôt un refuge contre la vie. La quotidienne vie est une si laide, si absurde et désespérante chose, que le dandy s'écarte d'elle et se réfugie ... dans le suprême dandysme de la littérature. Conséquemment, cette littérature ne cherchera point à imiter la vie; elle ne sera pas réaliste; elle ne sera pas naturelle ... Avec une volonté rigoureuse, elle s'imposera le devoir d'être parfaitement artificielle. L'art est, ainsi, le contraire de la nature. [Voilà l'esthétique de la décadence:] La nature ... est périssable ... Seul échappe à la destruction promise l'artificiel ... Si l'art nous écarte de la nature et nous met à l'abri de ses envahissements mortuaires, l'artificiel sait nous enfermer dans une deuxième citadelle ... L'artiste qui s'est enfermé là est le prisonnier de sa volonté fière. Si l'on se moque de lui, ou si l'on déteste son orgueil, on peut aussi admirer ce terrible, sauvage et subtil reclus ... [Pour atteindre l'artificiel, Baudelaire se droguait; et quand il est mort] ce héros du paradoxe le plus volontaire, ce négateur altier de la vie et des réalités concrètes, subit les représailles de ce qu'il avait détesté avec arrogance. La vie et les réalités ... se ruèrent sur lui ... elles eurent enfin terrassé l'ennemi, l'admirable, tragique, poignant poète des fleurs mauvaises et des voluptés artificielles.

(68) 1911, août, Friis-Möller, "L'Influence de Charles Baudelaire sur la poésie lyrique danoise récente", *la Revue scandinave.*
Le rôle joué par Baudelaire dans la vie intellectuelle du Danemark au cours des vingt dernières années est prodigieux. Notre poésie n'avait jusqu'alors jamais dû beaucoup à la France.

(69) 1911, 25 décembre, André Suarès, "Baudelaire", *la Grande Revue.*
[Contre la légende:]
On est original, et l'on passe pour bizarre... La misérable multitude... le peuple et les académies, ils ont désespéré [Baudelaire] et [l'ont] réduit à la mort. Baudelaire est de ces esprits originaux, qui se savent l'être... Le mépris de Baudelaire pour son temps... est si roide, qu'il préfère le scandale à la louange publique. Il aime mieux faire horreur aux gens, que leur être semblable. Il s'étudie à différer. Moins une affectation, en lui, qu'une motion de nature. Il faut avoir perdu le sens de la vie, pour séparer l'œuvre du poète, en Baudelaire... Hautain, poli, d'une réserve exquise, de glace avec les sots, plein de mépris pour la foule... le moins familier des hommes... Baudelaire, toujours distant et plus souvent solitaire, a passé pour un bohême auprès des imbéciles... Pessimiste, misanthrope jusqu'à la négation de la vie, Baudelaire l'a été comme Flaubert... Son goût de la mystification n'est pas du tout le jeu ridicule qu'on imagine... Je n'y vois pas non plus le bonheur d'abuser les autres; mais plutôt de leur échapper. On les trompe sur soi... et les égare sur une fausse piste. Baudelaire n'y a que trop réussi... [Ses qualités:] Puisque le poète... est celui qui crée son objet, nul ne fut plus poète que Baudelaire... [Il] n'est pas, pour nous, un ami disparu, mais un prêtre douloureux qui nous visite, les soirs d'été, où la Ville est un enfer, chaude d'étouffantes séductions et de subtils maléfices. Il a péché, il ne peut pas être notre guide... Son âme est d'une funeste complaisance aux tourments qui l'habitent... Il est sombre et cruel ... Mais jamais il n'est bas. Un grand esprit, une âme noble, nulle familiarité, rien de vulgaire, un goût rare... Trop chrétien pour être cynique, et trop peu pour être humble... Grand

poète sans abondance ni facilité, il fut plus artiste en vers qu'on n'avait été avant lui, depuis Racine ... Pour la première fois dans la poésie, l'objet de Baudelaire n'a pas été de décrire une action, de conter une fable, d'imposer une opinion, d'éblouir ou de convaincre, ni de peindre un pays, une époque ... Il s'est pris lui-même pour objet, en ce qu'il avait de plus caché et de plus rare, qui devait faire peur aux autres ... Il a laissé une œuvre vivante et brève, qui est un raccourci d'homme, avec toutes ses passions, ses folies, ses goûts, ses caprices, ses recherches exquises ou perverses, ses grâces et ses affectations ... L'objet est étroit ... mais ... on gagne en profondeur tout ce qu'on perd en horizon. L'on va toujours plus profond ... Voilà l'étrange merveille de Baudelaire, et comment il a coulé une poésie nouvelle dans les formes de l'ancienne ... Il est une façon de sentir avant Baudelaire, et une façon de sentir après lui. Tout vient de la force qu'il a mise dans la révélation de l'homme intérieur ... Verlaine excepté, Baudelaire est le plus vivant de nos poètes ... Il a presque toutes les vertus classiques, et il les renouvelle toutes par le sentiment. Sa langue est aussi bonne, aussi pure qu'elle pouvait l'être en ce temps-là; et sa prose est plus belle que ses vers ... L'intelligence de Baudelaire est acharnée; et son imagination est créatrice. Il a compris les temps nouveaux et les a détestés. Il a créé des habitudes au sentiment et à la réflexion une manière de voir riche en calcul et en subtilité. Qu'on l'appelle la décadence, si l'on veut: en art, ce mot n'a pas de sens; mais il désigne une époque. En attendant, Baudelaire crée avec sévérité. Il va toujours loin; mais il ne s'étend pas: il reste sur sa ligne; il n'excède jamais ses limites; il est prudent et rigoureux ... Il est pauvre, souvent; il est dur; il n'a rien de facile ... Baudelaire sent un peu l'huile, il est vrai ... C'est dans l'intensité qu'il a fondu quelques pièces parfaites ... Telle est cette inquiétude ... cette inquisition de l'intelligence sur le secret du cœur ... Il y a si peu de désordre et de négligence dans son style, qu'on y trouve plutôt l'extrême raffinement ... Ses sonnets mêmes ne sont pas d'un jet. Je n'en vois pas dix où deux ou trois vers ... ne soient pas un peu difficiles. C'est pourquoi la plupart sont de faux sonnets ... On devine ... un effort étrange et parfois accablant à jeter dans le moule exact des quatorze vers une forte matière ... Il veut, avant tout, donner l'émotion du sentiment profond ... Aussi, dans les pièces les moins faciles, où l'effort du poète se laisse reconnaître à maintes coutures... toujours il y a une pensée, un cri, un de ces beaux vers qui... [vaut] tout un volume de la plupart des autres et plus fameux poètes. Si Baudelaire était partout égal à lui-même... il serait le frère de Dante... Tout portait Baudelaire à être classique. En art, c'est le destin des aristocrates... Le style français a raison de tous les excès... Baudelaire... est parvenu d'un seul coup à la dignité classique ... Les romantiques se confondent dans les passions qu'ils éprouvent... Baudelaire... comme Flaubert, est toujours mûr ... En eux, rien ne sent le jeune homme... Les romantiques s'étaient perdus dans le Moi, Baudelaire s'y retrouve... Ainsi, ce fut son destin de créer un classique nouveau. Il a créé le poème en prose... Jusqu'où la langue française peut atteindre, sans le poème en prose, on ne l'aurait pas su. Par le nombre, la couleur, l'harmonie, la prose française s'est élevée à une poésie inconnue, et à une puissance dont on ne l'eût pas crue capable. Le poème en prose de la France est la plus belle conquête de l'esprit poétique en ces derniers siècles... On n'a jamais parlé d'art mieux que lui... Il manifeste en tout cette nature noble et rare, faite pour les plus hauts entretiens de l'intelligence... L'imagination fait toute la volupté. Baudelaire a vraiment vécu d'imaginer; il y a prodigué ses nerfs et usé ses forces. La chair même en lui était cérébrale... [Ses portraits nous révèlent sa grandeur spirituelle:] La tête, d'une forme admirable, est une nef dans la lumière... Une immense intelligence siège sur le vaste front. Une intelligence poétique, celle qui ramène tout à un ordre; celle qui ne laisse rien perdre de l'univers considéré, et qui impose une forme unique à toutes les notions... Déjà pourtant, dans la crête, une force ennemie dissout les éléments de cette pensée... Mais la bouche et les yeux font tout oublier. Ces yeux énormes, si profonds, si noirs... portent le jugement le plus implacable sur le monde qu'ils contemplent... Et... la bouche... sublime et atroce, funeste à voir... On ne peut pas être plus usé, plus ravagé, plus triste avec une morne grandeur... Baudelaire ressemble par le bas de la figure au Jérémie de Donatello... Il a les flammes sourdes et la violence de Pascal... Il est bien seul dans la Ville, et seul dans ses goûts, comme le moine de l'Imitation... Il est vraiment manichéen ... Baudelaire croit aux deux principes. Il vit dans la lutte,

partagé entre les deux. Ce monde lui est certainement l'empire
du péché. Quand Baudelaire s'écrie: "ce qui est naturel est
infâme", il l'entend comme un théologien: la nature est corrompue, et doit être purifiée. Voilà ce qu'il faut comprendre,
et la théorie de l'artificiel n'a pas d'autre origine... Qu'il se
sente damné ou qu'il craigne de l'être, tout Baudelaire tourne
autour de la damnation... Baudelaire est religieux avec impiété. Il a le respect de tout ce qui touche à l'Eglise; mais il n'y
entre pas fidèlement... Les litanies de l'enfer lui sont plus
familières que les autres... Son impiété ne consiste point à ne
pas croire, mais à croire avec Satan... Le remords est la clef
de cette âme... Damné, mais tout de même archange... c'est
un ange déchu, qui attend, toute sa vie, l'heure du foudroie-
ment, dans la solitude... Le plus intérieur des poètes. En un
siècle fou de son corps, Baudelaire est le poète de l'Imitation,
et non plus au couvent, dans la Ville des Villes, capitale des
voluptés et de tout divertissement. Baudelaire est plus près de
Pascal et des grands solitaires que personne... La guerre de
son destin contre sa nature intérieure, la douleur d'être vaincu
... l'ont fait poète. Et d'en avoir créé une image sans doute
éternelle, voilà son génie.

(70) 1911, André Barre, *Le Symbolisme, essai historique sur le mouvement poétique en France de 1885 à 1900* [thèse pour le doc-
torat] (Jouve, 1911).
En [Baudelaire] les symbolistes n'ont plus un aïeul lointain,
mais un père. Il est le prince de l'école en attendant d'en devenir le dieu. Car son œuvre est pour ses modernes disciples
une source inépuisable de règles, d'exemples et l'art n'y fait pas
défaut... Il a des visions dépravées, le goût des bouges, les
raffinements d'un blasé qui savoure avec curiosité les plus
basses amours... Il descend les degrés qui conduisent à la
perversion des sens et de la raison. Tout ce qui porte en soi le
cachet de la décadence... décomposition morale ou physique,
tout ce qui... constitue le bilan du sadisme intellectuel... est
pour lui matière d'art... Cette subtilité maladive conduit Baudelaire à percevoir derrière la réalité tangible une réalité spirituelle... des liens invisibles par lesquels les choses correspondent entre elles. Chez Baudelaire, une nervosité excessive
prend le pas sur l'entendement... Il écoute résonner ses nerfs

... De là une poétique originale, une métrique personnelle, et un style profondément suggestif ... L'art est une mosaïque difficile de sensations rares. Il exige un effort volontaire, et s'obtient par un travail acharné ... [C'est] une poétique de l'artificiel. (53-57)

(71) 1911, Augustin Cabat, *Les Porteurs du flambeau. D'Homère à Hugo* (Perrin, 1911).
On peut définir [Baudelaire] matérialiste mystique ... Chez lui domine la faculté de personnifier les abstractions ... Il dote la poésie de cette ressource nouvelle: la transposition. (191-192)

(72) 1911, Féli Gautier, *Un Carnet de Baudelaire* (Chevrel, 1911). [Dans la petite préface de 4 pages, intitulée "Les Nuits de Monsieur Baudelaire", Gautier parle de la célèbre caricature de Durandeau, qui, dit-il, "peut avoir donné naissance à la légende qui va poursuivre *Monsieur* Baudelaire jusqu'à nos jours." S'adressant ensuite à Durandeau il ajoute:] Il était *indessinable,* même pour vous; il n'imaginait que lui-même susceptible de se dessiner ... *Il se savait* un être erratique, une planète désorbitée. Vous ne paraissez point comprendre la paresse nerveuse et la confondez avec le débraillé, le désordre des impuissants; l'anémie vitale de Baudelaire n'est qu'apparente et *surtout* ne vient que de lui: *il le savait*; qui, c'est par le loisir qu'il a grandi ...

(73) 1911, Emile Faguet, *La Poésie française, extraits de tous les auteurs depuis les origines jusqu'à nos jours* (Librairie des Annales politiques et littéraires, 1911).
(1) *Faguet*, xxiii: Baudelaire [était] un élégiaque triste et un peu macabre, capable de produire une impression, parfois forte et pénible.
(2) *Antoine Albalat*, 405: Baudelaire ... poète d'une perfection de forme raffinée, qui s'est complu dans la sensation maladive et malsaine, artiste mystique et brutal, d'un réalisme effroyable, compliqué, fiévreux, où l'on sent pourtant le son d'une âme et le culte de la beauté.
(3) *A. Glorget*, 513: Baudelaire ... fut condamné à 300 francs d'amende [en 1857], mais il était célèbre, et il avait désormais l'admiration de tous les lettrés.

(74) 1911, Nadar, *Charles Baudelaire intime, le poète vierge* (Blaizot, 1911).

[D'après Nadar, ancien ami de Baudelaire, le poète est mort vierge et n'a jamais possédé même Jeanne Duval. Nadar proteste contre la légende:] Ceux qui n'ont pas connu Baudelaire intime ont pu, ont dû devant sa réserve d'attitude, prendre pour sécheresse de cœur ce qui n'était que circonspection et certaine pudeur jalouse. Mais mieux encore que la sensibilité, chez notre ami se révélaient des délicatesses rares. [Baudelaire fréquentait le Casino Cadet et les Folies Bergère "pour observer", car il ne liait jamais connaissance avec les nombreuses prostituées qui s'y trouvaient tous les soirs.]

(75) 1911, J. H. Retinger, *Histoire de la littérature française du romantisme à nos jours* (Grasset, 1911).

Si le paradoxe et l'artificiel sont les deux traits marquants de la forme de Baudelaire, la sensibilité compose le fond de son âme d'homme et de poète.

(76) 1912, 20 janvier, Daniel d'Arthez, "Stendhal et Baudelaire", *L'Ouest-artiste* (Nantes).

[Compte rendu du n° 58 *supra.*]

Stendhal et Baudelaire ont éprouvé du plaisir malsain à prendre la foule comme confidente des moindres événements de leur vie sentimentale... [Baudelaire, par exemple, dans ses *Journaux intimes* avec une "complaisance" qui n'a d'égale que sa satisfaction de lui-même et son "absence complète de sincérité". Les admirateurs de Baudelaire] se recrutaient autrefois dans le cercle un peu restreint des fumeurs d'opium et des haschichiens; mais aujourd'hui que notre sensibilité s'est affinée, nous l'admirons comme il mérite de l'être.

(77) 1912, 25 avril, François Mauriac, "Informations. Enquête sur la Jeunesse: la Jeunesse littéraire", *Revue des Jeunes.*

[Sans l'âme chrétienne] nous n'aurions pas les cathédrales, ni les cantiques de François d'Assise... ni *les Fleurs du mal*...

(78) 1912, mai, Dr. Roger Dupouy, "Le Poète de l'Opium: Charles Baudelaire", *Æsculape.*

[Baudelaire était un] toxicomane type, dont l'exquise et morbide sensibilité souffrait cruellement des inévitables ronces de la vie.

[Note de la rédaction:] Baudelaire est suffisamment mort, le temps a suffisamment jugé son œuvre, pour qu'on puisse aujourd'hui l'admirer sans provoquer d'indignations solennelles ... Il y a vingt-cinq ans, Brunetière ... accusait Baudelaire de n'être qu'un mystificateur ... Mais nombre d'écrivains de valeur ... ont prouvé, depuis, toute la sincérité douloureuse du poète, et que son œuvre reflète l'état de son âme. C'est de l'étude de cette œuvre, morbide et vécue, que le Dr. R. Dupouy ... a tiré les éléments de la présente étude.

(79) 1912, 27 juin, Fortunat Strowski, "Baudelaire", *la Revue hebdomadaire*.

Baudelaire est un des esprits les plus vastes et les plus pénétrants du siècle dernier, un homme qui a découvert dans sa vie le jeune Delacroix, Manet, Wagner et Edgar Poe: quand on a rendu de tels services à l'art et à la littérature, on est vraiment quelqu'un. De plus, cet homme a porté, en matière d'esthétique, des jugements presque infaillibles ... Les principes d'esthétique qu'il a exposés sont le plus souvent irréfutables ... Il n'est pas un seul de ses principes d'esthétique qui n'ait reçu avec le temps une pleine confirmation ... Cet homme n'a pas été seulement un grand théoricien, mais encore un des poètes les plus originaux de la langue française ... Il a eu plus que du talent, il a eu du génie. [Il est vrai qu'il y a dans son œuvre] un élément de trouble, de perversité, de morbidité [et dans son caractère] des éléments de morbidité physique, qui relève de la médecine et de la psychothérapie ... Au fond, c'était un déséquilibré ... une nature à la fois sadique et religieuse ... presque constamment malade ... [Mais] à bien l'examiner, je suis tenté de croire que cet homme ... eut peut-être l'âme belle et bonne.

(80) 1912, 11 juillet, suite du précédent.

Baudelaire avait une intelligence d'artiste merveilleuse ... Conformément à sa théorie du beau moderne, de la passion moderne, du bizarre et du factice en art, Baudelaire a représenté une forme particulière de perversité morbide ... Ce mot de perversité ... s'applique mal. Ce que Baudelaire a exprimé, ce

n'est pas une corruption raffinée, étudiée pour elle-même...
Baudelaire... dégage de cette morbidité ce qu'elle a d'humain
et de tragique. Il n'est immoral que d'apparence. La débauche
pour lui n'est plus un plaisir, elle est une forme de la faute, du
mal, du péché. Elle est tragique et pathétique... Baudelaire
... nous apparaît vraiment comme un grand artiste sensible,
subtil et raffiné... Toute son œuvre est faite avec des notations
de sensations aiguës, subtiles... Je ne vois, sous ce rapport,
que Huysmans à lui comparer... Le livre vaut encore par l'art
et par le style... le souci de la composition est grand... La
musique des vers chez Baudelaire produit enfin des harmonies
étranges et nouvelles... Ces beautés un peu extérieures sont
bien dépassées... par le pathétique, par le tragique que
[l'œuvre] renferme en son essence. Dans ses bonnes parties, ce
livre dépasse toutes les formules que le siècle a données de
l'angoisse humaine. Lisez seulement "le Voyage"... C'est le
même sentiment que dans *René*... mais bien plus poignant.
De tels vers nourrissent encore l'imagination de tous les poètes
contemporains... Baudelaire pour un poète a trop d'idées.
L'idée pour lui a une importance primordiale. Dans son fameux
sonnet des Correspondances, l'idée gêne le mouvement libre
des vers... [Ses poèmes en prose sont "de véritables modèles"
qui dépassent ceux de Bertrand; ses poésies paraissent presque
"grossières" par comparaison.]

(81)   1912, Fortunat Strowski, *Tableau de la littérature française au
XIXe siècle* (Delaplane, 1912).
Infiniment au-dessus de Glatigny et de Banville, comme aussi
de Leconte de Lisle et de son école, s'élevait... un poète singulier, le plus original peut-être de notre littérature, un poète
qui, absolument seul en son temps, avait su s'affranchir de la
domination de Victor Hugo, et à qui il n'a manqué, pour atteindre aux plus hauts sommets, que d'avoir en soi ce mystérieux élément qui constitue l'essence la plus intime de toute
vraie poésie... Le seul malheur de CHARLES BAUDELAIRE
... n'a pas été... la tournure foncièrement "morbide" et "perverse" de son tempérament... [mais] d'avoir apporté à son art
une intelligence trop aiguisée, qui toujours a nui au libre épan-
chement de son émotion, et nous porte forcément aujourd'hui à
douter de la pleine sincérité de ses sentiments. Avec l'un des

esprits les plus vastes et les plus pénétrants qu'il y ait eu jamais
... cet homme admirable ... qui a reconnu et proclamé le génie
d'Eugène Delacroix et de Manet, de Richard Wagner et d'Edgar
Poe, ne s'est pas suffisamment rendu compte de la nécessité qu'il
y avait ... d'éliminer de son œuvre tout ce qui risquait d'arrêter
notre attention au détriment de notre plaisir, et de substituer à
la jouissance poétique les agréments inférieurs de la curiosité ou
de la surprise. Toute la puissance expressive des *Fleurs du mal*,
la richesse prodigieuse de leurs images, et l'intensité tragique
des sentiments qu'elles traduisent, une forme savamment et
patiemment élaborée, et ... une musique verbale étrangement
nouvelle et "prenante" ... ne suffit pas ... à faire que ce recueil fameux ne nous déçoive par une certaine allure "prosaïque", comme si l'auteur y "adaptait" en vers, après coup, des
pages qu'il aurait d'abord conçues et rédigées en prose ... En
tout cas, personne ne saurait lui refuser cet honneur ... d'avoir
introduit dans nos lettres françaises "un frisson nouveau". Et
ceux-là avaient raison, qui l'appelaient un "Boileau hystérique",
en tant du moins qu'ils entendaient par là le caractère émine-
ment "classique" de sa pensée et de sa langue, toutes deux
admirablement sobres, concentrées, les plus éloignées qui se
pussent de la rhétorique du romantisme. Sous bien des rapports
... Baudelaire a été un "réactionnaire"; et il a été en même
temps un précurseur et un novateur, de qui sont sortis à la fois
le mouvement "symboliste" et ce qu'on pourrait appeler la
"Renaissance classique" de nos dernières années ... Ses poèmes
en prose ... nous fait voir une préoccupation très originale de
donner au rythme de la prose la diversité et la souplesse ... du
vers. Et je ne puis assez répéter combien d'idées ingénieuses et
fécondes, combien de jugements décisifs, Baudelaire nous a
laissés à chacune des pages de ses Salons, de ses essais critiques
sur les musiciens, les peintres, les poètes de son temps; ni non
plus avec quelle étonnante pureté et beauté de style il nous a
traduit les contes et romans ... d'Edgar Poe. (441-444)

(82) 1912, Maurice Kunel, *Baudelaire en Belgique* (Schleicher
Frères, 1912).
[Critique des psychologues et des neuropathologistes de
l'époque—Cabanès, Lombroso, Gélineau, Nordau—qui, en écrivant sur Baudelaire,] façonnent trop volontiers le sujet pour

les besoins de leur expérimentation. [D'après Kunel, les véritables causes de la neurasthénie dont Baudelaire souffrait,
c'étaient les drogues, l'alcool, le tabac, et la mauvaise hérédité,
puisque le poète descendait] d'une famille de fous et d'excentriques. [A tout cela il faut ajouter la syphilis cérébrale: Baudelaire est mort de syphilis, 113, 114, 119. Compte rendu du
séjour de Baudelaire en Belgique.]

(83) 1912, Arthur Meyer, *Ce que je peux dire* (Plon, 1912).
      [Invité à nommer un des] douze plus grands écrivains du dix-
      neuvième siècle ... M. Jules Lemaître se borna à formuler son
      vote en cette phrase concise, dont chaque mot m'est resté dans
      l'esprit:—Je choisis Baudelaire parce qu'il a fait cent vers qu'on
      n'avait pas faits avant lui. (393)

(84) 1912, A. Rémond (docteur) et P. Voivenel (docteur), *Le Génie
      littéraire* (Alcan, 1912).
      [C'était une idée fixe de la psychopathologie contemporaine
      que le génie était "une psychose dégénérative appartenant à la
      famille des épilepsies"; les docteurs Rémond et Voivenel propo-
      sent une nouvelle définition: "Le génie littéraire est la mani-
      festation intellectuelle la plus haute de la progénérescence
      verbale et sexuelle chez l'homme (292)". Selon eux, Baudelaire
      était] victime de la sclérose de ses artères cérébrales; il en
      avait préparé l'évolution par les abus de toute nature auxquels
      il s'est livré. Le fond de son caractère ... c'est l'ennui. Il a eu
      le malheur d'être entraîné par cet ennui à rechercher des déri-
      vatifs dans tous les mondes et dans tous les flacons, non pas
      que ce fût une pose, mais le simple résultat d'une insuffisance
      d'équilibre congénitale. Il a eu ... le mérite ... de raconter les
      diverses impressions résultant de ses fréquentations et de ses
      mélanges, et le bonheur d'en tirer des vers qui n'en resteront
      pas moins immortels. M. Brunetière, homme juste et ennuyeux,
      n'a pas pu pardonner à Baudelaire le mélange de ses vices et
      de son génie. (141-142) ... [Baudelaire éprouvait une "tendresse
      compatissante" pour les pauvres; *les Fleurs du mal* sont "un
      monument de la douleur morale", et Baudelaire, somme toute,
      n'était pas un vrai intoxiqué:] Il serait beaucoup plus juste de
      considérer *les Fleurs du mal* comme la manifestation d'un tem-
      pérament psychologique sur lequel les poisons passèrent sans

l'entamer, que comme une succession d'épisodes nés de délires toxiques indéfiniment variés. (145-146) [Baudelaire comparé à Dante; son œuvre "n'est pas le résultat d'une mystification volontaire", mais de son ennui. (145-147)]

(85) 1913, 23 janvier, André Boghen, "Baudelaire poète des *Fleurs du mal*", la *Revue des Indépendants*.
[Baudelaire est] une figure à part, un esprit original [qui] ne recule devant rien, [qui] aborde des sujets sataniques.

(86) 1913, février-mars-avril, Fernel (docteur), "Baudelaire", la *Revue thérapeutique des Alcaloïdes*.
[Trois articles d'une série consacrée aux "Grands névrosés de la littérature et de l'histoire". Parmi les autres névrosés—La Fontaine, Louis XV, Sainte-Beuve, Lammenais, De Quincey. Baudelaire était fils d'un vieillard et d'une jeune fille; il était victime d'une hérédité très chargée (citation de la phrase sur ses ancêtres dans les *Journaux intimes*) et d'une "exaltation de la sensibilité"—ce qui explique ses "admirables poèmes en prose"; il aimait les parfums, pratiquait la théorie des correspondances au grand profit de la littérature française; il s'intéressait au sadisme; il est mort de paralysie héréditaire compliquée de syphilis.]

(87) 1913, 10 octobre, Paul Claudel, "Ma Conversion", la *Revue des Jeunes*.
La troisième année, je lus les Ecrits Posthumes de Baudelaire, et je vis qu'un poète que je préférais à tous les Français avait retrouvé sa foi dans les dernières années de sa vie et s'était débattu dans les mêmes angoisses et les mêmes remords que moi.

(88) 1913, Arvède Barine, *Poètes et névrosés* (Hachette, 1913).
Nous eûmes Edgar Poe dans les moelles à partir de la belle traduction de Baudelaire... On sait combien l'influence de Baudelaire a été persistante chez nous. Il n'est que juste d'en reporter une part à son maître.

(89) 1913, Henri Bataille, préface à *La Phalène* (1913), reprise dans *Ecrits sur le théâtre* (Crès, 1917), d'où les citations suivantes.
[Baudelaire appartient aux] grands symphonistes, qui résument

en leur universalité toutes les harmonies augustes de la nature
... *Les Fleurs du mal* [sont] le plus haut sommet, à mon sens,
de la poésie française, avec quatre poèmes d'Alfred de Vigny...
Ferdinand Brunetière écrivait des choses déshonorantes... à
propos de Baudelaire... Ce critique était conscient de son
mensonge. Plein de fiel et d'envie, il profitait de son crédit...
pour tenter d'étouffer le génie. Il le diffamait et souhaitait de
le déshonorer. (51-55)

(90)   1913, Emile Faguet, *Initiation littéraire* (Hachette, 1913).
       Baudelaire, curieux de sensations rares et parfois artificielles,
       d'un style extrêmement laborieux, mais arrivant quelquefois
       à produire une forte impression morbide ou lugubre, considéré,
       par toute une école qui existe encore, comme un des plus
       grands poètes de toute la littérature française. (127)

(91)   1913, Henry Le Savoureux (docteur), *Le Spleen, contribution
       à l'étude des perversions de l'instinct de conservation* (G.
       Steinheil, 1913).
       Baudelaire enfin, poète de l'ennui, revient plusieurs fois sur
       cette impression d'inutile liberté (197)... [Il] a exprimé avec
       plus de précision que quiconque ce qu'il a très exactement in-
       titulé le spleen. L'ennui est le sentiment qui domine dans *les
       Fleurs du mal*... Il lui arrive d'appeler spleen et ennui ce qui
       est appréhension anxieuse. (209-210)

(92)   1913, Victor-Emile Michelet, "Baudelaire, ou le divinateur dou-
       loureux", *Figures d'évocateurs* (E. Figuière, 1913).
       [Pourquoi Baudelaire était mystificateur:] Une terrible pudeur
       le force à se voiler de paradoxes et de mystifications... Il veut
       déconcerter les yeux les plus pénétrants, les plus amicaux...
       Et, en même temps, une force intérieure le contraint aux con-
       fessions les plus saigneuses... [Il] expose sur la place publique
       la tragédie de sa conscience. (15) [Ses traductions de Poe:]
       Jamais encore la langue française n'avait épousé l'œuvre d'un
       poète étranger avec tant de juste amour, au point de saisir les
       plus mystérieux frissons, et comme le battement du pouls de
       cette œuvre... [Sa critique artistique et littéraire:] Il est peut-
       être le seul écrivain d'art du XIXe siècle, avec Fromentin, dans
       les décisions duquel nous puissons avoir confiance... La pos-

térité a ratifié ses choix... C'est que nulle fausseté n'est parvenue à éblouir ses yeux justes... Comme tous les esprits habitués à remonter aux principes, il se montre austère et ferme. Toutes les sources de faiblesse qui coulent sur la pensée et sur l'art de son temps, il les indique d'un doigt certain. On ne prend pas en défaut son sens de la beauté. (46-47) [Sa poésie:] Voici un poète dont la parole prolonge en nous les plus fortes et les plus télétiques résonnances. Ses sonorités engendrent en nos âmes des esprits vivants, et parfois des esprits impurs. Elles galvanisent nos spectres intérieurs; elles caressent nos péchés virtuels; elles convulsent nos ténébreux désirs. Nul poète de France n'a proféré une incantation aussi ensorcelante. (7-8) La sensation, l'émotion et la pensée s'y étreignent et s'y épousent, au point de s'y présenter si mêlées, si fondues, qu'elles paraissent vivantes comme un homme... Rarement un poète aura su, aussi fortement que Baudelaire, magnétiser les mots qu'il dispose, au point de leur injecter une spiritualité qui fait oublier leur structure physique... conclure avec eux le pacte d'alliance si justement qu'ils résonnent de tout ce qui a vibré en lui au cours de sa vie. Il est parvenu à extravaser ses esprits pour les verser dans l'urne de son vers. Aussi ce vers prend-il sur nous un pouvoir de hantise et d'obsession. Il habite en nous; il s'y loge avec une énergie mordante et impérieuse. Il a parfois un pouvoir mauvais d'ensorcellement... L'art du poète... en langue française, n'a trouvé sa formule qu'au dix-neuvième siècle. Longtemps on l'a confondu avec l'art littéraire, dont la mission est de donner aux idées une forme claire et définitive. On lui demandait d'enclore des idées dans une forme rythmée, pénétrant facilement dans l'esprit et se fixant solidement dans la mémoire. [Baudelaire a changé tout cela. (29-30) Ses défauts:] Pourquoi donc n'est-il pas le sublime poète? Celui qui peut atteindre cette cime dore tout ce qu'il touche d'un reflet de sérénité. Une joie lointaine et mystérieuse accompagne en sourdine ses chants les plus poignants et les plus déchirés... Chez [Baudelaire] cette chérubique sérénité jaillit parfois... Mais elle ne sourd point constamment dans les dessous de l'œuvre. C'est que l'auteur n'eut pas le pouvoir de l'évoquer toujours... Il a trop aimé les noirs compagnons de ses périples périlleux. L'attraction de mauvaises sirènes pèse sur son essor ... Il a fait entrer dans son cœur des créatures de l'Erèbe...

Reconquérir la pure sérénité, ce fut son obsession impuissante et torturante. Hélas! c'est la nôtre. C'est celle du monde d'aujourd'hui, du monde d'hier. Le génie panique qui déjà harcelait Pascal a distendu la portée de son souffle. Et plus que jamais les destins se font rigoureux aux âmes sublimes... Depuis des temps révolus, une malédiction étrangla de son haleine nos plus puissants génies. Ils portent la marque de leur temps, le sceau de l'inquiétude. (65-68)

(93) 1913, Paul Souday, *Les livres du temps, 1ere série.* (Emile Paul, 1913).
Il est curieux de savoir que dès leur apparition *les Fleurs du mal* excitèrent l'enthousiasme dans les collèges: après plus d'un demi-siècle, elles y conservent tout leur prestige. Baudelaire et plus tard Verlaine aurait été les poètes préférés de la jeunesse française contemporaine. Elle pouvait plus mal choisir: il y a des poètes plus grands et surtout plus parfaits; il n'y en a guère de plus essentiellement poètes. (151-152)... Rimbaud, lui, n'a eu réellement qu'un maître: Baudelaire. (245)

(94) 1914, 1er janvier, Henri Dérieux, "La Poésie de Madame de Noailles", *Mercure de France.*
[Mme de Noailles] a recueilli l'héritage de Baudelaire.

(95) 1914, février-mars, F. Vandérem, "Baudelaire et Sainte-Beuve", *le Temps présent.*
[Sainte-Beuve n'a jamais écrit un article sur Baudelaire parce que, d'après Vandérem, il était jaloux de son talent.] Baudelaire est un des génies les plus profonds, les plus variés, les plus originaux qu'ait produits la littérature.

(96) 1914, 8 février, Paul Souday, "Sainte-Beuve et Baudelaire", *le Temps.*
[Réponse au précédent:]
M. F. Vandérem démontre-t-il que Sainte-Beuve n'y a rien compris? Pas le moins du monde. Et il n'établit pas non plus que l'illustre critique ait joué le poète.

(97) 1914, 15 mai, Fernand Divoire, "Enquête sur l'Académie française", *les Marges.*

Baudelaire n'était pas des gens de bon ton. [Et par conséquent n'a pas été élu à l'Académie.]

(98) 1914, 15 mai, Charles Henri Hirsch, "Enquête sur l'Académie française", *les Marges* (et *Mercure de France*, le 16 juin 1914). Sur la question très intéressante de savoir si l'Académie française accueillerait aujourd'hui Gustave Flaubert et Charles Baudelaire, les avis ne sont pas partagés: la réponse est: non.

(99) 1914, juin, Nicolas Beauduin, "Le Lyrisme moderne et la psychologie des poètes nouveaux", *l'Olivier* (Nice). Depuis plus de cinquante ans la poésie française s'est presque exclusivement nourrie du catholicisme faisandé de Baudelaire d'abord, du mysticisme sentimental de Verlaine ensuite. Aujourd'hui, à l'étrange et au morbide, nous préférons le monde réel, la souffrance joyeuse, la vie et l'humain.

(100) 1916, 1-15 mars, Charles Guilbert (docteur), "Les Muses délirantes, II: Baudelaire", *la Revue*. [La première "Muse délirante" était celle de Gérard de Nerval. Bien que Baudelaire eût l'habitude des stupéfiants, ce n'était pas un véritable intoxiqué:] Son goût morbide fut une maladie de la volonté, une recherche de l'introuvable, ce ne fut jamais l'impérieuse nécessité de l'accoutumance. [Citations de la "Notice" de Gautier.]

(101) 1916, 18 novembre, Paul Flat, "Hommage à nos grands hommes", *la Revue bleue*. [Compte rendu de *Delacroix peint par lui-même* par Moreau-Nélaton.] M. Moreau-Nélaton appelle de ses vœux, en conclusion de son ouvrage, l'écrivain qui élèvera à la mémoire de Delacroix, le monument vraiment digne de lui. Souhait superflu! le monument existe: c'est le morceau fameux de *l'Art Romantique*: *L'Œuvre et la vie d'Eugène Delacroix*, que nul ne dépassera par la profondeur des vues et la beauté de l'exécution littéraire ... Baudelaire fut le critique génial et bien *français* de ce grand artiste *français*. Inclinons-nous devant l'un et l'autre.

(102) 1916, George Jean Aubry, *La Musique française d'aujourd'hui* (Perrin, 1916).

L'œuvre de Verlaine est musicale, mais plus mélodiquement que profondément; les œuvres de Baudelaire sont musicales jusqu'au cœur même. C'est le secret de leur richesse et de leur pouvoir de sortilège... Baudelaire marque la première préoccupation profonde de l'essence musicale dans la poésie française.

(103) 1916, Léon Daudet, *L'Hérédo* (Nouvelle Librairie Nationale, 1916).

Baudelaire est un véritable champ clos du soi et des hérédismes, mais laisse malheureusement, au contraire de Ronsard, ceux-ci dominer celui-là... Il n'y eut pas d'homme plus hanté par les furies de l'hérédité... Baudelaire était déconcertant par ses changements et sautes d'humeurs, ce qui est le signe des grands hérédos... Cependant, sous ces bizarreries... on distingue... un sens aigu et solide des réalités, des règles morales, littéraires, poétiques, un besoin de clarté et d'équilibre... "Mon Cœur mis à nu" constitue une précieuse contribution à l'étude des hérédos. Ce n'est pas son cœur, c'est son moi, son ascendance que le "Boileau hystérique"... met à nu. Il est impossible de se confesser plus complètement et plus crûment... Quelqu'un qui eût bien connu sa parenté, et qui l'eût bien connu, eût pu rapporter chacune de ces lubies à tel ou tel, mettre des noms de morts sur chacun de ces hérédismes. Je laisse à penser quel gonflement, puis quel éclatement... succédait à [ce premier élan créateur chez Baudelaire]. D'où malaise, réaction du soi, création et projection littéraires... L'hérédo, momentanément soulagé et rendu à lui-même, pousse invariablement ce soupir de délivrance... Illusion déchirante... Il y faut une assiduité volontaire que ne possédait pas Baudelaire... Ses rechutes étaient immanquables, et il les accueillait... avec une euphorie molle et bizarre... Ainsi l'esclave émancipé retrouve avec un certain plaisir la chaîne qu'il a tant de fois maudite. (231-235)

CHAPITRE V

1917, Le Cinquantenaire de la mort de Baudelaire

L'ÉPOQUE ÉTAIT L'UNE des plus sombres de l'histoire. L'Europe chancelait, saignée à blanc; la Russie se disloquait dans le chaos; trois années d'une tuerie monotone semblaient un démenti formel à des siècles entiers de progrès et de civilisation. Moment peu propice au cinquantenaire d'un poète; et pourtant, lorsque les œuvres de Baudelaire sont tombées dans le domaine public le 31 août 1917, de nombreuses éditions nouvelles ont paru et la plupart des critiques, oubliant le cauchemar où l'on vivait, se sont mis à écrire des articles.

Chose qui nous frappe dès l'abord: ce sont tous des articles favorables. Il n'y a plus de critique hostile à Baudelaire. Si quelques-uns comme Souday et Barthou lui trouvent des défauts, ils admettent pourtant ses qualités; et ceux qui osent parler de décadence sont des passéistes, des retardataires comme Péladan (n° 39). Pour la plupart des écrivains il est classique, chrétien, le fondateur d'une poésie nouvelle. Sur ce dernier point il y a évolution: une poésie nouvelle en 1917 n'est plus du décadentisme ni même du symbolisme: c'est quelque chose de *moderne* qui exprime les souffrances et les angoisses d'une époque de crise. Plusieurs critiques se piquent même de dire qu'ils parlent au nom de la génération de 1914, et notent qu'elle n'a rien de commun avec les précédentes (n°s 3, 5, 9, 19, 30, 37, 39).

La légende est morte. Tout le monde reconnaît maintenant la sincérité fondamentale de Baudelaire: on veut même qu'il ait été plus sincère que la plupart de ses contemporains. Et le règlement de comptes suit son cours. On s'en prend à Sainte-Beuve, à Faguet, à Brunetière—surtout à Brunetière—parce qu'ils ont été tièdes à l'égard de Baudelaire, ou parce qu'ils l'ont attaqué, ou parce qu'ils n'ont pas parlé de lui du tout (n°s 8, 12, 17, 31).

En même temps, nous entendons discuter quelques idées qui sont, paraît-il, d'un intérêt constant, puisqu'on y revient encore de nos jours. Les rapports entre Baudelaire et Gautier, par exemple. Baudelaire était-il disciple de Gautier? Lui devait-il vraiment quelque chose—quelques idées, quelques procédés techniques? Oui, selon Souday et Dérieux (n°s 4, 22, 29); non, selon Gide, Raynaud et Mauclair (n°s 3, 13, 24, 37). En discutant cette question, les baudelairiens font preuve, parfois, d'une certaine candeur: pour disculper Baudelaire du soupçon honteux d'avoir subi l'influence de l'auteur d'*Emaux et camées*, Raynaud va jusqu'à le rendre coupable de flagornerie. Il est peut-être plus simple de conclure que son admiration pour Gautier était sincère.— Quoi qu'il en soit, cependant, ce petit débat indique à merveille la nouvelle place de Baudelaire dans la littérature française. En 1868 c'était Gautier le grand poète: la "Notice" paraissait trop élogieuse. Vers 1917, au contraire, elle ne l'était pas assez (notons pourtant l'avis contraire de Paul Souday, n°s 4, 25). Baudelaire s'imposait avec tant d'éclat, dépassait à tel point tous ses contemporains, y compris Gautier, qu'on se refusait à croire que celui-ci ait pu même le comprendre. —Nous avons souvent parlé de la "Notice": elle a été, en quelque sorte, notre document capital. Dès sa publication elle est devenue une source inépuisable de thèmes et d'idées. L'école "décadente", les essais de Bourget, les romans de Huysmans, de Mendès, de Rachilde, de Péladan, de Jean Lorrain en sont sortis; elle est indispensable à tout diagnostic de la fièvre lente des années 1870-1900. Mais avec la guerre mondiale son influence diminue. En 1917, la décadence n'était plus une question de boudoirs capitonnés où l'on attendait, noyé de langueur, l'arrivée des Barbares. Tout ce factice avait éclaté sous le feu comme un décor de papier. Pour survivre aux désastres contemporains, il fallait de l'héroïque, du tragique; et—chose qui aurait beaucoup étonné non seulement Scherer et Brunetière mais Gautier lui-même—c'était précisément ces qualités qu'on trouvait dans *les Fleurs du mal*. "Un recul infiniment plus grand s'est produit ces trois dernières années qu'en les quarante-sept années précédentes," écrit Camille Mauclair (n° 37): "les événements grandioses et tragiques qui ont bouleversé le monde entier ont creusé une 'tranchée' symbolique entre hier et demain... C'est peut-être ce recul pathétique et formidable qui mettra Baudelaire à sa vraie place."

Baudelaire sort donc triomphalement de son cinquantenaire, d'autant plus qu'à ce moment de l'histoire, toutes les valeurs étaient remises en question. Le romantisme était mort; morts aussi le décadentisme et le symbolisme, le naturalisme de Zola et le pâle néo-classicisme de Moréas. La littérature subissait le contre-coup des désastres contemporains. Et parmi tant de gloires en carton peint qui s'écaillaient sous le déluge, seules *les Fleurs du mal* restaient, plus belles et plus vivantes que jamais. Comme dit Louis Barthou (n° 35): "La cause de Baudelaire est gagnée."

EXTRAITS CRITIQUES

1917

(1) 1917, 16 mars, W. Berteval, "Le Cinquantenaire de la mort de Baudelaire et l'illustration des *Fleurs du mal*", *Mercure de France*.

[Les illustrations d'Emile Bernard pour une édition des *Fleurs du mal*] traduisent la Vie, la vraie Vie partout où elle marchait fardée, insurgée contre elle-même et triomphale aux lumières artificielles qui la décomposaient... [Baudelaire est le poète qui] du fond de la vie moderne, pouvait regarder la nature comme un damné le paradis, mais qui, en lui prêtant ce qu'il avait de plus divin, l'avait irrémédiablement déformée et pervertie. [*Les Fleurs du mal* montrent] l'humanité au sein d'une civilisation factice.

(2) 1917, 29 mai, Edmond Jaloux, "Baudelaire", *Le Gaulois*.

L'un des premiers parmi les meilleurs poètes du XIXe siècle... C'est un moraliste avant tout... Il n'y a pas de poète plus spiritualiste... Il sait tout de l'homme, tout de l'Amour... C'est ainsi qu'il a eu donc sur la poésie l'influence la plus grande et la plus durable.

(3) 1917, André Gide, Préface aux *Fleurs du mal* (Pelletan et Helleu, 1917).

L'on doute si l'un des plus ingénieux paradoxes de Baudelaire n'a pas été de dédier à Théophile Gautier ses *Fleurs du mal?* De tendre cette coupe toute ruisselante d'émotion... à l'artisan le plus sec... que notre littérature ait produit... *Les Fleurs du mal* sont dédiées à ce que prétendait être Gautier: magicien ès lettres françaises, artiste pur, écrivain impeccable,—et c'était en manière de dire: ne vous y trompez pas: ce que je vénère, c'est l'art et ce n'est pas la pensée; mes poèmes ne vaudront ni par le mouvement, ni par la passion, ni par l'esprit, mais par la forme. La forme... est le secret de l'œuvre. Cette harmonie des contours et des sons... Baudelaire ne l'accepte jamais tout acquise; il l'obtient par sincérité, il la conquiert et il l'impose. Comme tout accord insolite, elle a tout d'abord rebuté. Durant de longues années... certains dehors fallacieux de ce livre cachèrent en les abritant ses trésors les plus radieux. Certains gestes, certains tons crus, certains sujets de poème, et même je pense quelque affectation, une complaisance amusée à prêter au malentendu, abusèrent les contemporains et nombre de ceux qui suivirent. Baudelaire est sans doute l'artiste au sujet de qui l'on a écrit le plus de sottises ou que l'on a passé sous silence le plus injustement. Je sais certains tableaux de la littérature française au XIXᵉ siècle où il n'est même pas mentionné. [Si Baudelaire a dédié son volume à Gautier, c'est d'abord parce que Gautier] ne signifie jamais rien de plus que ce qu'il a d'abord annoncé [et ensuite parce que Baudelaire ne se rendait pas compte de sa propre grandeur:] Je ne jurerais pas que Baudelaire . . . ne se méprît pas un peu sur sa propre valeur . . . Il travaillait, et toujours consciemment, au malentendu qui l'isolait dans son époque . . . ce malentendu prenait déjà naissance en lui-même . . . Baudelaire certes sentait sa nouveauté essentielle, mais il ne parvenait pas à se la définir parfaitement. Dès qu'il parle de lui-même, cet artiste incomparablement habile, c'est avec une gaucherie qui étonne. Il manque irrémédiablement d'orgueil . . . il compte avec les sots, sans cesse, soit pour les étonner, soit pour les scandaliser, soit enfin pour leur dire qu'il ne compte absolument pas avec eux. Ces feintes de parade au delà desquelles Baudelaire savait mettre à l'abri sa ferveur, indisposèrent certains lecteurs, et d'autant plus violemment que certains admirateurs de la première heure s'extasiaient davantage à propos de ces feintes mêmes. De ses admirateurs surtout il éprouvait le besoin de se garer. Enterrant ces façons avec les procédés romantiques, on croyait se débarrasser de lui tout entier . . . Il reparaît dépouillé de ses fards, rajeuni. Il s'y est pris de telle sorte qu'on l'entend aujourd'hui bien mieux qu'on ne faisait à son époque. A voix basse, à présent, il converse avec chacun de nous . . . Il quête et obtient du lecteur une sorte de connivence et presque de collaboration. "Le premier," dit Laforgue, "il se raconta sur un mode modéré de confessionnal et ne prit pas l'air inspiré." C'est par là qu'il rappelle Racine; le choix des mots, chez Baudelaire, peut être plus inquiet et de prétention plus subtile: je dis que le son de la voix est le même . . . l'un et l'autre parlent à mi-voix . . . Quelles inquiétantes sincérités . . . découvre bientôt l'âme amie! Issue d'intimes contradictions, l'antithèse chez Baudelaire n'est plus seulement extérieure et verbale [comme chez Hugo] ... mais loyale. Elle éclôt spontanément dans ce cœur catholique, qui ne connaît pas une émotion dont les contours aussitôt ne s'effacent, que ne double aussitôt son contraire, comme une ombre, ou mieux: comme un reflet dans la dualité de ce cœur. C'est ainsi que partout en ses vers la douleur reste mêlée de joie, la confiance de doute, la gaieté de mélancolie, et qu'il cherche inquiètement dans l'horrible un tempérament de l'amour ... Mais l'angoisse de Baudelaire est de nature plus secrète encore ... On vient nous répéter souvent qu'il n'y a rien de nouveau dans l'homme. Peut-être; mais tout ce qu'il y a dans l'homme on ne l'a sans doute pas découvert ... Bien des trouvailles restent à faire ... et l'ancienne psychologie ... paraîtra bientôt plus artificielle ... que l'ancienne chimie depuis la découverte du radium. Si ... les chimistes en viennent à nous parler de la décomposition des corps simples, comment ne serions-nous pas tentés ... d'envisager la décomposition des sentiments simples? ... Qu'il existe ... une autre force, centrifuge et désagrégeante, par quoi l'individu tend à se diviser, à se dissocier, à se risquer, à se jouer, à se perdre ... Je n'irai pas jusqu'à dire que Baudelaire l'ait aussi nettement pressenti que Dostoievsky ... mais je ne lis pas sans un frisson de reconnaissance et d'effroi ces quelques phrases de son journal intime: "Le goût de la concentration productive doit remplacer, chez un homme mûr, le goût de la déperdition ... De la vaporisation et de la centralisation du moi. Tout est là ... Il y a dans tout homme, à toute heure, deux postulations SIMULTANEES ... l'une vers Dieu, l'autre vers Satan."—Ne sont-ce pas là des traces de ce radium infiniment précieux, au contact de quoi les anciennes théories ... se volatilisent? ... Et rien de tout cela ne suffit à faire de Baudelaire l'artiste incomparable que nous louons ... L'admirable, c'est qu'il soit resté, malgré tout cela, cet artiste. Comme dit magnifiquement Barbey d'Aurevilly, dans le bel article qui nous console du silence de Sainte-Beuve: "L'artiste n'a pas été trop vaincu."

(4) 1917, 4 juin, Paul Souday, "Le Cinquantenaire de Baudelaire", *le Temps*.
[Souday regrette les fautes d'impression qui gâtent les nouvelles éditions des *Fleurs du mal,* et aussi que la plupart des

éditeurs ?ient supprimé la "Notice" de Gautier, qui (d'après lui) "reste, jusqu'à nouvel ordre, ce qui a été écrit de mieux sur Baudelaire". Tout en louant la finesse de la préface de Gide (n° 3), il proteste contre la théorie que Baudelaire ne devait rien à Gautier:] En esthétique, en poésie, Gautier a été vraiment le maître de Baudelaire. C'est un fait avoué et indiscutable... De violents partis pris [comme celui de Gide] ne sont pas tout à fait compatibles avec la vraie critique... [Conclusion: les quelques paroles de Sainte-Beuve valent mieux que l'article entier de Barbey d'Aurevilly.]

(5) 1917, 12 juin, Paul Claudel, "Autour d'un poète, Silhouette", *la Revue française*.
Le nom du plus vivant et du plus cher, le nom du pauvre et grand Baudelaire!... C'est l'âme gonflée de désirs, de souvenirs et de remords, qui possède cette figure... C'est l'âme qui respire dans ces beaux vers dont notre jeunesse s'est enivrée. C'est elle qui, de note en note, se dilate dans un chant sublime.

(6) 1917, 12 juin, François Mauriac, "Le Catholique Charles Baudelaire", *la Revue française*. (Repris dans *Petits essais de psychologie religieuse*, L'Artisan du livre.)
Parce que Charles Baudelaire est mort, il y a cinquante ans, les chroniqueurs avidement se jettent sur cette grande mémoire. Plus que les injures, je redoute pour elle d'indiscrètes amitiés. L'un assure que ce catholique fut un mystificateur subtil, l'autre vous jure que ce débauché mourut vierge. Voilà de beaux sujets d'articles! Mais ne demandons qu'à Charles Baudelaire de nous montrer "son cœur mis à nu". Catholiques, nous ne renierons pas sans examen ce frère douloureux... Les fleurs du mal sont les fleurs du péché, du repentir, du remords, de la pénitence. Il souffre, mais il sait pourquoi... Il est humilié, mais... "ces humiliations ont été des grâces de Dieu". Il pratique la prière, il fait sa prière comme un enfant de l'Eglise ... Il voulait la possession de l'être bien-aimé dans la chasteté ... En dépit de ses misères inconnues, il n'arrête pas de converser avec Dieu. Lemaître assure que les pensées de Baudelaire ne sont qu'un balbutiement prétentieux et pénible et qu'on n'imagine pas une tête moins philosophique. Ni philosophe, ni savant, je le veux bien. Mais parce qu'il croit au dogme du

péché originel, ce poète détient le mot de l'énigme universelle
... Chez Baudelaire [il y a] un cœur vraiment poursuivi par
la Grâce... Il y a dans le lyrisme de Baudelaire une réplique
au lyrisme de Pascal... "Le Voyage" exprime avec une magnificence sans égale ce besoin du cœur humain d'échapper au
fini... Les *poètes maudits*, dans le siècle de Hugo et de Béranger, de leurs mains souillées par l'iniquité, protégeaient la
flamme de l'ineffable poésie catholique... Ils sauvèrent, pour
le transmettre à notre génération, le sens du surnaturel... Le
lyrisme de Baudelaire, de Verlaine, de Rimbaud, de Jammes,
de Claudel, à des degrés différents, procède du Père comme
celui de Bossuet et de Pascal... L'œuvre [de Baudelaire]...
est l'acheminement d'un cœur qui, pour atteindre Dieu, suit
la plus longue route.

(7) 1917, 15 juin, Paul Souday, "Prospérités de la poésie", *Le
Temps.*
[La nouvelle édition des *Fleurs du mal*—huit à dix mille exemplaires—a été rapidement enlevée.]

(8) 1917, 9 juillet, Paul Souday, "Le Cinquantenaire de Baudelaire",
Le Temps.
[Suite du n° 4.]
[Les articles de Brunetière et de Faguet] ces négations radicales et hyperboliques... n'ont eu d'autre effet que d'accroître
l'impopularité de la critique universitaire. Il est certain que
Baudelaire est un poète, un poète original, très riche d'idées...
un maître du rythme et de la sonorité, un imaginatif et un
musicien du verbe, infiniment séduisant et ensorceleur. On a
le droit de répondre à ceux qui nient son charme et son sortilège qu'ils prouvent seulement leur incapacité d'y être sensibles.
Il y a une surdité musicale... Est-ce à dire que tout soit inexact dans les invectives de Brunetière et de Faguet? Non...
Il est malheureusement vrai qu'il arrive à Baudelaire d'écrire
mal... Comme beaucoup d'autres du XIXe siècle, comme
Vigny, comme Lamartine, Baudelaire est très inégal... Il est
préférable de faire grâce aux défauts en considération des
beautés, qui l'emportent de beaucoup. Toutefois, l'apothéose de
Baudelaire, à laquelle nous assistons depuis trente ans, est
peut-être aussi une exagération... La pensée et l'éthique de

Baudelaire ne sont ni très fortes ni très saines . . . Ce satanisme
. . . est vraiment puéril en soi . . . Il repose sur des bases assez
piteuses. Baudelaire est obsédé par l'idée du mal et du péché;
il y voit l'assaisonnement essentiel du plaisir; et qu'il se révolte,
ou qu'il se repente, c'est toujours avec l'esprit chétif et banal
d'une espèce d'enfant de chœur vicieux . . . Ses diableries, ses
confessions, ses fermes propos, ses appels à l'expiation, ses
humilités sont d'un dévot égaré et peu éclairé. Dans son journal
intime . . . il parle . . . un langage de la rue Saint-Sulpice . . . Et
que dire de l'article sur "L'Ecole païenne"? . . . et de tant de
diatribes, en style de basse polémique, contre les républicains
et les libéraux? et de tant de hargne contre Molière, Voltaire,
André Chénier, Victor Hugo, Renan? Il y avait, chez ce poète
novateur, un fond de philistin et de marguillier. Ce qui est le
plus absent de son œuvre, c'est la fermeté virile . . . la vigueur
intellectuelle et la droite raison, en un mot, la dignité humaine.

(9)   1917, juillet-août, Camille Vergniol, "Cinquante ans après Baudelaire", *La Revue de Paris*.
[Compte rendu de la critique sur Baudelaire depuis 1857.
Vergniol note que les universitaires et les normaliens ont tous
dit à peu près la même chose sur Baudelaire. Quant aux admirateurs du poète—Barrès, Desjardins, Spronck, Bonnières, Rodenbach—il trouve leurs articles confus et souvent difficiles à
comprendre. A propos de l'interprétation catholique proposée
par Rodenbach:] Exégèse ingénieuse, et qui a pour unique
défaut d'être radicalement fausse, dès l'origine. Que Baudelaire
ait aimé, pour les sensations qu'il en recevait, pour les souvenirs
et les rêveries qu'il en retirait, le côté extérieur du Culte . . .
tout le décor; cela ne fait point de doute, et non plus qu'il soit
mystique à sa manière. Mais trouver en lui, et dans son œuvre,
si peu que ce soit de catholicisme, ou de christianisme, c'est
n'y rien comprendre. [Quant à l'affirmation de *La Plume* en
1892 que l'influence de Baudelaire déclinait:] L'imitation et
même *l'inspiration* de Baudelaire sont devenues moins sensibles, assurément. Tous ceux qui ne savent et ne peuvent que
refaire, ou calquer, se sont jetés sur un modèle moins suranné.
Un redoutable rival s'est dressé, Verlaine . . . et que beaucoup
tiennent pour le fils spirituel de Baudelaire mais dont on pourrait prouver . . . que c'est un fils égal au père, sinon supérieur

même... La gloire de l'un n'a pas éteint la gloire de l'autre, mais elle l'a un peu voilée... [et] si la plus grande part des oraisons et de l'encens est allée au nouveau dieu, l'ancien n'en a pas moins conservé son culte et ses mages. M. André Suarès, par exemple... Nul n'a mieux parlé de Baudelaire... [Le baudelairisme d'autrefois était] le repliement sur soi-même, la poursuite des sensations et des jouissances individuelles, l'impuissance, la lassitude, l'inertie... [Mais la génération de 1917 exige] de l'action et encore de l'action [sans pourtant répudier Baudelaire:] Je vois même le contraire... Rivière, Gide. Que l'on mette en doute [après leurs articles] l'autorité toujours vivante et souveraine de Baudelaire... [C'était] un malade, qui a vécu dans la contagion d'autres malades, qui a ajouté lui-même à sa maladie—qui l'a cultivée, s'y est complu, en a joué. Et son œuvre est celle d'un malade. [Sa légende était fausse, sans doute, mais il l'a créée lui-même et s'est laissé prendre à son propre jeu:] Baudelaire a, tout le premier, pâti de ces bizarreries—il les a peu à peu introduites dans sa pensée et dans son œuvre... il a cherché des sujets insolites—il les a traités de manière appropriée—il s'est accoutumé (de bonne foi) à des idées, des visions, des sensations exceptionnelles... Il s'est façonné une *volonté* de penser, de sentir et de s'exprimer autrement que les autres... se faisant ainsi sa propre victime et dupe. On le sent qui s'efforce, se travaille, s'éperonne, pour trouver du nouveau et de l'étrange... Il a raffiné sur sa manière, en mêlant adroitement... les genres les plus disparates et contradictoires. Par exemple: joindre la sensualité la plus perverse à la chasteté quasi ascétique—l'impiété la plus furieuse ... au mysticisme le plus ravi en extase spirituelle; ... faire de Satan la grande victime de la jalousie de Dieu... Faire de la Femme à la fois le Vase d'Election et la Bête de l'Apocalypse. Et ainsi de suite. C'est facile et ce n'est même pas nouveau. Poète, et le plus profond, le plus subtil, le plus humain, le plus artiste des poètes? Le Rénovateur de la Poésie? Le créateur d'une poésie nouvelle?... On l'affirme. Qu'est-ce à dire? Si l'on appelle *don* l'abondance, la richesse, le jaillissement continu du sentiment (Musset), ou de l'Image (Lamartine), ou simplement du Verbe (Hugo)... non, Baudelaire n'a pas le don. Il a peu d'images, et son vocabulaire, souvent magnifique et rare, est souvent banal, laborieux et plat; rhétorique et fracas de sons.

Il n'a guère plus de sentiment ni de passion... Il n'a pas du tout d'idées et surtout nulle idée générale... Il n'a que des sensations. N'est-ce donc rien? N'est-ce pas ample et fertile matière à poésie?...—Soit! Mais de qualité inférieure... Cela ramenerait à la hiérarchie des genres... On a remarqué que la sensation dominante chez lui est celle de l'odorat... Le véritable danger, c'est que la Sensation, purement passive par essence, et assez limitée, se trouve condamnée à se faire de plus en plus aiguë, violente, étrange, exceptionnelle, extravagante, —et voilà bien ce qui est arrivé. Baudelaire n'a donc pas d'imagination... Il invente rarement un sujet... et lorsqu'il en tient un, il est assez embarrassé de le traiter... Il trouvait... les premiers vers et le dernier, qui sont très fermes, très sonores, très expressifs, vraiment très beaux enfin. Il *partait* là-dessus, sans trop savoir comment il parviendrait au but, et, presque tout de suite, il s'arrêtait. Alors il peinait et ahanait, ou bien délayait, ou bien tournait court, ou divaguait même... La plupart de ses pièces sont brèves... C'est peut-être un indice ... S'il a fait beaucoup de sonnets, c'est que le sonnet ne compte que quatorze vers. Mainte pièce, *partie* pour un bon nombre de strophes, n'a pu fournir sa carrière et s'est finalement réduite en sonnet. Encore tous ces sonnets ne se soutiennent-ils pas jusqu'au bout. On compte les pièces qui ne trébuchent pas en route: on ne peut compter celles dont le corps est farci de bourre et de remplissage... Style classique, sans grande liberté, ni audace. Très souvent plat, ou terne, ou impropre, comme la rime est indigente, l'expression molle et incertaine, ou s'embarrasse encore de l'obscurité de la pensée et du défaut d'invention... Le vocabulaire emprunte nombre de termes à la peinture, à la sculpture, à la musique, à la médecine, —trait encore plus sensible chez Gautier et commun à beaucoup d'écrivains de cette période et de ce groupe... Les violences de ce style... paraissent aussi timides aujourd'hui que la licence de la pensée... La *forme* est le principal moyen d'action sur les fidèles mêmes du poète. C'est la forme qui suffit à des lecteurs moins prévenus. C'est par elle... elle seule,—qu'il est assuré de vivre. Lorsqu'il jaillit vraiment de source, le vers a une forme et un éclat, une ampleur et un coloris, une fermeté et un relief, une plénitude et une résonance admirables. *Musical*... Même moins gonflé et ambitieux de sens que le fait

M. Gide . . . le mot est des plus justes. Baudelaire sait choisir et assembler des mots pour le ravissement de l'oreille. La Cadence en est si harmonieuse que nul organe un peu délicat n'y peut demeurer insensible . . . Une misanthropie, plus ou moins factice, issue d'un cœur ravagé et de nerfs malades . . . une sensibilité fiévreuse . . . le goût . . . de l'exotisme, l'individualisme à outrance, cette admiration et ce culte du *Moi*—exercent un puissant attrait sur la Jeunesse, comme le style, tout en nuances, teintes de reflets,—comme ce ragoût de volupté et de mysticisme, d'imprécation et de prières, les blasphèmes du damné et les balbutiements du petit enfant à l'âme toute blanche . . . Faut-il compter que Baudelaire n'a laissé qu'un seul livre . . . ce qui est un gage quasi certain de sympathie chez les confrères? faut-il faire état de "la phosphorescence de la pourriture", de "la verdure marbrée des décompositions", du "Pétrarquisme sur l'horrible", qui sont simples métaphores, mais singulièrement alléchantes pour les esprits invertis et les imaginations vicieuses? . . . Bien plus que Scherer, et J. J. Weiss, et même Brunetière, Baudelaire a contre lui, hélas! un trop grand nombre de Baudelairiens . . . Mais quelle injustice de l'en déclarer coupable! Que de fortes raisons . . . pour justifier le charme étrange, vivace et irrésistible de son œuvre! . . . Au moment d'écrire cette étude, j'ai interrogé quelques "jeunes". En voici deux, d'une égale et très haute culture classique . . . J'ajoute—pour *dater* ces pages—que tous deux officiers et blessés cruellement, la guerre les ramène à Baudelaire . . . L'un est d'éducation libérale, l'autre toute catholique . . . Celui-ci m'écrit: ". . . Certes, j'aime Baudelaire, parce que c'est un merveilleux écouteur de sensations (le rythme de l'âme emportée par la musique, l'alanguissement amoureux, l'attendrissement du soir, l'effritement de la vie, etc.);—parce qu'il n'a pas traduit, mais fixé, ces sensations obscures. Il ne les a pas soufflées avec de grands sentiments (même sincères), ni guindées sur de hautes pensées . . ." Et le premier: "Baudelaire me séduit et m'enchante par la qualité éminemment artiste de son âme, par sa sensibilité exaspérée et disciplinée à la fois, par son inquiétude de la sensation rare . . . Il est le visionnaire subtil des *Correspondances*, le poète de la Beauté triste . . . Rien de moins naturel, de moins naïf, de moins spontané, que cette poésie; mais, de cet artifice, naissent des plaisirs d'art nouveau et délicieux... Il a renouvelé la sensation."—Et donnerai-je ce détail encore? Au plus fort de cette effroyable tourmente,—les trois exemplaires des *Fleurs du mal* d'un petit cabinet de lecture du quartier des Ecoles sont toujours "en main", et retenus plusieurs semaines à l'avance. Au milieu de tous les défauts signalés, il reste que cette œuvre, si courte et si inégale, si tourmentée et si artificielle, possède une neuve et originale beauté. On l'éprouve plus aisément qu'on ne l'exprime. C'est... une sensation, qui tient du rêve, du parfum, de la musique; des horizons brumeux, des espaces vides, des sons étouffés; du trouble de l'âme et de l'indécision de certains états physiologiques. C'est on ne sait quoi de vague et lointain, et pourtant très précis et de très proche; et c'est quelque chose qui émeut et oppresse, et soudain caresse et enivre. Et puis, ce peut être tout le contraire pour un autre lecteur... Et je me demande si... on n'aboutit pas à la phrase célèbre de Victor Hugo: "Vous créez un frisson nouveau."

(10)   1917, 1er août, René Emery, "Quelques Lettres inédites de Baudelaire", *Mercure de France*.

[Les portraits de Baudelaire] nous montrent un visage dévasté, le front chauve et ridé, la bouche délabrée. C'est un masque de douleur, mais d'une douleur étouffée, vaincue par le mépris, dominée par l'ironie. Sa vie, depuis l'enfance, s'était déroulée sur une voie de Calvaire. [Les quelques lignes que Lanson consacre à Baudelaire] sont injustes, odieuses... Baudelaire fut, au contraire, un des poètes dont la sensibilité vibrante, exaltée s'impressionne, continuellement et profondément, aux souffles les plus légers, aux haleines mystérieuses du monde visible et de l'invisible. Quiconque sait lire *les Fleurs du mal* découvre dans chaque page, dans chaque vers, le pétillement puissant, continu, toujours éveillé d'un système nerveux et psychique prodigieusement développé. Si l'on cherche Baudelaire dans ses lettres, on l'y retrouve... merveilleusement sensible, ému, soulevé, bouleversé par les influences les plus diverses; aucun frisson ne lui est étranger. On l'a peint... comme un comédien, habile à simuler des sentiments excentriques, des attitudes déconcertantes, des fantaisies macabres, pour attirer l'attention sur ses œuvres. Or personne n'était plus sincère et moins soucieux que lui de fixer le regard des inconnus... La gloire [de Baudelaire] peu à peu s'est épanouie. Elle est maintenant immortelle; ses ennemis, ses concurrents, ses juges, tout cela gît, parmi les restes pourris des choses et des êtres que les années, si rapidement, balayent... Les œuvres de Baudelaire passionnent, plus que jamais, le monde littéraire. Ses éditions se multiplient. Dans quelques jours—quand ses livres entreront dans le domaine public—de nombreuses ré-impressions... vont paraître. Ainsi se réalise la prophétie que Théodore de Banville prononçait... le 3 septembre 1867, sur la tombe de son grand ami.

(11) 1917, 11-18-25 août, Raymond Bouyer, "Le Cinquantième anniversaire de la mort de Baudelaire", *la Revue Bleue*.

Après un demi-siècle, encadré par deux guerres, et quelles guerres! sur quel fond de pensées, dans la chambre obscure de notre âme, évoquons-nous le dédaigneux maître du Songe, dont la vulgaire nature se vengea si terriblement?... Quel est donc le Baudelaire dont nous reflétons, pour l'instant, l'image?... Ce n'est point le redoutable obtenteur des *Fleurs du mal* ni le confident, trop cruellement puni, des poisons absorbés par le mal d'un siècle, depuis Rolla jusqu'à Rollinat... Ce n'est pas le *dandy* satanique daté de 1844... mais le plus suggestif des critiques... Cette âme, gourmande de sensations rares, était altérée du plus céleste idéal... Cet ange, qui ne descendant pas des "paradis artificiels", n'avait nul besoin de maquillage ou d'opium pour attiser le feu de son regard; il était si naturellement artiste, il adorait si nerveusement et si noblement à la fois les sons, comme les couleurs et les parfums qui leur "répondent"—que le mystère de la musique le rendait religieux ... Clairvoyance, intuition, "spiritualité"... ces dons se mariaient secrètement, chez le poète des Phares, à la méthode la plus lucide, à la logique la plus rigoureuse, à la plus saine concision; c'était là son originalité native... Pourquoi M. Brunetière... n'a-t-il pas aperçu dans cet idéaliste en exil le plus parfait des chrétiens, puisque son âme était peuplée de toutes les images de l'enfer, en même temps que le plus régulier de nos classiques, qui font difficilement des vers faciles? Quand Alcide Dusolier... l'appelait "Boileau hystérique", la satire confinait davantage à la vérité... Que voyons-nous aujourd'hui dans ce soi-disant démon du réalisme? Une émouvante sérénité, d'autant plus précieuse à nos yeux qu'elle paraît plus âprement conquise, une sorte de pathétique radieux et surnaturel, que nous souhaitons retrouver sur les toiles ou dans les symphonies de l'avenir; relisez... les Petits poëmes en prose, la Vie antérieure, l'analyse du prélude de Lohengrin... On y respire une sublimité décorative autant qu'expressive, illuminée d'un grand souffle... Ne peut-il donc, ce classique-là, nous aider à reconstruire la cité lamentablement bombardée du Rêve et les régions envahies de notre vieux cœur empli de jeunes espoirs et de ruines? [Conclusion: espérons qu'en 1921 la France aura la paix pour fêter le centième anniversaire] de ce poète sans pareil [qui] sur des *frissons* nouveaux faisait des vers antiques.

(12) 1917, 16 août, "R. de Bury" (Remy de Gourmont), "Les Journaux" (compte rendu des périodiques de la semaine), *Mercure de France.*

Il était bon de rappeler, au moment où les œuvres de Baudelaire vont entrer dans le domaine public, l'étrange jugement à son égard de nos deux grands critiques officiels d'avant la guerre, qui se sont spécialisés l'un et l'autre dans l'incompréhension absolue de toute poésie. Pour juger Baudelaire, Brunetière... se place à un point de vue moral, et même... religieux, négation même de toute critique. Faguet... se contente de reprocher au poète de ne pas savoir écrire et lui dénie... toute idée neuve et toute imagination. Il y a certes plus de nouveauté et d'imprevu dans tel poème de Baudelaire que dans les mille et une divagations du pauvre critique. Que Baudelaire ait eu des défaillances de style, c'est une naïveté de le constater, et qu'ainsi que Vigny et Lamartine et Verlaine il ait été très inégal... Ecrire de Baudelaire qu'il est certainement un poète original, séduisant et ensorceleur, ce n'est vraiment pas assez ... Il ne faut pas oublier que toute la poésie verlainienne et symboliste et, depuis, la plus jeune et la plus fraîche poésie, partent de Baudelaire. C'est ce qui explique et justifie l'apothéose qui semble excessive à quelques critiques... Ce qu'ils reprochent obscurément à Baudelaire, c'est d'avoir montré la nudité de son cœur et de ne l'avoir pas voilé d'hypocrisie... C'est bien ce qu'avec Brunetière lui reproche M. Paul Souday ... Le mal, chez Baudelaire, c'est la souffrance et la souffrance n'est-elle pas le ferment de toute poésie?

(13) 1917, 16 août, Ernest Raynaud, "Baudelaire et la religion du dandysme", *Mercure de France*.

[La légende, dont l'une des sources était assurément le titre "Fleurs du mal". Baudelaire aurait dû choisir plutôt "Spleen et idéal". Baudelaire paraît tantôt comme "un sévère éducateur d'âmes", tantôt comme "un apôtre malfaisant". La vérité ressort d'un examen de sa vie, "mise à nu". Esquisse de sa vie: son adolescence à Paris—"le poison de Paris l'avait intoxiqué"—son voyage aux Indes, son séjour à l'hôtel Pimodan, ses relations avec Gautier, qui, selon Raynaud, n'a jamais eu de véritable influence sur lui:] Gautier est un banal enfileur de mots. Gros, paresseux, lymphatique, il n'a pas d'idées et ne fait qu'enfiler et perler des mots à la manière des colliers d'osages. [C'était pendant sa jeunesse que Baudelaire a conçu et perfectionné la religion du dandysme, qui l'explique tout entier:] Il ne faut pas voir dans le *dandysme* de Baudelaire une conception frivole; l'unique souci d'occuper, coûte que coûte, la galerie et de régenter la mode; un futile essai de singularité. C'est tout autre chose. Etre dandy à son sens, c'est "aspirer au sublime"...La doctrine du *dandysme*, telle que la conçoit Baudelaire, est une doctrine spiritualiste. Elle pose en principe, sans s'inquiéter des contingences, une affirmation bénévole, et elle entend que tout y soit strictement subordonné. Elle fait une réalité d'un postulat. Elle enseigne à se méfier, en Philosophie, du bon sens, en Art, de l'inspiration, en Amour, de l'instinct, en toute chose, du sentiment. Le Beau seul, est sa loi. Cette Doctrine s'apparente au stoïcisme, parce qu'elle exige de ses adeptes qu'ils surmontent les passions vulgaires pour conquérir l'Insensibilité. Elle n'admet ni retours, ni transactions, ni défaillances. Le dandy vit devant son miroir...Il doit être héroïque sans interruption et ne jamais démentir...aux yeux du monde, le masque de froide indifférence qu'il s'est composé...Mais ce n'est pas assez d'imposer sa supériorité aux autres, il faut devenir "un grand homme et un saint pour soi-même"...Le dandy se trouve ainsi amené à ne considérér, en tout, que l'effort et à se faire une nécessité de l'Artifice. Ce mot d'Artifice a été mal compris. Il ne s'agit pas, ici, de l'esprit d'intrigue et de mensonge. C'est l'artifice du Génie corrigeant l'imperfection naturelle et la sauvagerie de l'instinct. C'est à cela que s'emploie la Civilisation, et la Morale ne se propose pas autre chose. Baudelaire pense que tout ce qui est naturel est abominable. Cette théorie n'a rien de subversif. Elle est contenue dans l'idée du Péché originel... Qu'on ne s'étonne pas, après cela, de l'importance que Baudelaire donnait à la toilette. Il en fait une question de moralité... Un poète comme Baudelaire n'est possible qu'à une certaine période de civilisation avancée, de vie congestionnée... Il présuppose un long effort. Il profite d'une longue suite d'expériences accumulées. Il lui fallait une langue assouplie pendant des siècles. Marot, Ronsard, Racine, Hugo, lui étaient indispensables. C'est d'eux qu'il a reçu l'instrument docile qu'il perfectionnera encore au point d'y fixer des états d'âme. Il suffit de lire Baudelaire pour éprouver que son vers tire ses ressources de la musique et qu'il contient, en virtualité, ce que Rimbaud et René Ghil et les symbolistes cherchaient après lui: la phrase musicale et colorée... Pour la première fois chez nous, le poète se double d'un esthète, heureuse conséquence du dandysme. [Les défauts de Baudelaire viennent de son époque—sa religiosité, par exemple, très "Restauration"—"le Reniement de Saint-Pierre", "les Litanies de Satan"; ses poses qui étaient une réaction contre l'esprit bourgeois de l'époque de Louis-Philippe:] Attitude étrange pour qui ne voit que ses insolences étaient aussi un moyen de déraciner les préjugés, d'aiguiser la controverse et d'amener la pensée de ses interlocuteurs à sortir de son engourdissement. [Quant à la tendance de plus en plus marquée à comparer Baudelaire à Racine:] La perfection d'écrivain de Baudelaire est aujourd'hui reçue comme un dogme. MM. Anatole France, Remy de Gourmont, Charles Morice, Camille Mauclair, parmi tant d'autres, ont longuement insisté sur la pureté classique de son style au point d'évoquer Racine à son propos. Ce sont là des autorités indiscutables et l'on ne peut... que se ranger à leur opinion. Mais n'est-il pas permis de découvrir, ça et là, dans cette langue, si ferme et si saine à l'habitude, des marbrures de décomposition et des traces de décadence? Je ne parle pas de l'Ex-voto, dont le gongorisme exaspéré est de circonstance, mais Racine, même acquis à la couleur romantique, eût-il pu souffrir ceci: ["Hymne à la Beauté", "L'Horloge"]. Exceptions, soit! mais qu'il était utile de sortir à l'appui de notre thèse. Ajoutons toutefois à sa louange qu'on ne trouve chez Baudelaire aucune de ces étourderies... dont Hugo est coutumier... [L'influence de l'époque:] C'est qu'on ne respire pas impunément une atmosphère contaminée... A vouloir fuir la sentimentalité niaise, le style bâclé, le genre trivial à la mode, à vouloir trop se méfier du bon sens, Baudelaire en vient à rechercher le bizarre, l'étrange, l'anormal et à en faire les conditions essentielles du Beau. Pour protester contre la platitude d'un régime égalitaire, d'une société de niveau, sans relief, il en vient à outrer sa conception du dandysme aristocratique jusqu'à faire de Satan le dandy par excellence... C'est donc par dandysme, c'est-à-dire par haine des mœurs et des institutions démagogiques, que Baudelaire affectera de railler et de blasphémer... [En religion] Baudelaire n'était ni un sceptique ni un athée, c'était un souffrant... [Résultat de son hérédité:] *Produit contradictoire...* d'un vieillard et d'une jeune femme... La disproportion d'âge et le manque d'affinités de ses parents suffirait pour expliquer son déséquilibre nerveux ... Sa mère... morte elle-même d'une maladie nerveuse (paralysie générale) pouvait bien être atteinte d'une tare atavique... Quoiqu'il en soit, Baudelaire était un malade de la volonté... [Ses ancêtres littéraires: René, Lara, Manfred, Werther, Lamartine, Musset, Vigny, les détraqués du Romantisme. Il était "né avec une plaie", et, d'après le mot de Verlaine en 1865, il représente "puissamment et essentiellement l'homme moderne."] MODERNE: voilà l'une des caractéristiques du génie de Baudelaire. Il pense que toutes les époques ont leur beauté, parce qu'elles ont leurs passions particulières, et que la Beauté vient des passions... Brunetière... reproche à Baudelaire de se faire "l'admirateur de sa propre laideur"... La vérité, c'est que Baudelaire ne se console pas d'avoir trop présumé de ses forces et de n'avoir pu soutenir jusqu'au bout le rôle héroïque de dandy qu'il s'était tracé... Il appelle la Douleur comme un moyen de purification, le salut... Là est sa note poignante et sincère, et non quand il affecte un rictus sarcastique, un endurcissement coupable, un orgueil de damné... Il faut... déblayer toute cette défroque byronienne, tout ce satanisme d'emprunt, tout ce côté factice et déjà démodé du talent de Baudelaire, pour arriver à sa vraie personnalité, à son trait éternel, à la part vivante et durable de son génie... Le mérite incontesté de Baudelaire, à nos yeux, c'est d'avoir restitué la poésie à sa véritable destinée. Elle a cessé d'être, avec lui,

tributaire de l'Histoire, de la Science et de la Morale. Il ne la
ravale plus à n'être qu'un mode d'enseignement. Elle n'a d'autre
but qu'elle-même. La poésie est une façon de goûter la vie, une
délectation, un état de grâce. La poésie redevient, avec Baudelaire comme au temps des Grecs, une manifestation divine,
un ravissement de l'âme; mais l'originalité de Baudelaire, c'est
de rester supérieur à son ivresse et de la contrôler. Gautier
constate que la volonté chez lui double l'inspiration. Toutefois
il y a un abîme entre la théorie de *l'Art pour l'Art* de Gautier
et celle de Baudelaire... Gautier... n'ambitionnait que de
rendre, à la façon d'un peintre, le contour et l'aspect des choses.
Il restait prisonnier des apparences. C'était un spectateur. Baudelaire est un voyant. Sous la forme des choses, il cherche leur
signification et leur raison d'être, il voit le lien qui relie l'éphé-
mère à l'éternel. Il découvre... de mystérieuses correspondances... Pour lui, le vers est comme une formule d'incantation
qui obéit à des lois mystérieuses, mais inflexibles, que le poète
doit retrouver d'instinct, par un privilège spécial de sa nature.
Rien ne doit être abandonné au caprice ou au hasard. Une
faute d'inattention, un accent omis, une virgule déplacée, suffit
pour faire avorter l'expérience... Nous voici parvenu au sommet de Baudelaire... On s'y sent "purifié par l'air supérieur".
Nous voici parvenu au point où le poète... va rejoindre, dans
l'immortalité, le chœur des hommes saints transfigurés par la
douleur; le chœur de ces demi-dieux qu'il a chantés... Baudelaire va tout résoudre dans le sens du dogme chrétien... Il
nous a montré que le sage pouvait, sans déchoir ni démériter,
dénuder la vie et assister, sans rien perdre de son prestige ni de
son austère gravité, aux réflexes de l'animal humain... Baudelaire est un poète catholique... [il] a la Foi du confesseur
et du martyr. Il bouleverse les cœurs à la façon des prophètes
... et nous ramène à Dieu par le chemin de la Douleur. [Il
ressemble ainsi à Pascal]... On nous prédit, pour demain, un
bouleversement général des idées et des mœurs amené par la
guerre, et le rétablissement d'un état d'esprit auquel Baudelaire
aura cessé de correspondre. Je le souhaite plus ardemment que
tout autre, car nous aurions alors rétabli la félicité de l'Age
d'or. Baudelaire vivra tant que l'humanité comptera des inquiets, des malades de spleen, et des chercheurs d'infini. Son
règne durera tant que nous verrons, plongées dans l'enfer

luxurieux des villes, des âmes nobles mais désarmées, aussi incapables de se soustraire à la corruption que de s'y adapter … Et il sera toujours la voix de ceux, quelle que soit leur confession, mystiques ou athées, qui ont pénétré l'inanité des plaisirs d'ici-bas et qui ne peuvent s'accommoder de l'imperfection d'un monde où la soif inextinguible du bonheur se trouve liée, chez la créature, à l'impossibilité d'y parvenir.

(14) 1917, 23 août, Anonyme, "Les Lettres", *L'Intransigeant.*
[Compte rendu de l'article de C. Vergniol, *supra*, n° 9.] M. Vergniol a mal dissimulé sa malveillance envers un poète "sans imagination". Il a essayé ainsi de se faire une petite place entre M. Burdin [*sic*] et M. Pontmartin, qui jadis essayèrent d'"étouffer" le poète, et ne sont plus connus que pour cela.

(15) 1917, 24 août, Paul Souday, "Vues sur Baudelaire", *Le Temps.*
[Souday note que toutes les revues publient des articles sur Baudelaire et que l'opinion de 1917 est "uniformément laudative". Il la trouve exagérée. Donner le pas à Baudelaire sur Lamartine et sur Hugo, par exemple, "est une aberration". Autrefois Baudelaire était trop peu loué, maintenant c'est juste le contraire. Il avait du génie, "mais non point un génie égal aux plus grands".]

(16) 1917, 24 août, Paul Souday, "Les Idées religieuses de Baudelaire", *Paris Midi.*
Pour tout lecteur de Baudelaire, son catholicisme est évident: sans le catholicisme, son œuvre n'existerait pas.

(17) 1917, 25 août, Alfred Poizat, "Charles Baudelaire", *Le Correspondant.*
[Poizat trouve chez Baudelaire:]
1° une nature exquise, précocement viciée au moral d'abord, au physique ensuite, d'où chez lui, la ruine du sentiment compensée par un affinement cérébral extrême; 2° une grande aristocratie d'âme … plutôt aiguisée par le double virus; 3° une foi chrétienne indéracinable, quoiqu'un peu durcie par un jansénisme probable, d'où une tendance au désespoir et au mauvais mysticisme, celui qui, supprimant l'amour de Dieu, lui substitue la crainte … l'idée du démon et le satanisme; 4° la culture

passionnée de son hystérie, comme s'il eût voulu en faire littérairement commerce; 5° un certain histrionisme et cabotinage
néronien, tenant à ce qu'au lieu de rejeter hors de lui, dans des
œuvres d'art... les héros qu'il était fait pour créer et qui er-
raient dans son imagination, il se complaisait en eux, les mêlait
à sa vie et les jouait plus ou moins inconsciemment; 6° un goût
très vif pour les questions de métaphysique et de théologie;
une vie intérieure si absorbante, qu'elle le détournait de regarder au dehors et d'aimer les spectacles de la nature, en qui
il dédaignait les réalités pour n'en goûter que les emblêmes,
d'où son *symbolisme* à la fois instinctif et raisonné; 7° un style
de grand prosateur en vers. De ces caractéristiques, les unes
résultent de ses qualités natives, de la délicatesse de ses organes
nerveux et mentaux, de sa distinction originelle, de sa tendance
à la vie intérieure, à la méditation, au rêve; les autres repré-
sentent les altérations morbides de sa sensibilité et le précoce
déplacement d'équilibre, résultat de la faute; le reste est le
produit normal des circonstances... Lorsqu'on relit [*les Fleurs
du mal*] on s'aperçoit que ce livre, l'un des plus grands du
dix-neuvième siècle, a été le pivot sur lequel la poésie française
a tourné irrésistiblement... [Il] annonçait un monde nouveau
et une poésie nouvelle. *Les Fleurs du mal* étaient comme une
réplique moderne au poème de Dante. Comme pour le grand
Florentin, on se serait volontiers montré dans Baudelaire
l'homme qui revenait de l'Enfer... La première impression qui
se dégage de l'œuvre si sombrement splendide et de l'homme
au visage à la fois si triste et si aristocratiquement fier et singulier, c'est cette double impression de beauté originelle et de
déchéance... Il semble que pour Baudelaire il se soit passé, à
un moment ignoré, dans les profondeurs les plus mystérieuses
de la conscience, une chute analogue à celle des anges, car nul
visage n'en porte mieux les stigmates, nulle poésie ne témoigne
de plus de désolation profonde... [Il lui manque "la note
tendre", qui ne se trouve que dans "la Servante au grand
cœur", mais] on n'en remarque pas davantage dans les lettres
de lui que nous connaissons. C'est un cérébral pur, dont le
cœur semble desséché. Et pourtant, quel trésor de sensibilité
frémissante et délicate son âme avait dû primitivement contenir!... Baudelaire ne trouve que des accents d'épouvante
et des images de désespoir... Il ne manque pas de bonté, il

est capable d'inspirer et d'éprouver l'amitié, mais il ne nous émeut pas et ne songe pas davantage à nous émouvoir. La fibre est morte. Il le sait et en souffre atrocement. Il est vraiment le déchu… [La sensibilité a été tuée chez lui d'abord par des péchés de jeunesse et ensuite par la maladie:] Ses premiers vers de collégien sont déjà des vers impurs et effrontés… Chez lui… le mot a un éclat fiévreux; il s'épanouit en fleur funèbre et semble tirer sa substance et vivre du mal du poète. [Malgré tout cela, c'est un poète catholique, d'un catholicisme corrompu mais vrai:] Ce que je viens de dire n'a de sens que du point de vue catholique. Et il est très vrai qu'il n'y a pas eu au dix-neuvième siècle un seul poète de mentalité aussi profondément catholique que Baudelaire, ni qui ait été plus croyant que lui … S'il pratiquait le style dévot, c'est qu'il ne réussissait que par là, c'est que les beaux vers ne lui venaient que dans ce style et, par conséquent, que ce style lui était bien naturel… *Les Fleurs du mal* donnent… l'impression d'un poème enseveli sous les sables dans l'âme de Baudelaire, comme une construction chrétienne, autrefois dévastée et ruinée, et dont il eût retrouvé, sans la pouvoir reconstruire, d'incomparables débris, rangés ensuite dans son livre comme dans un musée lapidaire. Ce sont les fragments d'une Divine Comédie dont le rhapsode n'a pu retrouver le plan. Baudelaire avait cette richesse en lui, il en avait le sentiment; il n'était quelqu'un que par ce trésor, il l'a compris et il s'est efforcé de redevenir le plus possible l'homme lointain qui… avait créé cela… un Charles Baudelaire type… mais mort ou devenu fou… Ce Baudelaire type était chrétien. C'était à prendre ou à laisser… Il fut catholique … par une nécessité congénitale à son génie, il le fut encore librement et par une adhésion totale de sa raison… [Il n'avait rien du paganisme d'un Gautier ou d'un Banville:] Chez Baudelaire le poète et l'homme concordent. S'il se prétend artificiel, c'est à force de loyauté scrupuleuse envers lui-même. On sent que son éducation catholique lui a donné l'habitude des examens de conscience les plus minutieux et les plus stricts. Tout ce qui n'est pas la traduction exacte de son état d'âme ou de sa pensée, il le confesse factice, il y voit un mensonge superbe, qu'il attribue à la perversité foncière de la nature… Tel est le drame véritable et tout intime de Baudelaire, le drame dont il est le sombre Hamlet. [C'est ce qui explique ses poses:] Il pousse à la dernière limite la franchise envers lui-même et envers le monde et... dénonce publiquement ses artifices et son cabotinage. Il avoue jouer un rôle et met son orgueil à le bien jouer, à être un artiste, au sens néronien du mot. Il déclare aimer le faux et préférer les beautés fardées aux beautés naturelles... Tout cela vient du besoin impérieux que sa conscience scrupuleuse lui crée d'être logique avec lui-même, de se mettre d'accord avec lui-même, de ne pas bénéficier d'une estime qu'il ne croit pas mériter, de ne pas voler les louanges dues à l'honnête homme... Son cas bien étudié lui paraît être un cas de décadence... et certes il a un peu raison, quoique de tous les poètes ses contemporains il soit peut-être le moins décadent et le moins rhéteur. Seulement, les autres le sont sans s'en douter... tandis que lui a la supériorité sur eux de n'être point dupe... Cette loyauté, cette sincérité foncières reposent en Baudelaire sur une âme croyante et mystique... Il a... les idées d'un moine du moyen âge, d'une grande âme angélique tombée qui aurait gardé dans sa chute toute sa foi, toute sa clairvoyance, et serait resté consciemment sous le cilice l'orgueilleux, le révolté, le perverti, l'inassouvi, capable de célébrer magnifiquement les louanges de Dieu, mais incapable de l'aimer... ["le Mauvais moine"] est la pensée du moyen âge revêtue de la belle langue du XVIIᵉ siècle [étant donné que le XVIIᵉ siècle était catholique et janséniste—Bossuet, Pascal, Port-Royal:] Baudelaire est doublement fils de ce dix-septième siècle-là par son style et par la nature de ses préoccupations. Je soupçonne même qu'il subit fortement l'empreinte janséniste ... Le christianisme grave, nu, orgueilleux, désolé, qui anime *les Fleurs du mal* respire le sentiment janséniste... La préoccupation du diable en est une autre marque... Le christianisme illumine la pensée de Baudelaire, mais ne rechauffe point son cœur... Baudelaire craint Dieu, mais n'ayant aucune familiarité avec lui, il en aurait plutôt avec le diable, dont la perversité intelligente le charme secrètement et avec qui il se sent beaucoup de ressemblance... Il penche visiblement vers le satanisme, sans y tomber profondément... Ses litanies de Satan ne paraissent qu'à moitié sincères et trahissent la rhétorique et le jeu d'esprit. Baudelaire aimait jouer avec le feu. Mais le plus souvent monte de son œuvre un long cri de détresse vers Dieu... Il n'en reste pas moins que les démons pullulent dans l'atmosphère où pense Baudelaire... Il les accueille afin d'observer en lui les effets de leur présence et dans l'espoir qu'il tirera quelque poésie du dérangement qu'ils y jetteront... C'est un malade que sa maladie, un condamné que son supplice attirent... Il cultive avec soin en lui des tares et des monstruosités qui le différencient des autres hommes et il finit par n'avoir presque plus rien de normalement humain... [Etat maladif accru par les circonstances littéraires de son époque:] Le malheur de Baudelaire a été de venir dans une époque de lyrisme personnel et de s'identifier avec le héros de damnation, dont il se savait apte à rendre d'une façon effrayante les désespoirs et les blasphèmes, de les prendre à son compte et d'être sa propre et douloureuse dupe... Par là Baudelaire se rattache au romantisme, qui veut que le poète... soit lui-même son œuvre d'art principale, soit Hamlet et Macbeth... un être étrange et surhumain, un héros de tragédie ou de roman, et même une sorte de dieu. C'est proprement du cabotinage. Il faut dire que très peu y ont réussi et parmi ce petit nombre l'effrayante sincérité de Baudelaire lui a donné ce prestige. Il suffit de regarder ses portraits pour être saisi par son beau regard douloureux et pour y deviner une inquiétude, une souffrance, une fierté, une félinité, dont l'impression ne s'oublie plus et se mêle au souvenir de l'œuvre splendide comme un ciel nocturne et plein d'étoiles... Jamais il n'y eut plus d'aristocratie intellectuelle que chez cet homme aux nerfs si fins et si sensibles et à cause de cela maladivement replié sur lui-même... Il est symboliste et ne voit dans le monde extérieur que des symboles et des images du monde intérieur... Ainsi le monde à ses yeux n'est qu'une allégorie; les univers ne valent que pour ce qu'ils signifient, ils sont des signes à interpréter, des éléments de la pensée, des symboles de la vie morale, des inscriptions que Dieu a données à déchiffrer à l'homme, une ample parabole dont le sens profond concerne les rapports éternels de Dieu à l'homme... Le monde... n'est qu'une métaphysique, exprimée pour l'homme en langage figuré. Telle est la fière philosophie de Baudelaire et qui l'apparente à Dante et à Pascal... Moitié consciemment, moitié instinctivement, il s'efforce de fixer dans une série de pièces de vers, les divers aspects de sa vie morale profonde... Il part d'un sentiment souvent assez ordinaire... puis il le transfigure *artificiellement* par la choix des mots ... L'émotion tendre ... y fait à peu près défaut. Mais après quelques vers qui se traînent, brusquement lui apparaissent des images superbes et s'élèvent des vers pleins et sonores, qui dépassent de beaucoup le sujet ... Il les réunit et les groupe dans l'ordre qui leur donnera le mieux une apparence de sens ... Baudelaire n'écrit pas ce qu'il veut. Il lui vient des vers par dessus le sujet qu'il aborde et qui sont comme les fragments de ce poème inconnu dont j'ai parlé ... Il les regroupe comme il peut, mais il n'a pas le sens de la grande composition ... Comme beaucoup d'autres, il est égaré par la révolution romantique dans un labyrinthe dont il ne parvient pas à sortir. Il est condamné au morceau détaché, au fragment ... Ce fut la destinée de tous les grands poètes du dix-neuvième siècle. Baudelaire ... n'a pu être que l'homme d'un seul livre et d'un livre composé de fragments, mais qu'anime une puissante unité intérieure et que peuple le plus poétique et le plus angoissant mystère ... Cette poésie ... est écrite *non à la manière des poètes, mais à la manière et dans le style des grands prosateurs.* Les vers de Baudelaire sont étonnamment bien écrits. On en distingue tout de suite la qualité exceptionnelle et le fort et brillant tissu. C'est taillé dans l'étoffe des grands mystiques et des grands sermonnaires du dix-septième siècle. Et cependant quel rythme, quelle cadence, quel bonheur, quelle sûreté, quel éclat dans les rimes! ... Il est incontestable que la poésie de Baudelaire n'est qu'une somptueuse prose aux allures liturgiques et étonnamment versifiée; une prose à la Bossuet, toute brochée d'or et sertie de pierreries ... Ce sont ... des vers de prosateur, mais si bien et si curieusement réussis, qu'ils produisent plus d'effet et semblent plus beaux que les meilleurs vers des plus grands poètes ... Son âme s'est peuplée au spectacle des rues et des passants de Paris, de ses pierres monumentales, de ses cimetières, de ses hôpitaux, de ses casernes, de son fleuve et de son ciel ... Baudelaire presse les choses sous les mots et les transporte toutes vivantes dans ses vers. Il leur communique l'éclat fiévreux qu'elles avaient pour ses sens aiguisés par la maladie, pour ses yeux passionnés et exacts jusqu'en leur délire ... C'est le Virgile de la peur, du spleen et du dégoût ... Sous chacune de ses images il y a l'empreinte d'un souvenir particulier ... Sa poésie est faite du contraste entre la noblesse désespérée du sentiment et de la pensée et la brutalité canaille du symbole, dont il use pour les exprimer. Ses images ne sont ni géorgiques, ni pastorales; elles ne comportent, au lieu de silhouette de laboureurs ou de bergers, que des gestes d'ouvriers, d'artisans, d'ivrognes, de filles, d'apaches. C'est le Virgile du carrefour, et... depuis Virgile, il n'a été écrit dans aucune langue des vers plus beaux et plus virgiliens... La pire offense qu'on ait faite au génie de Baudelaire a été de croire qu'on pouvait l'imiter... Seuls, Paul Verlaine et Mallarmé se sont partagé, en pieux disciples, quelques-unes de ses plumes d'archange noir. Et il leur a suffi, à chacun, de s'en parer artistement, pour faire figure à leur tour de grands poètes. Toute la poésie symboliste et décadente est sortie de lui... Brunetière en l'attaquant n'a pas évité quelque ridicule. Brunetière manquait essentiellement du sens critique et n'était qu'un adroit dialecticien et un sophiste passionné; il raisonnait de poésie en géomètre et mesurait l'art avec une chaîne d'arpenteur, mais il avait le goût des constructions carrées... Il ne voyait les idées que d'équerre. L'art dramatique était représenté à ses yeux par Paul Hervieu et la poésie par Heredia. Ces deux hommes lui semblaient les deux guides les plus sûrs dans la voie du retour aux grandes règles classiques... Il croyait que le classicisme s'était incarné de nos jours dans ces deux têtes représentatives, qui lui paraissaient les mieux faites de toute la génération... La vérité c'est qu'il n'y a pas de proportion entre Baudelaire et Heredia. Et si Baudelaire s'est proclamé lui-même un poète de décadence, il l'est certes, mais avec une supériorité écrasante, non seulement sur Heredia, mais sur Leconte de Lisle, Banville, Gautier, qui, eux aussi, sont à d'autres points de vue des poètes de décadence, des continuateurs de Stace, de Martial, de Lucain, de Sénèque, de Claudien, d'Ausone. Tous ces grands Parnassiens ont été des fournisseurs de beaux morceaux à lire aux amateurs de poésie livresque et de bonne rhétorique dans le goût latin et la tradition des plus illustres grammariens. Ce sont jeux d'esprit charmants, auxquels sourient et se complaisent les civilisations finissantes. Mais qui ne sent qu'il y a autre chose dans Baudelaire... que son livre est de ceux qui apportent un témoignage essentiel sur la civilisation au milieu de laquelle ils sont nés et qu'il en est peu, au cours des âges, qui aient atteint une pareille signification et soient plus irremplaçables... Quel ton grave et d'outre-tombe, quel lyrisme reproduisant la majesté de certaines antiennes liturgiques, quels accents de détresse, quels appels vers Dieu . . . C'est comme les fragments d'une dispute solennelle entre les Anges, les Démons et l'Homme! d'un nouveau livre de Job . . . C'est un chant mystique incomparable sur la désolation d'une âme noble envahie par le péché, l'esprit du mal et la mort . . . Baudelaire, avec un sens classique rare, sait boucler une poésie . . . en fait un petit poème complet . . . Les sonnets de Baudelaire offrent cette perfection de faire oublier qu'ils sont des sonnets et semblent la forme idéale de ces petits poèmes qu'on ne peut concevoir écrits autrement, tant ils donnent une impression d'éternité et de plénitude, tandis que ceux mêmes de Heredia ont peine à contenir les mots et les images et rendent visible la peine qu'ils ont coûté à leur auteur . . . L'emploi du sonnet est si naturel à Baudelaire qu'il apparaît commandé par le sujet, tandis que chez Heredia il est toujours un peu artificiel . . . Heredia, Gautier, Banville furent surtout d'exquis lettrés et de merveilleux artisans de vers, des poètes humanistes. Leur ambition fut de prendre rang à la suite des Catulle, des Tibulle, des Properce et de nous en donner l'équivalent en français . . . Et cela même n'est pas peu de chose. Il est bien qu'il y a des poètes pour maintenir le passé vivant parmi nous et perpétuer la trame de la civilisation. Ceux-là furent des poètes latins antiques. Baudelaire est un grand poète des temps modernes, des temps chrétiens, de la famille médiévale des Dante et des Shakespeare . . . Il fut terriblement sincère, car il ne voulait pas se tromper, et sentant qu'il n'écrivait pas ce qu'il voulait et que l'expression chez lui . . . devait dépasser le sujet, il s'accusa ingénument d'artifice et de rhétorique. Il se crut emphatique, parce que, parti de sujets pleins de banalité, il traduisait à ce propos les sentiments profonds de son âme superbe, et que, croyant parler de Jeanne Duval, il parlait en réalité des misères éternelles de l'âme en proie aux démons . . . Son livre . . . est le livre du péché, c'est le livre de l'homme de péché. Il a des lueurs et des reflets d'apocalypse. Envisagé suivant les idées d'une certaine mystique, il pourrait passer pour un livre de la fin des temps. En tout cas, il est d'une telle qualité qu'on ne saurait le confondre avec nul autre livre.

(18) 1917, 30 août, Henri Welschinger, "Le Cœur de Baudelaire", *le Journal des débats.*

[Article tout farci de citations des *Journaux intimes.*Welschinger veut démontrer que, loin d'être un satanique froid, comme on l'a cru, Baudelaire "avait du cœur", et que, pour comprendre le poète, il faut lire *les Journaux intimes* aussi bien que *les Fleurs du mal.*]

(19) 1917, 1er septembre, Claude Couturier, "Introduction aux Lettres de Madame Aupick à Théodore de Banville", *Mercure de France.*

Jamais les souvenirs qui se rapportent aux gloires intellectuelles de la France ne furent plus importants qu'aujourd'hui, car nos héros ne défendent pas seulement le sol, les foyers, les intérêts palpables de la patrie, mais encore ses trésors d'art et de pensée ... L'œuvre de Baudelaire fait partie de ces richesses-là. D'abord ignorée du grand public, longtemps discutée, elle est maintenant universellement admirée; et voici qu'elle va se répandre davantage encore. Elle tombe dans le domaine public, elle appartient à tous dorénavant... Le nom glorieux de Charles Baudelaire rayonnera d'un nouvel éclat... Les chroniqueurs de brasserie et les faux artistes... le déclaraient "poseur". C'est le terme dont se servent ces gens en parlant de quiconque n'adopte pas leurs mauvaises manières et leurs idées toutes faites... [Dans "Une Charogne" Baudelaire a su] envelopper une ignoble nature morte de tout le rayonnement de l'idéal... [C'est une "sottise verbale" de voir en lui un matérialiste.]

(20) 1917, 8 septembre, Henry Dérieux, "Baudelaire animalier", *la Semaine littéraire.*

Le poète dont on célèbre cette année le cinquantenaire, le peintre admirable des fleurs maladives écloses dans le cerveau moderne, Baudelaire s'est-il intéressé à ceux que Jules Renard a nommés depuis "nos frères farouches", et les a-t-il accueillis largement dans son œuvre?... [Exemples: l'albatros, les crapauds, les corbeaux, les punaises, les araignées, les vipères, les vers, etc.] Baudelaire n'est pas un descriptif. Il est plus et mieux. Une invention limitée, un pittoresque qui se résume, mais, à l'instant choisi par lui, un trait qui perce comme un dard. C'est bien ainsi qu'il traite l'univers, les bêtes comme les hommes. Il emplit ses poèmes de bêtes souillées et maudites, mais sans entreprendre, comme Hugo, de les laver de leurs souillures . . . [Animaux fabuleux—Satyresses, Nixes, et surtout le Vampire:] Image du désir acharné qui n'accorde la volupté qu'au prix de l'épuisement, ou image de la femme perverse et obsédante . . . [Le serpent, autre symbole de la femme, le chat, le cygne:] Ce *Cygne* . . . rejoint l'*Albatros* comme une des plus émouvantes créations de la poésie baudelairienne. [Le chien n'apparaît que dans *les Petits poèmes en prose*] et là Baudelaire révèle pour lui une profonde dilection . . . Le plus souvent l'animal reste pour [Baudelaire] un élément plastique du poème . . . Deux enfin ont eu son amitié, le chat et le chien, et je vois en chacun d'eux une image diverse de ses rêves: chez le chat "le luxe et la volupté", chez le chien le dévouement aveugle et l'amour des pauvres, deux ordres de sentiments à première vue bien lointains . . . mais que sa grande âme de poète sut nourrir à la fois. Sans doute les contemporains immédiats ne virent en Baudelaire que ses deux traits les plus superficiels: dandysme et satanisme. Mais peu à peu la postérité plus perspicace apprend à reconnaître en lui les traits vraiment durables: le tourment de l'impossible et le goût de l'infini. Elle recueille . . . les pleurs de cette source de pitié qu'il portait en lui, mystérieusement.

(21)   1917, 14 septembre, Paul Souday, "Baudelaire et les manuels classiques", *Paris midi*.
[Souday vient d'examiner les principaux manuels de littérature française à l'usage des classes. Il trouve que Doumic, par exemple, "ignore Baudelaire résolument". Il finit par donner des conseils aux faiseurs de manuels:] Qu'on l'aime ou non, Baudelaire existe!

(22)   1917, 1er octobre, Henry Dérieux, "La Plasticité de Baudelaire et ses rapports avec Théophile Gautier", *Mercure de France*.
[Réponse au n° 13.]
Témoignage d'un poète en faveur d'un de ses prédécesseurs les plus glorieux, l'étude [de Raynaud] consacrée au géant des *Fleurs du mal* est précieuse à enregistrer, comme une preuve de cette consécration souveraine dont Baudelaire est aujour-

d'hui l'objet et que le cinquantenaire de sa mort invite à proclamer encore plus haut. [Il y avait "des abîmes" entre Gautier et Baudelaire, mais:] cet abîme, il est entre les âmes beaucoup plus qu'entre les talents plastiques, et si, sur ce point, Baudelaire s'est créé un instrument tout personnel, il n'est pas incompréhensible du tout qu'il ait nourri, à l'endroit de Gautier, une admiration sincère... Il y avait dans les *Premières poésies* de Gautier une veine de poésie moins impeccable sans doute, mais plus directe, plus émue et... beaucoup plus voisine de cette poésie, suggestive, que Baudelaire devait restaurer. Et c'est par là, à notre sens, que Gautier a laissé vraiment sur Baudelaire une empreinte, toute extérieure, toute d'apparence encore une fois, mais dont le lecteur minutieux ne peut cependant dénier la passagère réalité... Ainsi, l'opinion... de M. Ernest Raynaud... reste une vérité d'ordre général et s'impose avec la force de l'évidence si l'on ne veut retenir de Gautier qu'*Emaux et camées,* mais elle souffre quelques atténuations, au moins formelles, si l'on veut bien rouvrir les *Premières poésies* du bon Théo—et c'est ce que nous nous proposons ici. [Citations des poésies de Gautier.] Telles sont à peu près les pièces que l'on pourrait choisir comme témoins de l'influence de Gautier sur Baudelaire... Mais... quand on rapproche les vers des deux poètes, on s'aperçoit que ceux du second débordent à chaque instant ceux du premier... Un peu sèches chez Gautier, les images poussent chez Baudelaire une abondante floraison... [Chez Baudelaire] le mouvement du vers et le mouvement de la phrase sont presque toujours en intime concordance,—ce qu'on ne trouve pas dans les livres romantiques. De Gautier à Baudelaire il y a moins filtration de quelques thèmes que reprise, élaboration, développement par le second de quelques échos du premier. Gautier est plastique, Baudelaire l'est aussi, mais sa plastique s'appuie sur une mélodie toute nouvelle. Même quand elle reste la même, l'image baigne dans un climat, dans une atmosphère, qui sont le secret apanage de l'auteur des *Fleurs du mal.* Car il avait, ce rare poète, un sens tellement affiné de la vie intime du vers que, sans briser les moules reçus de ses devanciers, il a renouvelé pourtant ce délicat instrument... Le vers de Baudelaire... est charnu, musclé, sanguin. Il a sa vie propre, parfois indépendante du sens qu'il contient. Les mots y sont liés entre eux par des liens si nombreux et si forts qu'on n'en peut détacher un seul sans blesser tous les autres. Et, dans les beaux passages, l'image n'est jamais une parure, mais l'ordre intime et nécessaire, quelque chose comme l'exhalaison du souffle vital. Car ce vers est un organisme, fruit d'une lente gestation . . . Germinations obscures du subconscient . . . telles sont les images. Le rôle du poète, c'est de fixer dans un rythme certain ces points d'apparition des idées qui s'élaborent en nous . . . Cette conception diffère un peu de celle des âges classiques. Alors le poète avait la même tâche, car il n'y a au fond qu'une tâche poétique, mais à l'œuvre d'évocation plastique et musicale se mêlait une plus large part d'analyse et d'éloquence. Ces deux éléments se sont détachés peu à peu . . . des éléments exclusivement poétiques, images et rythme . . . Et c'est à ce détachement progressif que Baudelaire aura contribué plus qu'aucun autre à son époque. Car c'est bien depuis lui que nous cherchons avant tout dans un livre de poète ce que M. André Gide a appelé: "un choix certain de l'expression, dicté non plus seulement par la logique, et qui échappe à la logique" . . . Baudelaire marque le point poétique où la plastique se conjugue avec la musique pour créer, à égale distance de la peinture et de la musique, un langage nouveau, le langage essentiel de la poésie . . . On a souvent cité le mot de Racine: "Ma pièce est finie. Il ne manque plus que les vers." Peut-être Baudelaire aurait-il pu en dire autant [car bon nombre de ses poèmes existent à la fois en vers et en prose] . . . Comment soutenir sérieusement que Baudelaire s'est diminué en acceptant la servitude de la métrique traditionnelle? Pour les vrais poètes cette servitude est aussi le chemin de la libération. Si Baudelaire . . . peina pour y atteindre . . . il n'y a là que l'exemple d'un artiste, scrupuleux jusqu'à l'angoisse, exigeant jusqu'à la torture . . . Si . . . Baudelaire a pu, sans s'abuser, saluer un jour Gautier pour son Maître, il n'en a pas moins marqué d'avance un revirement contre l'école qui allait sortir naturellement des livres et de l'enseignement du premier des Parnassiens . . . Parce que, dans *les Fleurs du mal*, l'image, élaborée et nourrie par quelque chose de plus intime à l'homme que n'est la raison elle-même, a reçu en outre un accompagnement musical qui lui manquait souvent chez les poètes antérieurs et presque toujours chez Gautier. C'est cet accompagnement musical, mêlé au sens rationnel jusqu'à se confondre avec

lui et même à se suffir à lui-même, qui prolonge la voix du
poète et lui donne cette ampleur mélodique coupée de rappels
lancinants, grondements d'orgue interrompus par le son du
tocsin, "le tocsin des souvenirs".

(23) 1917, 8 octobre, Paul Souday, "Baudelaire et Banville", *Le
Temps*.
[A propos de l'édition Fasquelle des *Fleurs du mal* qui portait
comme préface l'article de Théodore de Banville du 25 mars
1885.]
Ce que Théodore de Banville a écrit de Baudelaire, et qui vient
d'être réimprimé en tête de l'édition Fasquelle... déborde
d'enthousiasme et d'optimisme... C'est une lecture agréable,
mais il n'y faut point chercher de critique au sens exact du
mot... C'est une canonisation et une apothéose... [Banville]
a pu juger opportun de défendre et de glorifier Baudelaire sur
toute la ligne, en un temps où celui-ci était injustement nié et
vilipendé. Mais, nous n'en sommes plus là. Il semble même que
nous soyons encore dans la période de l'excès contraire. [Les
exagérations des critiques favorables à Baudelaire—Banville,
Henri de Régnier, Huysmans; c'est Huysmans qui a le premier
formulé "cette insanité" que Baudelaire était supérieur à tous
les autres poètes du XIXᵉ siècle, y compris Hugo. Baudelaire
n'avait aucune pitié pour les souffrances humaines; il méprisait
l'humanité; il n'est pas du tout "moderne", car où sont les idées
de Bernard, Berthelot, Michelet, Taine, Renan, etc. etc. dans
son œuvre?] Baudelaire a écrit un beau livre, mais, grâce au
ciel, le baudelairisme est et demeure une exception.

(24) 1917, 16 octobre, Ernest Raynaud, "Baudelaire et Théophile
Gautier", *Mercure de France*.
[Réponse à Dérieux, n° 22.]
Je veux faire à M. Henry Dérieux la part aussi belle que possible... je veux proclamer avec lui que Baudelaire abonde en
traits puisés chez Gautier... Ces emprunts, fussent-ils voulus
... démontreraient l'écrasante supériorité de Baudelaire qui
imite en maître. Ils justifieraient... le vieil adage: "Le génie
assassine ceux qu'il pille"... Imiter ainsi, c'est créer... Il ne
s'agit pas ici d'emprunts directs, mais de réminiscences... [Il
est vrai que les horreurs qui abondent dans les premiers vers

de Gautier ont certainement influencé Baudelaire jeune; mais]
en avançant en âge, Baudelaire ne pouvait que se rendre
compte que tout cela était factice, médiocre et puéril... [et il
n'en a gardé que quelques bribes. Plus tard, vers 1846] Baudelaire, revenu de son engouement passager, était en possession
d'écrire que Gautier, sans idées, était un "banal enfileur de
mots"... [Quant à l'amitié entre les deux poètes:] Je n'hésite
pas à prétendre que Baudelaire et Gautier n'ont jamais pu...
sympathiser. Toutes leurs qualités sont réfractaires. Ces deux
génies s'excluent comme l'eau et le feu. Baudelaire vient de la
Bible en passant par le Dante. Gautier vient d'Hésiode en passant par André Chénier. Physiquement et moralement ils sont
aux antipodes. Ils ne sont pas de la même race... Gautier est
un déblayeur, un finisseur... Baudelaire est un ancêtre, un
créateur. C'est l'aventurier de la sensation, le chercheur d'or,
le déterreur d'images. Gautier et Baudelaire subissent au contact des choses des réactions inverses. Il n'est pas une fibre en
eux qui ne vibre à l'opposé... Gautier prend l'œil pour arbitre,
Baudelaire l'oreille. L'un va à la peinture, l'autre à la musique.
[Quant aux articles élogieux sur Gautier et à la dédicace des
Fleurs du mal, Baudelaire n'était pas sincère:] Tout démontre
que... la dédicace des *Fleurs du mal* n'était qu'un appel dé-
guisé à l'influence [de Gautier].

(25)   1917, 17 octobre, Paul Souday, "Les Livres", *Le Temps*.
[Compte rendu des nouvelles éditions des *Fleurs du mal*:
Calmann-Lévy, Helleu, Fasquelle, Crès, etc. et du *Cinquantenaire* d'Ernest Raynaud, *infra*, n° 39.]
Les six éditions nouvelles, à l'exception de l'édition populaire
Calmann-Lévy, rectifient le classement arbitraire d'Asselineau
et adoptent celui de 1861, fixé par Baudelaire... Quoiqu'on
ait dit que [Baudelaire] ne se répète jamais, il a repris dans
les *Petits poèmes en prose* certains thèmes des *Fleurs du mal*;
mais... il arrive que la nouvelle rédaction en prose soit supérieure à la pièce de vers qui l'a précédée. Tel est le cas...
pour les *Bienfaits de la lune*, en prose, qui l'emporte de beaucoup sur le sonnet antérieur des *Tristesses de la lune*... Je
persiste à croire que l'étude de Théophile Gautier reste la
meilleure et continue de rendre l'édition de 1868 indispensable
... M. A. Gide estime que Baudelaire est sans doute l'artiste à

propos de qui l'on a écrit le plus de sottises. C'est très possible, mais ses thuriféraires n'y ont pas moins de part que ses détracteurs.

(26) 1917, 26 octobre, Paul Souday, "La Terreur baudelairienne", *Paris Midi.*

Il règne actuellement . . . une espèce de terreur baudelairienne: si vous dites que Baudelaire est un grand poète on vous traite immédiatement de zoïle et d'illettré. Il fallait dire que Baudelaire était le plus grand poète de son temps et de tous les temps. La nouvelle orthodoxie ne peut se contenter de moins.

(27) 1917, novembre, André Gide, "Théophile Gautier et Charles Baudelaire", *Les Ecrits nouveaux.*

"A propos d'une nouvelle édition des *Fleurs du mal*".

[La préface, légèrement retouchée, de l'édition Pelletan et Helleu, voir *supra*, n° 3.]

Plus grande sera notre admiration pour Baudelaire, plus notre étonnement sera grand de le voir s'incliner, que dis-je: se prosterner devant Gautier . . . Si la figure de Gautier parut longtemps . . . plus importante que celle de Baudelaire, je me l'explique d'abord par cette attitude très simple . . . dont Gautier ne se départit pas un instant . . . et par ce fait que sa personne est extrêmement banale, très aisément compréhensible . . . Tout au contraire de lui Baudelaire apportait . . . une complexité déconcertante, une cabale de contradictions bizarres . . . Enfin . . . Baudelaire ignorait sa propre valeur . . . Au cœur même du livre d'autres difficultés d'un ordre plus surprenant nous attendent: la plus déconcertante peut-être vient de ce que l'antithèse . . . n'est point chez lui comme chez Hugo extérieure et verbale: elle l'habite intimement, elle est profondément sincère. Elle éclot spontanément dans ce cœur catholique, qui ne connaît pas une émotion dont les contours aussitôt ne s'évadent, que ne double aussitôt son contraire . . . Mais l'angoisse de Baudelaire est de nature plus secrète encore . . . Qu'il existe— en regard de cette force de cohésion qui maintient l'individu conséquent avec soi-même . . .—une autre force, centrifuge et désagrégeante, par quoi l'individu tend à se diviser, à se dissocier, à se risquer, à se jouer, à se perdre . . . Je n'irai pas jusqu'à dire que Baudelaire l'ait aussi nettement pressenti que

Dostoiewski... mais [ne trouve-t-on, dans les *Journaux intimes*, quelques] parcelles de ce radium infiniment précieux au contact de quoi les anciennes théories, lois conventions et prétentions de l'âme, toutes, se volatilisent?...

(28) 1917, 16 novembre, G.-Jean Aubry, "Baudelaire et Swinburne", *Mercure de France*.

[Baudelaire est] cet unique poète, le plus riche du dernier siècle en France... L'étendue et la pénétration de son génie, la fraternelle hauteur de ses accents, l'enchantement inépuisable de cette sourde et obsédante mélodie [expliquent sa grandeur ... L'article de Swinburne est excellent:] On trouverait malaisément, même parmi les critiques français de cette époque-là, plus d'intelligence à comprendre les qualités neuves, personnelles et durables des *Fleurs du mal*... [Swinburne avait surtout raison de souligner les qualités classiques de Baudelaire:] C'était... de la part du jeune poète anglais, le témoignage d'une singulière pénétraion que de démêler si bien, à travers le romantisme de l'accent des *Fleurs du mal* tout ce que ce livre renferme de simplicité aisée et voulue, de profondément et le largement classique. ["Ave atque vale" est] le plus admirable hommage qu'on ait jamais rendu à Charles Baudelaire... l'un des plus hauts accomplissements de la poésie anglaise du siècle dernier... L'éternel monument de la gloire de Baudelaire est là, sculpté par un génie fraternel... Nul en vérité ne pouvait mieux que Swinburne comprendre complètement Baudelaire [malgré de profondes différences de technique et d'inspiration:] Swinburne... baignait son esprit dans l'air et dans la mer; sa fougue s'apaisait dans le mouvement; tandis que Baudelaire sentait s'accroître sans cesse la haine de la nature... Mais tous deux... ont touché jusqu'au fond de la misère de tout plaisir humain et la singulière volupté de la douleur. "Laus Veneris" en est l'illustration immortelle comme le sont bien des *Fleurs du mal*. Las des fadaises chères à leur époque,... ils ont suivi des chemins semblables... Par où Baudelaire s'éloigne de Swinburne et le passe... c'est par son sens unique de la modernité, par tout ce qu'il a su extraire de profondément, d'obstinément poétique des spectacles en apparence les plus familiers, les plus vulgaires même. Le mot de Banville... reste toujours le plus vrai: "Il a accepté tout l'homme moderne".

C'est par là qu'il nous hante, c'est par là qu'il nous a rendu mélancoliquement proche le cœur des grandes villes modernes. Nul mieux qui lui n'a concilié la beauté de forme et la beauté de caractère; il a su communiquer de la beauté à des spectacles qui n'en avaient pas naturellement, non pas en en faisant saillir un simple pittoresque insoupçonné, mais en en rendant visible la part d'âme humaine. Comme tous les grands poètes il a vraiment créé son univers et le nôtre; mais c'était un univers si près de notre ambiance quotidienne que nous ne pouvons plus le dissocier et que nous n'échappons pas plus à l'un qu'à l'autre. C'est ainsi qu'il nous hante à chaque pas. Tant pis pour ceux-là qui n'ont su voir en lui qu'un écrivain bizarre, sans soupçonner son étonnant équilibre et tout ce qu'il fallait de puissance à cet esprit pour contenir sans cesse cette irritation magnifique d'une âme qui se révolte inépuisablement contre les méfaits naturels de la chair et qui n'en attise les ardeurs que pour en mieux ressentir les insupportables brûlures.

(29) 1917, 16 novembre, Paul Souday, "Baudelaire et Gautier", *Paris midi.*
Les baudelairiens . . . sont si intolérants qu'ils ne permettent plus à personne d'admirer aucun autre poète. [Baudelaire est sans aucun doute un très grand poète, mais sa dette envers Gautier est immense.]

(30) 1917, 2 novembre, Anonyme, "Les Billets de Junius", *Echo de Paris.*
Baudelaire et Flaubert sont, parmi les artistes littéraires du Second Empire, ceux que les jeunes gens de 1917, si épris d'action, si amoureux de certitude et de foi, si rebelles au décadentisme, acceptent le plus volontiers comme Maîtres.

(31) 1917, 1er décembre, Max Buffenoir, "La Magie baudelairienne", *la Nouvelle revue.*
Il y a depuis le 1er septembre cinquante ans que Baudelaire est mort, et il est plus vivant que jamais. Au plus fort de la grande mêlée européenne, on lui consacre de longues pages, on exhume de lui des lettres inédites . . . on lui tresse des couronnes. Ce Ce qui est encore plus caractéristique, c'est le nombre incalculable de lecteurs qui s'arrachent les nouvelles éditions des

Fleurs du mal . . . Après cinquante ans, Baudelaire a définitivement vaincu. Ce n'est pas qu'il n'ait été très discuté . . . C'était
plaisir . . . de voir Brunetière s'élancer fougueusement sur son
œuvre invulnérable, comme Don Quichotte sur les moulins, et
Faguet s'efforcer d'y enfoncer ses épingles émoussées . . . Les
critiques sont morts et leur critique est morte avec eux. Le
poète est resté debout . . . Il y a de la magie dans son talent . . .
[Baudelaire] ne ressemble à personne dans notre littérature.
Son tempérament poétique n'en rappelle aucun autre. C'est
quelque chose . . . d'apporter dans le grand concert lyrique une
note nouvelle et qui n'appartient qu'à soi . . . Qu'on puisse
relever çà et là dans *les Fleurs du mal* quelques prosaïsmes,
nous n'en disconvenons pas, mais . . . en général, si quelqu'un
a été soucieux du mot propre, c'est Baudelaire; si quelqu'un a
excellé à le découvrir, c'est lui. On ne peut plus contester qu'il
ait su allier à la justesse l'imprévu et l'intensité de l'expression
. . . Ses épithètes . . . sont le plus souvent choisies avec un soin
scrupuleux . . . Les images . . . sont à la fois très riches et très
neuves . . . Le don de l'image qu'il avait à un si haut degré
devait le conduire au symbolisme . . . La construction des
phrases . . . est d'une belle fermeté classique . . . Mais, plus que
par toute autre qualité, les vers de Baudelaire valent par l'harmonie . . . Ils ont . . . à un degré supérieur la magie musicale . . .
Dans nulle œuvre on ne trouvera de plus larges vers, qui offrent
souvent un sens complet . . . mais qui . . . éveillent par leur seule
résonance de profonds échos dans toute sensibilité musicale . . .
De tels vers rempliront et réjouiront à jamais l'oreille . . . Baudelaire a su l'art d'ouvrir à son gré d'éclatants paradis sonores
. . . Qu'on cesse donc de contester à Baudelaire sa maîtrise
verbale! Ce n'est pas par là seulement, mais par là surtout qu'il
mérite de vivre . . . [Quant à la légende:] Les poètes que nous
aimons le mieux . . . sont . . . les plus humains [et Baudelaire est
surtout humain.] Il nous semble qu'on a sensiblement exagéré
la part de volonté dans ce livre, et par suite celle de l'artifice . . .
Baudelaire [y] a mis sa puissance de sensations . . . Ces sensations peuvent bien être affinées par son état morbide: personne ne contestera qu'elles ne soient très humaines . . . [Quant
aux idées qu'on accuse Baudelaire de ne pas avoir:] Que
veut-on dire quand on parle d'idées? S'il s'agit d'idées poétiques, Baudelaire en est fort riche, et il n'y a peut-être pas de

poète qui soit autant que lui le créateur de ses sujets. S'il s'agit
d'une conception de la vie, en quoi la sienne ... est-elle inférieure à celle des autres? [Il est surtout moderne et contemporain:] Baudelaire ... éprouve et exprime, avec une intensité
supérieure, des sensations, des sentiments, des idées qui sont
les nôtres ... Par dessus tout, il se dégage des *Fleurs du mal* ...
je ne sais quel âcre goût de souffrance qui est fort contagieux.
Nul poète n'est plus douloureux. Au fond de ses pièces les plus
affectées se devine une amertume trop sincère. Nul ne sent
mieux et ne fait mieux sentir les plaies humaines: prostrations
nerveuses, vagues effrois devant l'hostilité des hommes et des
choses, ennui dans la volupté, désertion des cœurs que nous
avions crus aimants, ravage de la maladie et de la vieillesse,
peur de la mort, incurable solitude morale ... Nul n'éveille
plus en nous le sentiment de notre propre misère. Peut-être
est-ce là le dernier mot de sa magie.

(32) 1917, 14 décembre, Paul Souday, "Baudelaire et Swinburne",
      Paris midi.
      [Réponse à l'article de Jean Aubry, *supra*, n° 28. Souday trouve
      excessives les opinions de Jean Aubry sur Baudelaire.]

(33) 1917, Guillaume Apollinaire, préface à *L'Œuvre poétique de
      Charles Baudelaire* (Bibliothèque des curieux, 1917).
      [Influence des conteurs libertins du XVIIIe siècle sur Baude-
      laire: Laclos, Diderot, De Sade, Restif, Nerciat:] Baudelaire est
      le fils de Laclos et d'Edgar Poe. On démêle aisément l'influence
      que l'un et que l'autre ont exercée sur l'esprit prophétique et
      plein d'originalité de celui, dès cette année 1917 ... qu'on peut
      mettre au rang non seulement des grands poètes français, mais
      que l'on peut encore placer à côté des plus grands poètes uni-
      versels ... Dans les romanciers de la Révolution il avait dé-
      couvert l'importance de la question sexuelle. Chez ... Quincey
      et Poe, il avait appris qu'il existait des paradis artificiels ... En
      lui s'est incarné pour la première fois l'esprit moderne. C'est à
      partir de Baudelaire que quelque chose est né qui n'a fait que
      végéter, tandis que naturalistes, parnassiens, symbolistes pas-
      saient auprès sans rien voir; tandis que les naturistes ...
      n'avaient pas l'audace d'examiner la nouveauté sublime et
      monstrueuse ... [Il domine] la poésie universelle à la fin du

XIXᵉ siècle. Son influence cesse à présent, ce n'est pas un mal. De cette œuvre nous avons rejeté le côté moral qui nous faisait du tort en nous forçant d'envisager la vie et les choses avec un certain dilettantisme pessimiste dont nous ne sommes plus les dupes. Baudelaire regardait la vie avec une passion dégoûtée qui visait à transformer . . . l'univers tout entier . . . en quelque chose de pernicieux. C'était sa marotte et non la saine réalité. Toutefois il ne faut point cesser d'admirer le courage qu'eut Baudelaire de ne point voiler les contours de la vie. (2-4)

(34)   1917, Jean Aubry, *Un Paysage littéraire, Baudelaire et Honfleur* (La Maison du livre, 1917).
[Baudelaire] ce génie le plus mâle, avec Vigny, de la poésie française du dernier siècle, est aussi . . . le plus baigné de féminité et le plus profondément tendre (11-12) . . . [C'est un] titan foudroyé. (13)

(35)   1917, Louis Barthou, *Autour de Baudelaire: le Procès des Fleurs du mal: Hugo et Baudelaire* (La Maison du livre, 1917).
La cause de Baudelaire est gagnée . . . La postérité a salué son génie et son verdict impartial casse le jugement qui a condamné, il y a soixante ans, *les Fleurs du mal* (32) . . . [Baudelaire, pourtant, ne vaut pas Hugo:] La postérité a fait aux deux poètes leur part légitime. Elle a relevé Baudelaire des préventions injustes qu'une condamnation stupide avait fait peser sur lui, mais la maladie ne peut pas donner les mêmes fruits que la santé, et un recueil qui contient quelques chefs-d'œuvre ne doit pas être mis au rang des innombrables chefs-d'œuvre auxquels ne suffisent pas plusieurs recueils. Un frisson, même nouveau, n'est pas un orchestre. Ce serait mal servir le talent, si original, de Baudelaire que d'en forcer le sens en voulant l'égaler, par un excès maladroit d'admiration ou de snobisme, au puissant génie qui a dominé son siècle et qui honore l'humanité. (57-58)

(36)   1917, Henry Dérieux, *Baudelaire. Trois essais.* (Bâle, Nouvelle librairie littéraire, 1917.)
["Baudelaire animalier", *supra*, nº 20; "Sa plastique et ses rapports avec Théophile Gautier", *supra*, nº 22; "L'inquiétude morale de Baudelaire", d'où les extraits suivants:]

[La légende:] Aujourd'hui le recul du temps a dépouillé ces aventures de leur auréole romantique. Et de cet échafaudage satanique il reste l'histoire, poignante infiniment, d'un prince de la pensée réduit à la servitude des besognes quotidiennes... Rouvrez-les, ces livres... vous entendrez gémir à chaque page un tourment de l'infini peu différent en soi de celui qui fit les mystiques et créa les saints... Il est impossible de négliger l'inquiétude morale où le poète se débattit sa vie durant... C'est par là qu'il se rattachait à cette famille des grands inquiets, dont Pascal n'est que le plus génial et le plus déchiré... C'est à Pascal lui-même qu'il nous arrive de songer en lisant certaines invocations des *Fleurs du mal* et surtout certaines effusions de ce journal... *Mon Cœur mis à nu*... "Bénédiction" dit la transfiguration de l'homme par la souffrance, sorte de prédestination divine... Partout dans *les Fleurs du mal* percent l'oppression du mystère et l'angoisse de la destinée... L'âme qui palpite en [Baudelaire], c'est bien l'âme moderne, pénétrée de Christianisme jusqu'en ses fibres les plus intimes... C'est être chrétien évidemment que de porter en soi la notion de la déchéance et du péché, de se tourner vers Dieu comme vers un consolateur... Si l'on ouvre les *Journaux intimes* de Baudelaire, c'est ce qu'on trouve à chaque pas. Mais... malgré ses sympathies pour la religion catholique... il avait un sens si aigu de la réalité qu'il en fut repoussé peut-être par certains compromis pharisaïques... Religieux, certes, il le fut, mais à la façon des grands indépendants qui placent plus haut que les églises leur propre idéal. Et enfin Baudelaire est avant tout un artiste... Or l'artiste est souvent plus éloigné qu'un autre homme peut-être des confessions trop définies... Parce qu'il voit en chacune d'elles, et même la plus large, une limitation—limitation du cœur, limitation de l'esprit—tandis que dans chaque ordre son âme d'artiste demande l'illimité! L'auteur des *Fleurs du mal* sentait cela mieux que personne. (9-19)

(37) 1917, Camille Mauclair, *Charles Baudelaire, sa vie, son art, sa légende* (La Maison du livre, 1917).
[La légende:] Nous sommes enfin en mesure de ruiner la légende que [Baudelaire] aida sans doute à naître et dont sa personnalité, puis sa mémoire eurent tant à souffrir... Baudelaire nous est donc parvenu affublé des oripeaux horrifiques du

baudelairisme comme un revenant traînant son suaire et faisant
cliqueter ses chaînes ... Nous pouvons écarter de Baudelaire
tout ce qui ne fut pas lui, de lui tout ce qui ne fut pas son art,
et saisir, pour en finir, sa légende ... Des faits et gestes de
l'homme je ne rappellerai que ceux qui éclaireront mieux
l'œuvre ... J'envisagerai Baudelaire ... en pensant qu'il nous
importe ... de tenter, après un demi-siècle, de définir ce qu'il
en reste, ce que l'avenir en retiendra. (viii-xiii) [Au cours du
livre, Mauclair revient plusieurs fois à la légende:] Toute vie a
deux significations et deux valeurs, par ses faits et par leur
retentissement dans la conscience. Si nous examinons au
premier de ces points de vue la vie de Baudelaire, nous pour-
rons presque dire qu'elle fut banale ... L'élément qui l'a ani-
mée, c'est l'imagination de Baudelaire, s'obstinant à en drama-
tiser le moindre accident (17) ... Si son imagination, son désir
d'étonner et de s'étonner lui-même, n'avaient transfiguré tout
ceci en ténébreuse aventure, l'intérêt tomberait à plat ... Aupick
fut un beau-père rigide et froid, mais loyal et même affectueux.
Il ne contraria nullement la vocation du jeune homme, lui
rendit ses comptes et s'en sépara à regret ... [Baudelaire] au
fond, se pensa un Hamlet à jamais triste d'avoir vu sa mère
céder à la sensualité dans les bras d'un traître (20-21) ... La
même perversion imaginative est démontrée par l'assimilation
que Baudelaire fit de la vie de Poe à la sienne ... La blessure
morale et le dommage irréparable ont été réels pour Poe; Baudelaire a imaginé les siens ... Il a été conduit par l'admiration
et par la pitié imaginative à "arranger" sa vie selon une sorte
de projection déformée des malheurs de Poe ... Baudelaire s'est
battu les flancs pour faire de son existence, assez quelconque
après tout, quelque chose d'exceptionnel, de monstrueux, de
solennellement compliqué. (22-25) ... Baudelaire n'ayant ni tué,
ni volé, ni trahi son pays, vraiment on peut alléguer qu'il faut
à un monstre de tout autres titres que les siens ... On cherche
en vain des actions vraiment mauvaises sous l'étalage de ses
mauvaises pensées. (35) ... La qualité de ses plaisanteries ne
dépassait guère ... la médiocrité ... Les romantiques avaient
adoré ce genre, tout leur était bon pour "épater le bourgeois"
... Baudelaire hérita de cette faiblesse (37) ... [Quant aux
drogues:] Baudelaire dut exagérer verbalement, par snobisme
littéraire ... Un tel examen des actes de Baudelaire étant fait

... uniquement pour éprouver la validité de sa légende, on ne parvient pas à découvrir en lui un élément vraiment détestable, et on en rencontre de vraiment nobles, intacts malgré les déséquilibres et les enfantillages vieillis de l'imagination. Le baudelairisme est la plus lourde des rançons que la mémoire de ce grand tourmenté a dû subir... [Car Baudelaire était] un admirable exemple de moralité professionnelle. Jamais il ne mentit. Jamais... il ne céda même à la velléité de trafiquer de ses convictions. Cet homme torturé par le manque d'argent eut, artiste, un magnifique mépris de l'argent, marque des vrais maîtres. Il fut entre tous scrupuleux, un incorruptible, se faisant de l'art l'idée la plus altière... Les écrivains et les artistes peuvent saluer en lui l'honnêteté, l'intégrité et la fierté absolues. Dans Baudelaire écrivain tout est haut et pur: les fautes sont de l'homme, l'artiste n'est que vertu. (42-44)... [*Les Journaux intimes:*] L'impression générale qui semble bien se dégager de tous ces documents, c'est celle que suggère l'examen de la vie elle-même: dispersion de la volonté, incohérence dans l'appréciation des faits, lutte obstinée de l'orgueil contre les élans d'un bon cœur, déformation imaginative très violente, misanthropie, acharnement à se croire né mauvais... injustice passionnée, chutes morales et nerveuses subites... art magnifique en sa fermeté classique, idées hautes, jugement sûr. (45) Toute l'œuvre de Baudelaire nous convie, pour l'honorer dignement, à nous élever au-dessus de sa personnalité, dans la région où son dandysme pessimiste, sa névrose, son érotisme, les tares de sa volonté, sont devenus des éléments de création épurée... Ne prenons en soi aucun de ses paradoxes... Voyons tout du point de vue de l'âme, ne nous fions qu'à elle... et la légende du "baudelairisme" nous apparaît ce qu'elle est: un oripeau pourri au pied d'un marbre. (103) [Ayant ainsi disposé de la légende, Mauclair arrive aux grandes qualités de Baudelaire:] La faculté baudelairienne de transposition, de transfiguration, de projection cérébrale des motifs les plus simples décèle une magie si étrange que l'on touche par elle à ce mensonge radieux qui est le fait suprême de l'art (53)... Il ne fit que vivre et avouer sa souffrance sans autre préoccupation que de la peindre dans la plus belle forme et d'être le plus scrupuleux serviteur de l'Esprit qui soufflait en lui... N'allons pas... considérér son volume de vers et ses poèmes en prose comme le roman de sa vie...

Ce serait se faire de Baudelaire, de son génie et de ses principes d'art l'idée la plus plate et méconnaître l'immense faculté de transposition et de généralisation qui lui fut propre . . . [Baudelaire en 1917 est bien autre chose que le Baudelaire du XIXe siècle:] Nos raisons d'admirer *les Fleurs du mal* . . . seront donc fort différentes de celles des contemporains de l'auteur . . . Banville a jugé et pénétré Baudelaire avec autrement de justesse et de force que le retors Sainte-Beuve . . . ou que le bon Théophile Gautier qui n'y admira guère, en une belle forme neuve, qu'un romantisme macabre aux intentions philosophiques . . . [Le "frisson nouveau" de Hugo était juste:] Ce seul mot en dit plus que les brillantes et insuffisantes variations exécutées par Gautier en préface à la réédition du livre d'un poète qui avait certes le droit de se déclarer son déférent admirateur, mais que nous tenons pour infiniment éloigné de sa mentalité et même de son art. (58-60) . . . Il y avait en lui un styliste minutieux et scrupuleux, un fervent du langage français, un artiste amoureux des mots, qui contrôlait sans cesse les écarts et les abandons de son inconscient, l'enserrait sévèrement dans la forme stricte et ne lui permettait jamais de s'épandre en verbosité prolixe et incorrecte . . . Mais si ce sens a fait de lui un maître parmi les plus grands qui aient parlé notre langue, il n'a fait que mouler, et non glacer et figer, la fusion ardente d'une âme incapable de s'évaluer elle-même et qui est demeurée de feu tout en devenant de bronze . . . Gautier et Leconte de Lisle . . . sont morts, et lui vivra éternellement. (71-72) . . . Ce prétendu maître des décadents fut un classique . . . Il fut un classique, et l'apparition de sa poésie devra être considérée, ni plus ni moins que le succès de la *Lucrèce* de Ponsard, comme un signe de la fin du romantisme, dont il se détacha de plus en plus . . . Il croyait composer froidement, parce qu'il méprisait "l'inspiration" prolixe et hative. Il écrivait avec peine . . . On peut conjecturer qu'il versifiait assez souvent d'après un projet en prose. Il rimait peu richement et sans recherche de la rime imprévue ou rare, s'acharnant surtout à la plus grande force d'expression . . . la rime l'occupait bien moins que la plénitude de la période et la vie intérieure, drue et nourrie, du vers. La défiance de la verbosité . . . l'a conduit à n'écrire que de courts poèmes, par amour de la concision substantielle (85-86) . . . [Ce qui prouve à quel point tout ceux—y compris Gautier—se sont trompés qui l'ont traité de décadent:] Beaucoup de ses contemporains se sont extasiés sur la langue compliquée de ce prétendu décadent, et Gautier, qui vraiment l'a peu pénétré malgré une bonne volonté évidente, attestée par cette rapsodie brillante et superficielle qu'est la préface des *Fleurs du mal,* n'a pas laissé échapper l'occasion d'arpéger à ce propos une phrase sensationnelle sur "les tons de nacre et de burgau, les jaunes fielleux de bile extravasée, les vers empoisonnés puant l'arséniate de cuivre," etc. Il faut louer l'allure fastueuse de cette préface drapée dans un romantisme large et généreux, le zèle du bon Gautier à célébrer un tel confrère; on n'en reste pas moins libre de penser que ce morceau de haute virtuosité, qui est par excellence "de la littérature", suffira de moins en moins à donner de l'intériorité de l'art baudelairien une idée véridique et profonde. Que d'embarras Gautier fait avec son burgau et son arséniate de cuivre! Ces "cuisines", ces "faisandages" ne devaient être recherchés que trente ans plus tard par Huysmans, par Paul Adam et Moréas en leurs premières œuvres, par les succédanés des Goncourt et les parodistes de Mallarmé. La langue de Baudelaire est nue, simple, riche... sobre et sans apprêt... [A l'instar de Malherbe, de d'Aubigné, de Boileau] il rejetait toute fioriture, tout morceau de bravoure, toute prosopopée; il abhorrait la rhétorique... [sa langue est] la langue française de la belle époque puriste, avec des images directes et naturelles... Souvent, en lisant Baudelaire... on évoque Racine... Les pièces les plus hardies... demeurent superbement classiques par l'expression, et ce classicisme, loin d'être disparate avec le sujet, lui confère une sorte de pureté hautaine (87-89)... La poésie de Baudelaire est... beaucoup plus proche qu'on ne le penserait de l'austère et fervente angoisse pascalienne (91)... [Et] on ne peut que sentir et non expliquer comment la langue classique... des *Fleurs du mal*... s'emplit tout à coup de sonorités profondes comme la résonnance du bronze ou suaves comme les harmoniques du hautbois, et atteint... à la musicalité pure (91-92)... A force d'art concentré [les meilleurs poèmes arrivent] à l'impersonnalité et à la synchronie, en ce sens qu'ils semblent non d'un homme, mais l'œuvre de l'humanité elle-même. Cette impersonnalité est le plus haut degré de la poésie... Ils existent, ils répondent à quiconque s'y adresse, ils incorporent toutes les âmes, chacune s'y insère et chacune semble en être l'auteur ... Une part de la conscience humaine est et sera baudelairienne parce que Baudelaire eut ... des intuitions vastement humaines et le génie de leur trouver un exact revêtement de mots (115) ... Baudelaire n'avait pas *des idées,* mais il ouvrait à l'âme des régions de méditation infinie (117) ... [Les thèmes des *Fleurs du mal:*] Le personnage essentiel y est la Nostalgie ... Baudelaire est avant tout le poète de la Nostalgie, de l'aspiration indéfinie vers un autre monde ... Il sera toujours aimé confidentiellement par ceux que fatigue et déçoit le corps qu'ils habitent; il leur a donné un bréviaire dont ils ne se passeront plus, amer et hautain comme le désenchantement de l'Ecclésiaste, de Pascal, de Schopenhauer. Mais, en même temps, il a été un sensuel puissant et subtil, un voluptueux triste, un fervent des parfums, des caresses, des couleurs, des formes ... Il semble bien que Baudelaire ait été constamment obsédé par le dilemme que posent les relations de l'amour et de la mort ... conduit à la conception triste des affinités de la volupté et de la mort (121-123) ... [Les *Petits poèmes en prose* contiennent] des phrases aussi merveilleuses que les plus vantées de Chateaubriand ou de Flaubert (131-132) ... [Dans *les Paradis artificiels*] Baudelaire ... avait le don du diagnostic ... Et toujours ... la joie de cette prose pure, nourrie et souple, où éclatent des phrases d'une perfection grave, sereine, *pascalienne* (137) ... [Ses articles critiques sur la poésie et la peinture sont excellents; celui sur Delacroix est le meilleur article qu'on ait jamais consacré au grand peintre (149-150); les études sur Poe ont révélé la grandeur de ce génie sombre non seulement aux Français mais aux Américains aussi; Baudelaire a trouvé chez Poe une conjonction de sensibilité et d'idéal:] L'équation Poe-Baudelaire nous apparaît ... indiscutable aujourd'hui ... Ces deux êtres ... étaient d'accord sur presque toutes les questions spirituelles (206-209) ... [Quant aux documents publiés par Crépet, ils ont une double importance: ils détruisent la légende et ils révèlent un Baudelaire moraliste:] Condensées dans une admirable prose, les réflexions de Baudelaire se relient incontestablement à celles de Vauvenargues, de la Rochefoucauld, de Rivarol, de Chamfort et de Nietzsche, autant par la liberté absolue de la pensée que par la forme concise, axiomatique (229-233) ... Ne songeons plus qu'à honorer le plus grand esthéticien français du dernier siècle, et, entre Alfred de Vigny et Paul Verlaine, le plus intense des poètes de l'anxiété moderne ayant dit certaines choses essentielles pour toujours (247) ... [L'importance contemporaine de Baudelaire:] J'ai osé écrire cette étude sur Baudelaire pour le cinquantième anniversaire de sa mort. La pensée d'un tel recul a guidé toutes mes considérations. Mais un recul infiniment plus grand s'est peut-être produit en ces trois dernières années qu'en les quarante-sept années précédentes. Les événements grandioses et tragiques qui ont bouleversé le monde entier ont creusé une "tranchée" symbolique entre hier et demain. Ils ont frappé d'une décrépitude subite des idéaux, des états d'âme, des figures que nous considérions hier comme des éléments ... très vivants ... Ce livre est donc écrit à une heure angoissante où bien des œuvres que nous aimions hier nous semblent mortes et mêmes fossiles, et où ... nous nous demandons ce qui franchira avec nous la tranchée fatale. J'ai cherché, avant tout, à envisager Baudelaire de ce point de vue spécial. L'état d'âme baudelairien est bien loin de nous. Mais l'art baudelairien demeurera par les raisons éternelles de beauté que j'ai rassemblées pour justifier ma conviction. J'ai voulu non rappeler ce qu'on en a pensé, mais dire ce qu'on en pensera équitablement; et c'est peut-être ce recul pathétique et formidable qui, après bien des hésitations et des malentendus, le mettra à sa vraie place—dans l'asile du classicisme français. (259-260)

(38)   1917, Henri de Régnier, "Baudelaire et *les Fleurs du mal*", préface aux *Fleurs du mal* (la Renaissance du livre, 1917).
       [La vie de Baudelaire; son génie critique; sa parenté avec Poe; Baudelaire était] un des plus singuliers et classiques génies dont s'enorgueillisse la poésie française ... La part objective des *Fleurs du mal* le cède de beaucoup à la part subjective qui en fait le véritable et profond caractère. *Les Fleurs du mal* sont un livre réaliste, peinture exacte, secrète, impitoyable, d'une âme moderne ... [Baudelaire goûtait "l'art restreint mais impeccable" de Gautier, qu'il croyait] une protestation contre le romantisme expansif, désordonné ... Baudelaire ... pratiqua toujours l'art classique d'exprimer clairement les idées les plus compliquées ... Nul écrivain moins que lui n'eût dû être considéré comme un écrivain de décadence. Sous le novateur hardi il y avait en lui un classique traditionnel.

(39) 1917, Ernest Raynaud, *Le Cinquantenaire de Charles Baudelaire* (la Maison du Livre, 1917).

Ce n'est pas, bien qu'il fît le coup de feu en 1848, pour ses opinions politiques que Baudelaire a mérité de prendre place parmi les génies dont s'honore la France actuelle... C'est parce qu'il fut en Art un révolutionnaire à sa façon; c'est parce qu'il prit part comme critique au mouvement libérateur de Delacroix; c'est parce qu'il s'est insurgé contre le vieux préjugé littéraire; c'est encore parce qu'il avait la religion de la souffrance et que son grand cœur l'inclinait sur la misère des faubourgs (4, n. 1) ... Que l'on finisse une fois pour toutes avec cette légende de Baudelaire, agent de démoralisation!... Baudelaire a passé sa vie à se calomnier. C'était un travers de son temps, une façon de dandysme, le "plaisir aristocratique de déplaire". Cela vient d'Angleterre, pays de l'humour, de l'excentricité, du pince-sans-rire; cela venait de Byron... Sa lecture s'adresse aux hommes faits, armés de réflexion. Il n'est accessible qu'à une élite... Il est étrange que des croyants lui fassent grief d'un pessimisme qu'ils approuvent chez l'Ecclésiaste. Sa nausée du monde l'apparente à saint Augustin et à Pascal... Son ascendant reste énorme et son influence a pénétré à leur insu ceux-là mêmes qui la contestent et font métier de la réprouver. Il n'est pas de livre de vers—digne de ce nom—paru depuis cinquante ans où l'on n'en saisisse les traces, de sorte que l'on peut dire que... s'il n'y a pas de poète moins actuel que Baudelaire, il n'y en a pas, selon l'expression de Charles Morice, de plus présent... La guerre est venue bouleverser nos idées et nos sentiments, et creuser le fossé entre hier et demain. L'adversité, en éveillant nos défiances, semblait devoir porter, dans l'opinion commune, à la poésie nouvelle en général, et à Baudelaire en particulier, un coup fatal. C'est pour élucider ce point que nous avons cru devoir interroger ceux de nos contemporains qui ont qualité pour parler au nom d'un parti, d'un groupe, d'une école (4-6). [Raynaud a donc demandé leur avis sur Baudelaire à plusieurs écrivains contemporains. Edmond Rostand ne voulait pas donner une opinion; Auguste Dorchain et Paul Bourget parlaient de "moralité": Bourget était tout au "redressement national" qu'il estimait nécessaire pour gagner la guerre. Parmi les autres témoignages en voici les plus intéressants:]

Paul Claudel: Baudelaire a chanté la seule passion que le XIXe siècle pût éprouver avec sincérité: le Remords. (43)

Madame Aurel: Baudelaire... me plaît tant que je lui passe tout, même d'avoir envenimé la conscience déjà si tourmentée ... Les bons chrétiens de ce matin, qui piaffent moins, désobéissent davantage... Les Claudel, les Francis James. Baudelaire est venu pour dire qu'on n'était pas décidément un grand poète sans passer par le Christ ou sans en revenir... Baudelaire... sut du moins qu'il était parti de son seul grand Opposant: Jésus... Puis Baudelaire est triste somptueusement, marque royale. Il a senti que le bonheur c'est l'infamie, et qu'on n'était "heureux" qu'en marchant sur des corps. Il n'eut donc pas l'estomac d'être heureux, et combien je l'en félicite! Il vient pour saccager les cœurs béats, et ainsi il fait œuvre pie... Sa précision me hante et les meilleurs de nous lui doivent quelque chose. (58-60)

Karl Boès: Baudelaire: c'est pour les cœurs mortels un divin opium!... En une matière dont la qualité n'a jamais été égalée par aucun poète, d'un ciseau patient ensemble et passionné, dont on peut bien dire que même les imprécisions attestent la science suprême, Baudelaire a sculpté l'un des monuments les plus tragiques... monument hautain et pourtant pitoyable dont la durée sera celle de la souffrance humaine. Baudelaire a chanté la Beauté... l'Art, l'Amour, la Mort, la Bonté aussi, les seules choses qui, pour ceux dont les lèvres n'ont pas sucé le lait puissant de la Science, donnent de l'accent à la vie,—et cette musique... se prolonge, sur nos cordes intérieures, en des frémissements dont on ignore... si c'est douleur qu'ils nous apportent ou volupté, mais dont on sait bien... qu'ils finissent par mêler leurs ondes avec celles de notre vie profonde qui, quand elle ne peut plus jouir, veut au moins souffrir pour échapper à la sensation affreuse du néant... Cette tristesse transcendentale... est, depuis la disparition des dieux et la diffusion scientifique, inéluctablement attachée à tout être qui pense. C'est un démon familier qu'on ne tue pas... Pour l'homme moderne que hante, malgré tout rationalisme

Des cieux spirituels l'inaccessible azur

et qui en même temps est "brûlé" par l'amour du Beau, ce n'est que dans Baudelaire, et nulle part ailleurs, non, pas même dans le grand Vigny... qu'il trouvera le pur aliment de silence et d'orgueil, le seul qui convienne à sa déréliction, à sa résignation désespérée—la seule nourriture littéraire digne de sa tristesse. (60-62)

Fernand Divoire: Beaucoup, parmi nous, ont changé... Leur art, à travers la hardiesse de leurs essais, montre un besoin de solidité, d'architecture... 1900, 1880, 1830, époques dont ils se voient également éloignés. Ils se sentent étrangers aux maîtres symbolistes, qu'ils admiraient à vingt ans... Se sont-ils détachés de Baudelaire? La réponse à cette question est: non. Baudelaire a conduit le vers français à la perfection (et c'est pour cela qu'il est le plus difficilement accessible de nos poètes: on comprend Mallarmé avant d'aimer Baudelaire). Or, c'est de la perfection que veulent partir les hommes dont je parle. Il le leur permet... Baudelaire est un maître solide. Leur besoin de construction et de rythme goûte la plénitude dans ses poèmes. Baudelaire n'est pas artificiel. Eux non plus. Ni guivres, ni alérions, ni évanescences, chez lui. Ni chez eux. Son amour du "là-bas", ses rêves épicés d'exotisme, ce sont des sentiments profonds, et ils ont cessé de haïr le mouvement "qui déplace les lignes", mais qui est la vie. Amère profondeur de l'âme; âme liée à la chair; douleur moderne, plus âpre et plus âcre que le désespoir tout rond et sonore des poètes précédents; cœur moderne, "palais flétri par la cohue"; pensée de la mort... Rien de tout cela n'a *vieilli,* n'a quitté les hommes d'aujourd'hui. Ils le trouvent à *l'intérieur* d'eux-mêmes, s'ils ne l'extériorisent plus en gestes, attitudes et discours. Certains cependant font un reproche à Baudelaire: "Il manque d'optimisme et de bonne humeur"... Certes, si... nous vivions dans le comique, Baudelaire ne serait plus notre homme... Baudelaire résistera jusqu'à ce que le rire soit le plus fort, c'est-à-dire jusqu'à ce que les lois du monde soient changées. Et quand on résiste à la lunette vieillissante de notre temps, c'est qu'on a bâti, hors de toute mode, sur la fondation éternelle de l'art: l'âme humaine. Nous pouvons donc croire que Baudelaire restera, comme l'*Imitation, Phèdre* et les *Pensées* de Pascal. (63-64)

Edmond Jaloux: Si l'on demandait aux écrivains qui se sont formés depuis 1880, et en particulier aux poètes, quel est l'homme dont l'influence sur eux a été la plus forte et la plus féconde, je crois bien que... presque tous répondraient que c'est Baudelaire. Bien peu d'entre eux ont échappé à cette influence—et ceux-là ne sont certainement pas les meilleurs. Elle a été si forte qu'elle se fait sentir chez les poètes les plus jeunes, les plus *avancés*. Sans Baudelaire, ni Guillaume Apollinaire, ni Max Jacob ... ne pourraient écrire leurs vers aigus, singuliers et neufs ... La poésie française ... n'a presque jamais été de la poésie pure, elle a toujours été plutôt un élément de propagation d'un chant absolu. C'était le véhicule de quelque chose ... Le romantisme même ... n'a pu concevoir une poésie aussi pure que celle de Keats ... Baudelaire, lui, n'avait rien à prouver ... Baudelaire ... a montré ... les nuances les plus authentiques de l'amour moderne ... amour qui emprunte à l'intelligence quelques-uns de ses éléments ... Jamais, cependant, ses vers ne sont faits pour cette analyse ... C'était l'artiste le moins inspiré qui fut ... le moins esclave de son inspiration. Il l'examinait, il la contrôlait, avant de s'abandonner à elle. La part de volonté est visible dans toute son œuvre ... Et c'est par cette volonté ténace, minutieuse, qu'il est arrivé à l'art le plus nourri de rêve que nous ayons dans notre littérature. Le caractère même de la poésie pure, c'est de n'y parler que de ce qui n'est assimilable à la prose ... d'y faire intervenir seulement ces éléments de la rêverie et de l'émotion qui rendraient soluble la prose la plus subtile ... [Exemples: "Les Phares", "Harmonie du soir", "la Vie antérieure", "Réversibilité", "le Balcon"] ... Deux qualités essentielles: le mystère et la musique ... On peut dire qu'il y a en poésie deux époques, celle qui précéda Baudelaire et celle qui le suivit. *Les Fleurs du mal* sont une date unique. La Muse française subit avec elles une crise si forte, si grave qu'une poésie nouvelle en naissait, qui ne ressemblait pas à l'ancienne, qui ne venait pas d'elle, qui portait tout l'avenir ... [Verlaine, Mallarmé, Rimbaud, Corbière, Laforgue, Régnier, Viélé-Griffin, Maeterlinck, Verhaeren]. Et depuis 1880 tous les poètes qui comptent, doivent quelque chose à Baudelaire. Grâce a lui, nous avons une poésie comparable à celle que Poe, Keats, Swinburne et tant d'autres ont donnée à la langue anglaise, et c'est à cause de son manque absolu de démonstration que Baudelaire n'a jamais pu être compris par tant de nos critiques, du type de Faguet, par exemple, qui ne veulent voir dans la poésie que le discours, la légende ou l'anecdote. (65-70)

Francis de Miomandre: Comme parallèlement il demeure l'ar-

tiste des blasés, Baudelaire est le poète des hommes mûrs...
Nul comme lui n'a parlé avec autant de vérité du quadragénaire
voluptueux et triste... La douleur humaine, sous toutes ses
formes, lui est fraternelle... C'est un chrétien: l'âme seule
l'intéresse, et malgré la déchéance de son corps... Il a beaucoup décrit la pourriture, la mort et la misère, mais... ce
n'était que pour exalter davantage la volonté de l'âme et l'in-
corruptibilité de l'esprit. Ses plus truculentes horreurs ont une
vie secrète qui s'agite sous leur mort et va paraître. Et c'est là
le fond de son génie... Nul ne fut plus réaliste que Baudelaire,
nul n'a comme lui puisé au fond de la nature et de la vie la
substance de ses poèmes... Jamais il n'est tombé dans l'erreur
de Shelley dont le lyrisme finit par se jouer dans les nuées...
A tout instant, une comparaison audacieuse, familière...
éclate, et voilà que nous nous sentons chez nous, dans cet
univers que nous nous sommes fait, et où toutes choses nous
rappellent une douleur ou un effort humains. Mais cette réalité
n'est pas une brutale exactitude: elle est... dominée, pénétrée,
absorbée, possédée par l'idéalisme absolu... Rien, le plus
humble parmi les objets méprisés, n'échappe à cette transub-
stantiation subtile et continue: un monde nouveau... s'ouvre
derrière l'autre dont... il accuse encore davantage les reliefs
... L'intelligence à cette transfiguration ne joue qu'un rôle
vassal. Tout le réel, avant de devenir l'idéal, est entré dans
le cœur, mais sous les espèces de la souffrance. C'est là qu'il
acquiert la vie supérieure que l'art manifeste... Il n'est pas un
poème de Baudelaire qui ne donne cette impression, et il n'est
pas, peut-être, un autre poète qui la donne autant... Le style
des *Fleurs du mal*, comme celui des *Paradis artificiels*, ou des
Petits poèmes en prose, est l'absolu de la beauté, de la pureté,
de l'évocation. Je ne crois pas que quelqu'un puisse jamais tirer
de la langue français plus de mystère et plus de vie... A côté
de cela, tous les lyriques, de Chateaubriand à Hugo, paraissent
des littérateurs... Leur rythme, berceur ou sonore, ne semble
plus que cela, sans ce timbre d'au-delà que nous aimons...
Baudelaire est tout nous-mêmes... Le cœur, la tête, les sens,
l'analyse et l'inconscience se mêlent dans cette poésie suave ou
terrible. Il contient Musset, Heine, Lamartine, Vigny, et les
dépasse. Depuis qu'il a disparu, personne ne l'a valu, ni même
rappelé. C'est peut-être celui dont la gloire durera le plus

longtemps, puisque l'émotion qui la crée vient du plus éternel et du plus profond de notre cœur. (72-81)

Charles Morice: Il n'y a pas de poète aujourd'hui plus présent que Baudelaire. Il n'y en a pourtant pas de plus contraire par son art et par sa pensée aux aspirations de la poésie soi-disant nouvelle. Seul, l'auteur de *Sagesse* reste aussi vivant que l'auteur des *Fleurs.* Ils signifient les deux mouvements essentiels et vitaux du cœur français: concentration, expansion. La pensée de Baudelaire se rassemble, se resserre... son art solide, sévère, rouge et noir, précis a la carrure limitée, massive et forte d'un temple romain. Les vertus de Verlaine sont contraires... Baudelaire résiste pour rester. Il est central et fondamental, sans ailes, réuni et statique... l'attitude d'une force foudroyée qui consent à la logique de sa damnation universellement nécessaire. Verlaine... s'envole... s'évapore. (92)

Alfred Mortier: J'ai ardemment aimé Baudelaire au temps de ma première jeunesse. Plus réfléchie aujourd'hui, mon admiration subsiste. C'est en vain que les universitaires, à la queue de Brunetière et d'Emile Faguet, essayent de le diminuer. Baudelaire reste un merveilleux poète, un artiste unique, dont le rôle et l'influence ont été considérables. Quelques bizarreries de mode, quelques exagérations romantiques ne sauraient ôter aux *Fleurs du mal* leur charme vraiment incantatoire, leur parfum symbolique et profond. Baudelaire est l'initiateur d'une Esthétique nouvelle. Mais il demeure traditionnel par la frappe magistrale du vers, par la sûreté et la solidité de la langue, par l'unité de la pensée. Sans Baudelaire nous n'aurions eu ni Laforgue, ni Rimbaud, ni Verlaine, ni Mallarmé, ni le Symbolisme. Il a fondé une école, un mouvement d'art qu'on peut discuter, mais qui ont leur place dans l'histoire littéraire de la France. On peut s'étonner, à bon droit, que dans les manuels généraux de la littérature la place lui soit si mesurée. (95)

Josephin Péladan: Par la perversité... par l'usage des excitants, par une sensibilité anormale et presque diabolique, Baudelaire est un décadent. Ce titre de *Fleurs du mal,* à lui seul, indique la fin d'une civilisation... Quiconque feuillette les journaux intimes du poète aperçoit un penseur exceptionnellement traditionnaliste, voire un théologien... Baudelaire... pense comme une grande tête catholique. Ses jugements sur son époque sont dignes d'un de ces prophètes du passé... Le morceau qui commence par "le monde va finir", égale les plus hautes vaticinations, et ce sera toujours un sujet d'étonnement qu'il soit sorti de la même plume que Delphine et Hippolyte et Lesbos ... On aurait un opuscule précieux d'une densité doctrinale imprévue, en réunissant les éclairs de doctrine, éparpillés dans les carnets intimes ... Le mal chez ce beau génie est artificiel et l'expression d'un déplorable dandysme, tandis que le pur idéalisme se cache au fond et avec lui les notions du catéchisme ... L'art baudelairien part d'un plan réaliste, qui est inquiétant, le thème ressemble fort à un animal répugnant et dangereux, mais il tourne au monstre ... Qui sait si la nécessité d'étonner, de scandaliser pour être connu, n'entre pas pour les deux tiers dans les paradoxes et la perversité de ce noble esprit? (105-106)

Frédéric Plessis: J'admire Baudelaire parce qu'il a fait de beaux vers pleins de nombre et de pensée ... dans une langue oratoire, en un mot, des vers de la meilleure tradition française. Qu'il y mêle d'autres vers cassés, gauches et de goût malsain, je le déplore; il avait le souffle court et tombait dans l'erreur de l'originalité volontaire. Le "frisson nouveau" non seulement ne me touche pas, mais il me déplaît; j'en suis quitte pour ne lire chez lui que ce qui m'enchante, pour ne retenir de ses vers que ceux que j'aime. Il y en a beaucoup, et je les aime et admire beaucoup. (107)

[La conclusion d'Ernest Raynaud:] Le règne de Baudelaire n'est pas fini: il recommence!

CHAPITRE VI

Afin que, si mon nom ...

ET LA VALEUR de ce demi-siècle d'articles?

Si nous nous attendons à une valeur critique, à ce qu'on ait compris et signalé le génie de Baudelaire, nous serons fort déçus—du moins, avant 1900 et la venue de la génération de Gide, Rivière et Mauclair. Baudelaire a été singulièrement méconnu, par ses ennemis et ses admirateurs à la fois. Une seule exception—Théodore de Banville. Du discours prononcé aux funérailles de son ami, en 1867, jusqu'à sa propre mort, en 1891, il n'a jamais cessé de proclamer le génie de Baudelaire; et tout ce qu'il dit est d'une prescience extraordinaire. Lui seul a compris que la véritable grandeur des *Fleurs du mal*, c'était leur modernisme, leur analyse profonde de l'homme contemporain.

1867: L'avenir prochain le dira d'une manière définitive, l'auteur des *Fleurs du mal* est non pas un poète de talent, mais un poète de génie, et de jour en jour on verra mieux quelle grande place tient, dans notre époque tourmentée et souffrante, son œuvre essentiellement nouvelle.

1873: Ce sentiment raffiné de la vie moderne, qui fait l'exquise originalité des *Fleurs du mal.*

1874: L'homme moderne, usant sa bravoure stérile,
En d'absurdes combats, plus durs que ceux d'Achille...

1883: Baudelaire puise son inspiration au plus profond de l'âme humaine et nous donne ses *Fleurs du mal* qui resteront au premier rang parmi les chefs-d'œuvre lyriques.

1883: Le plus romantique et le plus moderne de tous les livres de ce temps —le merveilleux livre intitulé *les Fleurs du mal.*

1885: Une œuvre forte, lucide, sincère, douloureuse et vraie comme la vie ... Un seul personnage, très moderne, l'Âme humaine.

1885: Un puissant créateur et un grand révolutionnaire. Ce qu'il décrit, c'est les angoisses du temps où il a vécu.

1890: Le poète de l'âme moderne...

A part Banville, cependant, presque tout le monde a fait preuve d'une ineptie rare.

Brunetière vient en tête de ceux qui ont mal compris Baudelaire; mais à tout prendre, il ne dit rien qui ne se retrouve dans les articles favorables au poète; le fait ne ressort que trop clairement d'une multitude de textes.

"Personne," écrit Brunetière, "n'a mieux plaidé la cause de l'art pour l'art ou celle de la décadence... Baudelaire a voulu que l'art devînt proprement un grimoire, dont la lecture ne fut permise qu'à de rares initiés, et d'ailleurs dont les caractères cabalistiques ne cacheraient ni n'exprimeraient rien."

Que trouvons-nous chez les critiques favorables?—

Gautier (1868): Il se plaisait dans cette espèce de beau composite et parfois un peu factice qu'élaborent les civilisations très avancées et très corrompues... Tout ce qui éloignait l'homme et surtout la femme de l'état de nature lui paraissait une invention heureuse... Ces goûts peu primitifs... doivent se comprendre chez un poète de *décadence* auteur des *Fleurs du mal*...

Bourget (1881): Il était un homme de décadence, et il s'est fait un théoricien de décadence... [Il] rechercha tout ce qui paraît morbide et artificiel...

Barbey d'Aurevilly (1881): [Poésie] gâtée dans sa source... phtisique, maladive, empoisonnée, mauvaise, décomposée par toutes les influences morbides de la fin d'un monde qui expire.

Huysmans (1881): Le Poète de génie qui... ouvre sur une épithète des horizons sans fin, l'abstraction de l'essence et du subtil de nos corruptions.

Morice (1886): Le fruit corrompu des âmes et des civilisations vieillies.

Laforgue (1886): Le premier qui ait apporté dans notre littérature l'ennui dans la volupté et son décor bizarre: l'alcôve triste... le Fard... le Spleen... la maladie... la névrose... Le premier qui ait rompu avec le public... Lui, le premier, s'est dit: la poésie sera chose d'initiés... le Public n'entre pas ici.

Péladan (1891): Baudelaire... ce confesseur de la décadence latine.

Rodenbach (1892): Baudelaire est au seuil de la vieillesse du monde, un homme de décadence... [Sa poésie] est vraiment de l'art pour l'art, de l'art pour les artistes... Baudelaire a eu l'audace d'entraîner l'art—qui n'est pas fait pour tous—sur la Montagne où une élite en entretiendrait le culte divin.

France (1892): La poésie de Baudelaire... n'est point faite pour les âmes jeunes et simples, pour le public, pour le grand jour et le grand air. Elle est secrète et veut des connaisseurs savants et délicats pour la goûter dans une chambre close.

Henri de Régnier (1893): Ce livre... peccamineux de délectation morose, magnifique rêverie... sur les possibilités mauvaises de l'être.

Il faut se rendre à l'évidence: ces opinions bizarres justifient, ou peu s'en faut, la malveillance de Brunetière.

Parfois, il est vrai, nous trouvons un article qui, du point de vue purement littéraire, est un véritable chef-d'œuvre. La "Notice" de Gautier, par exemple, esquisse superbe des milieux de la Bohême vers 1840, écrite dans un style chatoyant et doré; les études de Barrès, de Bourget, de Huysmans, de France, de Jules Laforgue, de Jules Lemaître, dont certains passages n'ont rien perdu aujourd'hui encore de

leur pénétration. C'étaient les maîtres de l'époque: il est toujours intéressant de lire ce qu'ils ont pensé d'un poète, même lorsqu'ils ne
l'aimaient pas, même lorsqu'ils le comprenaient mal. Et nous remarquons partout un acheminement lent, un indéniable progrès vers un
point de vue plus large et plus sain. Après tout, qu'est-ce que les
critiques de 1917 ont vu chez Baudelaire?—Un poète classique (ou
presque), un poète d'inspiration profondément chrétienne, l'initiateur
d'une poésie à la fois nouvelle et moderne.

Eh bien! Tout cela était préparé d'avance. Vers 1917, le "classicisme"
de Baudelaire était depuis longtemps un lieu commun. Ses contemporains en avaient parlé; l'idée se retrouve également chez Zola,
Barrès et France; et après 1900 tout le monde s'en empare: Gourmont,
Cassagne, Praviel, Gide, Royère, Suarès, Doumic, Strowski.

Il en est de même de son mysticisme. Certains contemporains et
ensuite Uzanne, Barrès et Rodenbach l'avaient noté; après la publication des *Œuvres posthumes* il est devenu une source féconde d'articles, comme il l'est encore aujourd'hui: Bonnières, Desjardins, Lemaître, France, Spronck, Morice, Pellissier, Gidel, Péladan.

Quant à la nouveauté des *Fleurs du mal*, elle a été vite reconnue.
Dès 1861 un article anonyme signale Baudelaire comme chef de la
jeune école; Barbey d'Aurevilly en 1866 note son influence sur Verlaine, Mallarmé et les Symbolistes; Asselineau, Verlaine, Banville et
Gautier ont tous insisté sur ses innovations de technique et d'inspiration, comme Rimbaud, Laforgue, Moréas et Ghil. Et que dire des
témoignages publiés par *La Plume* en 1892, où Baudelaire est salué
comme le père spirituel de la jeune génération, et des nombreux articles parus entre 1892 et 1902 où l'on ne cesse d'insister sur sa nouveauté et sur son modernisme?—Là aussi 1917 n'a rien inventé.

Rien inventé sauf un nouveau point de vue: et voilà le fond de
l'affaire, le centre névralgique de notre enquête. Si la valeur critique
et littéraire de la plupart des articles est assez mince, ils sont presque
tous d'un grand intérêt documentaire: ils nous renseignent fort lumineusement sur l'état mental et spirituel du XIXe siècle.

Siècle bizarre, dont les épaves gigantesques nous entourent encore
et ne manquent jamais de nous étonner. Siècle positiviste surtout,
dynamique, et qui se trouvait pris au dépourvu devant l'étrange révélation des *Fleurs du mal*. Nul autre, en effet, n'était plus mal fait pour
comprendre Baudelaire. Le XVIe l'aurait brûlé vif, mais l'aurait compris; au XVIIe il aurait risqué la Bastille, et Nicole et Bourdaloue
l'auraient très bien compris; cent ans plus tard ses amis seraient inter-

venus auprès de Mme de Pompadour, et Louis XV aurait fermé les yeux. Mais vers 1857 l'époque était en plein épanouissement. Elle croyait fixer l'avenir, en réalité elle prenait son élan dans le passé, dans les rêves et les idéaux de la Révolution et la gloire de l'épopée napoléonienne. Tout lui réussissait, même ses émeutes: on avait démoli en 1789, en 1830, en 1848, mais toujours pour reconstruire. De nouvelles démolitions, s'il en fallait, donneraient lieu à de nouvelles reconstructions; rien à craindre de l'avenir; et sur ces entrefaites on n'avait pas à s'occuper d'un certain M. Baudelaire, qui entretenait une femme de couleur et avait des manies bizarres. On a noté, sans doute, quelques-unes des qualités du nouveau poète, quelques mérites qui nous frappent encore aujourd'hui, mais comme à contre-cœur: il est rare que ce qu'on dit nous satisfasse. Le classicisme des *Fleurs du mal*, par exemple: Baudelaire pratiquait une technique soignée, méditait ses vers, les remettait vingt fois sur le métier; et, à cause des théories romantiques sur l'inspiration, tout cela paraissait artificiel, contre nature, décadent. "La *dépravation*," dit Gautier, "c'est-à-dire l'écart du type normal, est impossible à la bête, fatalement conduite par l'instinct immuable. C'est par la même raison que les poètes *inspirés*, n'ayant pas la conscience et la direction de leur œuvre, causaient à Baudelaire une sorte d'aversion, et qu'il voulait introduire l'art et le travail même dans l'originalité." Pour Scherer aussi la poésie baudelairienne était décadente parce que "recherchée, quintessenciée, impénétrable"; Jules Lemaître disait que le baudelairisme était "l'une des formes extrêmes, la moins spontanée et la plus maladive de la sensibilité poétique, tout un ensemble d'artifices, de contradictions volontaires"; Henri de Régnier trouvait *les Fleurs du mal* "artificielles" parce qu'elles avaient une intention déterminée. Et ainsi de suite. Pour le XIXᵉ siècle, il y avait un relent de décadence dans le classicisme de Baudelaire.

Et dans son mysticisme aussi. Baudelaire, en révolte contre l'humanitarisme et le progrès scientifique de son époque, voulait retrouver le point de vue tragique en retrempant la poésie dans les sources vives du bien et du mal: "La vraie civilisation n'est pas dans le gaz, ni dans la vapeur . . . elle est dans la diminution des traces du péché originel." Pareil mysticisme n'avait rien de commun avec la religiosité facile alors à la mode, et encore moins avec le positivisme et l'esprit scientifique. Il paraissait donc un peu morbide, d'autant plus que Baudelaire, pour se faire entendre, haussait la voix, recherchait des effets parfois un peu criards. Dès 1857, comme nous l'avons vu, les critiques s'en prenaient à ce mélange légèrement apprêté de péché et de repentir, de filles et de madones; et pendant les trente ou quarante années suivantes, tout le monde insistait de plus en plus sur les qualités souvent douteuses du mysticisme baudelairien:

Bourget (1881): Baudelaire est mystique, et un visage d'une idéalité de madone traverse sans cesse les heures sombres et claires de ses journées ... Il est libertin, et des visions dépravées jusqu'au sadisme troublent ce même homme... La soif d'une infinie pureté se mélange à la faim dévorante des joies les plus pimentées de la chair.

Barrès (1884): Il est des blasés que titille le péché... qui ne vont à l'église que pour pouvoir blasphémer... C'est un autre calice que celui du Christ, mes frères, que le calice des *Fleurs du mal*.

Laforgue (1886): Il est spiritualiste, onctueux, prélat parfumé, rusé, jésuite impie, satanique, succube...

Lemaître (1887): Le baudelairisme... c'est l'union de la sensualité la plus profonde et de l'ascétisme chrétien... et aussi de la volupté charnelle et du mysticisme.

France (1889): Baudelaire aime le péché et goûte avec délices la volupté de se perdre... Ce ne serait pas même un débauché, si la débauche n'était excellemment impie.

Pellissier (1889): Baudelaire avait commencé par la foi... Mais les retours mêmes d'un catholicisme corrompu sont un assaisonnement de plus aux voluptés. Le plaisir est doublé quand une pointe de remords en relève la douceur.

Doumic (1896): Le baudelairisme.—On entend par là cette perversion qui consiste à mêler le catholicisme avec la débauche, et à raviver la sensualité par le ragoût de l'émotion religieuse.

Abbé Charbonnel (1896): [Baudelaire était] un assemblage d'épicurienne sensualité et de christianisme ascétique, de volupté charnelle et de piété mystique, de débauche et de prière... Le cauchemar catholique du démon et de l'enfer lui était un indispensable excitant... Quelle perversion du sens mystique!

Quant à la nouveauté et au modernime du livre, ils prenaient eux aussi une allure *faisandée*. L'une des plus vieilles légendes occidentales veut que la Nature soit "la base, source et type de tout bien et de tout beau possibles."[1] L'idée remonte à nos origines gréco-latines; nous la retrouvons plus tard chez des philosophes comme Montaigne et Montesquieu; et elle renaît au XVIIIᵉ siècle avec une force nouvelle dans l'œuvre de Rousseau, dont elle constitue en quelque sorte le thème principal. De là ce culte de la nature si cher au Romantisme: puisque la civilisation est artificielle, elle est mauvaise et il faut l'écarter.

---

[1] D'après le mot de Baudelaire lui-même, "Le Peintre de la vie moderne", *Œuvres* (Pléiade), II, 354-355.

Lorsque Baudelaire, cherchant ce qu'il appelait "l'héroisme de la vie moderne" le trouvait là où il se voyait le mieux—dans la grande ville—il reniait l'une des croyances les plus chères à ses contemporains; et l'époque, convaincue que le moderne était plus complexe, plus civilisé, plus artificiel et par conséquent plus décadent que le passé, concluait d'emblée que le modernisme de Baudelaire était lui-aussi décadent:

Gautier (1868): Baudelaire aime à suivre l'homme pâle, crispé, tordu, convulsé par les passions factices et le réel ennui moderne à travers les sinuosités de cet immense madrépore de Paris, à le surprendre dans ses malaises, ses prostrations et ses excitations, ses névroses et ses désespoirs.

Bourget (1881): Il s'est rendu compte qu'il arrivait tard dans une civilisation vieillissante, et il s'en est réjoui.

Barbey d'Aurevilly (1881): La poésie du spleen, des nerfs et du frisson dans une vieille civilisation matérialiste et dépravée.

Caume (1889): Fils d'un siècle au sang appauvri, il appréciait le charme des choses maladives. Son âme s'abîmait délicieusement dans les mélancolies de notre civilisation décrépite.

Vaudon (1902): Les déviations, les dépravations, les perversités du monde moderne, un monde épuisé, blasé, encore qu'irrassasié et toujours en quête de sensations inéprouvées, voilà le fond ordinaire de l'inspiration baudelairienne.

Bois (1902): Il a engendré la neurasthénie moderne.

Il ne faut pas oublier que quelques-uns de ces extraits viennent d'articles extrêmement favorables à Baudelaire, et que ses imitateurs et ses disciples (Verlaine, Mallarmé, Rollinat, Péladan, Samain, Laforgue, les écrivains du *Décadent* et de *La Décadence*), lorsqu'ils s'inspirent de lui, choisissent le plus souvent parmi les thèmes les plus scabreux de son œuvre. Brunetière (hélas!) avait un peu raison: le succès de Baudelaire pendant la fin du siècle n'était pas toujours de très bon aloi.

Par conséquent, ce qui nous intéresse le plus dans l'apothéose de 1917, c'est qu'elle dépendait d'autre chose. En partie sans doute de l'avènement d'une génération nouvelle qui, comme toujours, quittait les ornières de ses pères à la recherche d'une nouvelle voie. Mais surtout de la guerre elle-même et de la révolution de goûts et d'idées qu'elle entraînait à sa suite. La catastrophe, selon le mot de Camille Mauclair, creusait un abîme symbolique entre le passé et l'avenir, et le caractère de la civilisation s'en trouvait changé. La "belle époque", sa vie facile, ses croyances solides, n'existait plus; on s'en souvenait comme les émigrés de 93 auraient pu se rappeler la cour de Versailles. Rien n'indiquait mieux la valeur des *Fleurs du mal* que leur triomphe sous de telles conditions. Ecrites à une époque de crinolines et de hauts-de-forme, où la vie se développait au rythme lent d'un progrès assuré, où le pire était devenu impossible, elles s'adaptaient fort bien à un monde de tranchées et de mitrailleuses, de guerre civile et de ruine universelle. Leur vision tragique de l'homme, si "malsaine" un demi-siècle plus tôt, ne paraissait plus du tout exagérée. Le monde lui-même était devenu tragique; et tout ce qu'un Gautier, un Brunetière, un Huysmans, un Bourget n'avaient pas vu, ne pouvaient pas voir dans l'œuvre de Baudelaire, s'imposait après 1914 avec un éclat sinistre.

L'histoire critique de Baudelaire est donc étroitement liée à l'évolution du siècle tout entier. Parfois brillants, souvent idiots, mais toujours révélateurs, les articles consacrés aux *Fleurs du mal* nous aident à comprendre l'une des périodes les plus extraordinaires de notre passé. Ils nous renseignent, de façon souvent fort précise, sur ce que nos aïeux attendaient de la poésie et sur ce qu'ils pensaient de la civilisation dont ils ont vécu les heures suprêmes. Les résultats, sans doute, laissent souvent à désirer du point de vue critique: on a mal compris Baudelaire. Mais ce défaut ne diminue en rien la valeur documentaire de tant d'études: elles sont toutes, il faut l'avouer, singulièrement probantes.

APPENDICE

*(Jugements recueillis trop tard pour figurer parmi
les extraits précédents.)*

(1)   1868, 15 décembre, Jules de Goncourt, *Journal*.
J'inclinerais à croire que la folie n'attaque pas les grandes vo-
lontés, les grands talents. Elle n'atteint et ne prend par-ci et
par-là qu'un Baudelaire, c'est-à-dire un Prudhomme exaspéré,
un bourgeois qui s'est tourmenté toute sa vie pour se donner
l'élégance de paraître fou. Il s'y est si bien appliqué et tendu
qu'il est mort idiot. Paix à cette pose!

(2)   1870, 22 juin, Théodore de Banville, article nécrologique sur
Jules de Goncourt, *Le Gaulois*.
J'ai nommé Gavarni; il fut jusqu'à son dernier jour l'ami des
frères Goncourt, et . . . leur seul maître. Ce furent les veuves de
ce puissant génie qui révélèrent aux futurs auteurs de *Renée
Mauperin*, de *Germinie Lacerteux*, et de *Madame Gervaisais* ce
que Baudelaire a si justement nommé l'HEROISME DE LA
VIE MODERNE, et comment les choses, les personnes, les
costumes les moins nobles selon la convention classique, peuvent recevoir de la sincérité de l'expression une beauté sublime
et éternelle.

(3)   1882, juin, J. K. Huysmans, Lettre à Camille Lemonnier (J. K.
Huysmans, *Lettres inédites à Camille Lemonnier*, Genève, Droz,
1957, 110.)
Baudelaire et Flaubert — ces deux immenses écrivains qu'on ne
vend pas!!!

(4)   1887, 2 juin, J. K. Huysmans, Lettre à Emile Zola (J. K. Huysmans, *Lettres inédites à Emile Zola*, Genève, Droz, 1953, 128.)
[A propos de l'article de Brunetière, *supra*, chapitre II, n° 5.]
Mon Dieu! que ce Brunetière est donc sot! avez-vous lu son
article sur Baudelaire!

(5)   1891, 19 janvier, Paul Valéry, Lettre à André Gide (André Gide
- Paul Valéry, *Correspondance 1890-1942*, Gallimard, 1955, 44.)
J'ai irrité en moi le désir de sentir jusqu'à la moelle la magie des
choses; j'ai lu de grandes pages dans Schopenhauer et j'ai mieux

pénétré le cher Baudelaire, le mien, mon intime, celui de certaines pages sur l'extase.

(6) 1895, 27 janvier, Edmond de Goncourt, *Journal*.

Oui, c'est positif en ce temps, on a le goût de la vie malpropre. En effet, quels sont, en ce moment, les trois dieux de la jeunesse? Ce sont Baudelaire, Villiers de l'Isle-Adam, Verlaine: certes trois hommes de talent, mais un bohême sadique, un alcoolique, un pédéraste assassin.

(7) 1895, 3 juin, Edmond de Goncourt, *Journal*.

. . . La mère de Baudelaire, qui mourait après son fils, mourut de la même maladie, mourut aphasique. Ainsi tombe la légende qui attribue à la vie de désordres de Baudelaire cette maladie, qui ne fut chez lui qu'un résultat de l'atavisme.

INDEX DES CRITIQUES CITÉS

TABLE DES MATIÈRES